La red de Jonás

JORGE RUFFINELLI

CRITICA EN MARCHA
Ensayos sobre literatura latinoamericana

La Red de Jonás - PREMIA EDITORA - 1982

Diseño de la colección: Pedro Tanagra R.

Primera edición: 1979
Segunda edición: 1982
© Jorge Ruffinelli
© PREMIA editora de libros s. a. RESERVADOS TODOS LOS
DERECHOS

ISBN 968-434-085-0

Premià editora de libros s.a.
c. Morena 425 A, México 12, D. F.

Impreso y hecho en México
Printed and made in México

Cuando llegué a México desde Uruguay en 1974 llevaba siete años y pico escribiendo en Marcha. De adolescente lector fervoroso pasé a redactor de su sección literaria, de redactor a director de la misma. Ingresé a Marcha gracias a Angel Rama y me quedé gracias a Carlos Quijano. Los compañeros fueron muchos, demasiados como para nombrarlos uno por uno aunque quisiera hacerlo, por nostalgia. Hoy Marcha ha desaparecido, como toda la prensa independiente uruguaya: la censura militar acabó por abatirla.

Muchos de los artículos y ensayos de este libro se publicaron en esa época (otros, después, ninguno antes). Corresponde, pues, a un tiempo de posibilidades, de crisis, de esperanzas. De aprendizaje. Por eso hoy veo estos textos, en gran medida, como si constituyeran un cuaderno de notas. Esa escritura a veces placentera, a veces informe, que se reescribirá después. Que tendrá otra expresión luego de nuevas lecturas, en nuevas instancias críticas.

Fue la década de América Latina. O la década en que la Revolución Cubana nos enseñó a redescubrir el continente. De ahí la unidad del volumen, su unidad de tema en torno a la literatura latinoamericana. Dentro de ese campo, escogí algunos entre muchos ensayos, y como toda selección, la mía fue en alguna medida antojadiza. Por un lado, la preocupación por recoger lo mejor —lo menos malo—; por otra, los trabajos más queridos. ¿Queridos, por qué: por su temas, por los libros a que refieren, por el mundo de sus autores, por las circunstancias en que fueron escritos? Todo texto ensayístico expresa una vivencia de lectura y una vivencia de mundo a la vez, sea cual sea la manera en que se las haya elaborado. Expresa un poco o mucho lo que es uno mismo, quien escribe. De ahí la falacia de afirmar que la función crítica consiste en explicar meramente un texto anterior, dado. De ahí, también, que las preguntas anteriores hayan de quedar, cierto pudor mediante, un poco veladas.

J.R.

I

1. BORGES JUZGA A BORGES*

Una tarde a las cuatro, un día cualquiera ya que todos los días pueden repetirse al infinito, Jorge Luis Borges nos abre la puerta de su apartamento bonaerense, y prácticamente desde ese instante comienza un diálogo lleno de juicios y opiniones (ácidas a veces) de Borges sobre Borges. ¿Importa realmente su obra, más allá de las innegables páginas magistrales que escribió? ¿Es Borges un escritor culto, incluso un erudito, o se ha apegado a unas pocas y pobres fórmulas e ideas para reiterarlas constantemente? ¿Sigue siendo fiel a sus pasiones y a sus fobias o es hombre capaz de resurrecciones? ¿Es un humorista sutil o un no sutil reaccionario en sus declaraciones políticas? ¿Un intelectual humilde, un vanidoso simulado?

Acuden al diálogo las memorias, las opiniones literarias, y Borges se desplaza entre ellas con la habilidad de un ciego en la oscuridad: sus sentidos son perfectos, sus reacciones brillantes, y lo conducen al punto exacto de su pensamiento, tanto vale que coincidamos o que discrepemos con él. Porque todas sus palabras parecen por un momento acercarnos al centro de su personalidad, al secreto del hombre, aunque en verdad ese secreto esté destinado tal vez a mantenerse durante mucho tiempo, mientras nos preguntamos: ¿Quién es Borges?

I

—*Al comparar sus mismos poemas publicados en diferentes épocas he advertido que usted se corrige mucho, constantemente.*

—Sí, por eso siempre quiero que respeten mis últimas ediciones. Si estoy escribiendo algo y se me ocurre una variación, ¿por qué no he de hacerla? Si se me ocurre una variación diez años después, ¿acaso ya no tendría el derecho de hacerla?

—*¿La obra no sería entonces algo cerrado?*

—No, no. Por ejemplo el año que viene sale un volumen mío, titulado *Obras completas*, y yo estoy reescribiéndolo todo. No tanto la parte en prosa, pero los versos sí. Generalmente me sonrojaba cuando leía los primeros versos.

—*¿Por qué? Es más lindo "lindo" que "grata" o "grata" que "lindo". "Linda la soledad de un patio. . .": "grata" dice ahora.*

—Yo no sé cuándo he hecho esa modificación. La palabra "lindo" es falsamente familiar y criolla. . . ¿no?

* En colaboración con J. C. Martini Real.

—*A lo mejor eso es lo lindo de "lindo".*

—Pero mire, yo tengo derecho a modificar. Esta mañana estaba en el agua, bañándome, y se me ocurrió que la "Milonga de dos hermanos" terminaba de un modo abrupto. Entonces pensé cómo concluirla.

—*¿No habría que confiar mejor en el juicio del tiempo que en nuestros cambios de criterio?*

—Lo que sé es que hay cosas que yo no puedo firmar ahora por que me daría vergüenza hacerlo. Como decía Lane de algunos cuentos de *Las Mil y una Noches:* ciertos cuentos muy indecentes no podrían ser purificados sin destrucción. Pero si acaso pueden ser purificados sin destrucción, si puede mejorarse un epíteto, ¿por qué no hacerlo?

—*Cuando usted escribió una obra fue un Borges particular, que luego se transformó. Pero si un Borges posterior corrige al anterior ¿no está traicionando al Borges del pasado?*

—Bueno, bueno, pero el pasado no es irrevocable y estamos modificándolo constantemente. Con la memoria, por ejemplo. Hace unos días, murió un excelente escritor y un gran amigo mío, Manuel Peyrou. Peyrou me hablaba siempre de nuestras reuniones en el cenáculo de Macedonio Fernández, en la Plaza del Once, en la esquina de Jujuy y Rivadavia. Y a él le gustaba demorarse en esos recuerdos. Ahora, que yo recuerde, él no asistió nunca a estas reuniones, pero era muy amigo de Julio César, de Santiago Dabove y mío, quienes habíamos sido contertulios presentes. Entonces él había enriquecido su pasado —yo nunca lo contradije— con los recuerdos de esas tenidas con Macedonio. Las leyendas se hacen así. Cuando estuve en el cementerio y hablé allí sobre él, recordé nuestras reuniones, porque sabía que eso le hubiera gustado a él. Yo sé que eso no ocurrió nunca y que él no fue a ninguna pero si a él le gustaba pensar que había estado y si eso formaba parte de su pasado, bueno, había que respetarlo.

—*La anécdota es seductora porque crea algo sobre un vacío, a partir de lo que no existe. Pero cuando usted se corrige, está negando una realidad anterior.*

—Estoy negando lo posible. Es lo que yo querría: borrar todo lo posible. Pero como los editores siempre quieren hacer un libro extenso. . . Yo, por mí, dejaría mi obra reducida a media docena de páginas, pero eso no les conviene a quienes editan mis *Obras completas.*

—*¿Esas pocas páginas serían un "balance crítico" de su propia obra?*

—¿Por qué no? Si otros pueden hacerlo, ¿por qué no puedo hacerlo yo?

—*¿El suyo sería ése, de media docena de páginas?*

—Bueno, exagero un poco. Desde luego, todos los autores ganan porque uno los lee primero en antologías. Creo que las obras completas son un disparate. Ahora la Academia Argentina de Letras va a publicar cuatro volúmenes de las Obras completas de Enrique Banchs. Yo creo que Banchs fue un excelente poeta cuando escribió *La urna;* pero cuando escribió *Las barcas, El cascabel del hal-*

cón y *El libro de los elogios*, ya era bastante malo. ¿Para qué recordar eso? ¿Por qué no recordar las buenas páginas de *La urna*, que eran excelentes? Además van a editar todos los artículos que él publicó creo que anónimamente en una revista cuyo título ya es un poco alarmante. Se llamaba "El Monitor de la Educación Común". ¿Qué puede esperarse de artículos publicados en "El Monitor de la Educación Común"?

—*¿Qué salvaría Borges de Borges?*

—Creo que hay algunos cuentos que no están mal, y creo que hay algunos poemas que no están mal.

—*¿Y no tanto como obra, sino como iluminación, como revelación, como herencia?*

—Yo no sé si he tenido tantas revelaciones. Creo haber ejercido una influencia más bien buena, salvo en algunas cosas. Por ejemplo yo dediqué un libro a un poeta menor, Evaristo Carriego. Ahora me arrepiento de ello. Pero ¿por qué lo hice? Porque era vecino nuestro, allá en las orillas de Palermo. Recuerdo que mi madre me dijo: Si quieres escribir un libro sobre un escritor argentino, ¿por qué no escribes un libro sobre Lugones o sobre Almafuerte? Y no sobre Carriego simplemente porque era vecino nuestro. O porque trató temas nuestros.

—*Lo eligió por la temática, por la realidad.*

—Bueno, sí.

—*Palermo después de Carriego fue otro Palermo Del mismo modo que Palermo después de Borges fue también un Palermo diferente.*

—Bueno, sí, cambió totalmente. Pero creo que el Palermo que yo he mostrado en mis cuentos y el que Peyrou ha mostrado es mucho más verdadero que el de Carriego. Porque Carriego lo veía a través de *Los tres mosqueteros*, de la literatura romántica francesa. Y ciertamente no se parecía en nada. Era un mundo mucho más duro aquél. Y él lo hizo, no sé, en parte florido, en parte romántico. Por ejemplo cuando compara al cuchillero, por lo insolente, con un mosquetero. . . Creo que los mosqueteros de Dumas debían parecerse muy poco —o nada— a los cuchilleros. Era gente muy distinta.

II

—*¿Cuál piensa usted que ha sido su aporte a la historia de la literatura?*

—Bueno, eso voy a decirlo en el prólogo de las *Obras Completas*. Yo creo que el aporte, si es que hay aporte, sería el de escribir de un modo sencillo en una época en que todo el mundo escribe de modo barroco.

—*En el 20 usted no escribía "sencillo".*

—Por eso digo, y es lo malo mío. Con todo, ahora creo escribir de un modo mucho más sencillo que las personas que usan palabras como "verticalidad", o "esposa" en lugar de "mujer". Los poetas jóvenes parecen dedicados más al caos que a otra cosa, ¿no? Dedicados a hilvanar palabras incoherentes. Y luego creo que con otros escritores ya —especialmente Lugones en *Las fuerzas extra-ñas*— hemos insistido en lo fantástico, dentro de una literatura que era más bien documental o que estaba hecha de alegatos políticos, una literatura de escasa imaginación, como es la argentina. Creo que algo bueno he hecho, y mucho malo, desde luego. Por ejemplo, escribí un cuento titulado "Hombre de la esquina rosada". Ese cuento es francamente malo y traté de contrarrestarlo con otro cuento titulado "Historia de Rosendo Juárez", en el que se cuenta cómo pudieron haber sucedido aquellas cosas.

—*La crítica ha juzgado que "Hombre de la esquina rosada".* . .

—"Hombre de la esquina rosada" es muy malo, realmente. Es tan falso, todo: desde el lenguaje hasta la sicología de los personajes.

—*Es que tiene un lenguaje inventado, creado, por Borges. Y a lo mejor ése es su mérito. También Góngora inventó un lenguaje.*

—Bueno, y Góngora suele ser bastante espantoso, ¿no? "Hombre de la esquina rosada" no está mal de argumento, pero está tan mal escrito. . .

—*Quiere asombrar y encandilar con su final.*

—Sí, es así. Y es que yo no quiero encandilar ahora, ni creo que un escritor deba tratar de encandilar. Lo mismo que una persona no debe tratar de encandilar, salvo que sea una especie de farsante o de prestidigitador o de político.

—*Esa estética del final sorpresivo estaba un poco en la teoría de ustedes, hace algunos años. Usted, Bioy Casares.* . .

—Bueno, pero Bioy es mucho mejor que yo. Y me ha enseñado mucho, porque a pesar de ser más joven es una persona más sabia que yo. Mejor dicho, yo no soy sabio. . .

—*Es maravillosa su modestia, Borges.*

—No, no. No soy modesto, no soy modesto. Mi hermana, cada vez que me ve, me dice que yo soy de una vanidad intolerable.

—*Tal vez la modestia esconda su vanidad.*

—Sí, eso podría ser. Pero ahora contésteme usted: ¿en Montevideo la gente se acuerda de Ipuche?

—*Sí, por cierto, aunque no mucho.*

—Ipuche tiene ese poema del matrero y del tigre que es bastante lindo. Ahora, la prosa de él es espantosa y los cuentos muy malos. En cambio Silva Valdés escribió *Agua del tiempo* que fue el mejor libro de aquellos años. *Agua del tiempo* es muy superior a *Don Segundo Sombra*, por ejemplo.

—*¿Tanto?*

—Bueno, *Don Segundo Sombra* no creo que sea gran cosa. Está lleno de errores en lo que se refiere al campo. Aunque no sé si esto es importante, más bien creo que no. Decía el doctor Johnson que la gente le había negado a Alexander Pope, en el siglo XVIII, el conocimiento del griego. Pero, dice, basta que una persona traduzca a Homero para que le digan que no sabe griego. Basta que una persona escriba sobre el campo para que le digan que no ha visto un gaucho en su vida, ¿no? El que me señaló muchos errores en *Don Segundo Sombra* fue Enrique Amorim. Claro: Enrique Amorim conocía todo eso mucho más que Ricardo Güiraldes. Enrique

Amorim había sido criado en la frontera con el Brasil, entre gauchos, y no tenía una idea romántica del gaucho. Me acuerdo que una vez volvíamos del Brasil al Salto (Amorim estaba casado con una prima mía, y yo pasaba largas temporadas en el Salto), y en una reunión, unas cuadreras, había como trescientos paisanos. Yo, con un asombro ingenuo de porteño, me quedé mirando a todos esos jinetes, a todos esos ponchos, a todos esos caballos. Yo tenía veinte años entonces. "Pero, dije yo, Enrique, aquí habrá más de trescientos gauchos". Y él me dice: "Bueno, es como si me dijeras que en Buenos Aires hay más de trescientos empleados de Gath y Chaves. . . ¿Qué otra cosa iba a haber?" Yo pensé que Güiraldes no hubiera hecho esa reflexión; hubiera caído de rodillas, posiblemente.

—*Ya que hablamos de Amorim: ¿qué le pareció* La carreta *y* "Las quitanderas"?

—No, eso no me gusta. Lo de las quitanderas lo inventó él. Porque nunca existieron. El mismo me dijo que las había inventado. Pensó que sería curioso que hubiera prostíbulos ambulantes. Y tenían que estar en carretas porque no había otro medio de comunicación. E inventó esas mujeres, aunque no sé de dónde sacó el nombre de "quitanderas". Entonces un escritor francés escribió una novela sobre las quitanderas. Yo le dije a Amorim que estaba bien, que eso quería decir que ya el mito cundía. Pero él se enojó; publicó una carta diciendo que a las quitanderas las había inventado él y se las había robado el otro.

Ahora bien, para no salirnos de *Don Segundo Sombra*, lo curioso fue la vejez de Don Segundo, no sé si la conoce usted. En San Antonio de Areco había muchos cuchilleros y toda esa gente —que era bastante tosca—, cuando apareció *Don Segundo Sombra*, se indignó, porque, bueno, ahí está don Ricardo Güiraldes, que ha escrito una novela sobre Don Segundo Sombra, un viejo santafecino que no tiene nada de particular, que no debe siquiera una muerte. Entonces querían buscarlo al viejo Don Segundo, que no sabía ni cómo se agarra el cuchillo, para desafiarlo. Y Don Segundo, que era peón o capataz de la estancia, y era un hombre de paz, se vio de pronto acosado por todo el malevaje de San Antonio. Sobre todo había dos: uno que se llamaba "El Toro Negro" por lo cual usted ya puede suponer lo que sería, ¿no?, y el otro que se llamaba Soto. Al hijo de "El Toro Negro" le decían "El Torito". Y era entrar alguno de esos hombres en un almacén, en un comercio cualquiera de San Antonio, por una puerta, para que Don Segundo huyera por la otra. Y Don Segundo Ramírez murió en la cama. . . Lo cual no tiene nada de particular, claro. Ahora, esa gente estaba totalmente equivocada: Güiraldes había elegido a Don Segundo Sombra porque era capataz de la estancia de él y porque el nombre Don Segundo Ramírez Sombra queda bien, ¿o no? Además él quería mostrar al tipo de gaucho como hombre de paz, contrariamente a los gauchos de Gutiérrez o de Hernández, que se muestran como matreros nomás. De modo que lo hizo a propósito. Pero esa gente no entendía. Por ejemplo, Soto debió haber sido bastante bruto . . .Una vez llegó un circo al pueblo, y había un león, un león como el león

15

de Lugones (ese león que "la ignominia de un sordo lumbago lo ami-
lana . . ."). En fin, era un león con toda la majestad legendaria y literaria de los leones. Y el domador, para su desgracia, se llamaba
Soto también. La gente lo admiraba porque mandaba al león. Entonces a Soto le dio rabia eso. El domador estaba en un almacén
tomando una caña, se le acerca Soto, de guapo, y le pregunta:
"Disculpe, señor, ¿podría decirme su nombre?" El otro contesta:
"Me llamo Fulano Soto". Y Soto le dijo: "Aquí, no hay otro Soto
que yo. Así que busque un arma y vamos saliendo". El domador,
aterrado, tuvo que buscar un cuchillo, salieron a la calle, y ahí
Soto lo mató de una puñalada. Por atreverse a llamarse Soto, como
él.

—*¿Acaso el Borges que corrige su obra no será un Borges que
está luchando contra otro Borges?*

—Bueno, puede ser, sí. Pero no hablemos de Borges, hablemos
de Soto y del domador.

—*¿Por qué le atrae a usted tanto el tema o el mito del malevo?*

—Es cierto eso. Tal vez se debe a una perversión mía por el
hecho de ser descendiente de militares. Mi abuelo, el coronel Borges, que nació en Montevideo durante la Guerra Grande, a los catorce años defendió como artillero la plaza de Montevideo contra
los blancos de Oribe; a los dieciséis se metió a la batalla de Caseros,
y luego se fue al Paraguay a pelear contra los montañeros de López
Jordán. Fue jefe de fronteras, contra los indios, y después se hizo
matar en el combate de La Verde. Ahí está su retrato. Y luego mi
bisabuelo, el coronel Suárez, ganó la batalla de Junín a los veinti-
cuatro años. De modo que probablemente esa tradición épica haya
influido. Y además el hecho de que yo viví mucho tiempo en Europa, y allá teníamos algunos libros argentinos: entre ellos, los
poemas de Carriego dedicados a mi padre.

—*¿A usted también le gustaría deber alguna muerte, como esos
cuchilleros que admira?*

—No, caramba. . .

—*¿De modo que es literaria esa admiración?*

—Sí, yo creo que sí. . . Aunque no se sabe, uno es tan vanidoso
. . . ¿Usted debe alguna?

—*No.*

—Bueno, ya ve. Me acuerdo que un caudillo de Palermo me decía, leyendo un libro mío: " ¡Quién no debía una muerte, en mi
tiempo! Hasta el más infeliz. . ."

—*Tal vez debemos más de una, sin saberlo.*

—Y, en otro sentido, sí; a lo mejor nos han matado, también.

—*Como autor, frente a sus personajes, ¿no siente usted la arbitraria facultad de dar vida o de matar?*

—No, porque no creo demasiado en los personajes. Sin embargo,
mientras uno escribe conviene creer en ellos. De modo que lo que
se escribe sin convicción, no, no sirve. Y esto se refiere también a
la literatura fantástica. Cuando Wells escribió *La máquina del tiempo* él creía en los *morlocks* y en los *eloi*. Si no, ¿la literatura qué
sería? Sería un juego de palabras no más, es decir puramente verbal. No tendría ningún valor, me parece.

16

—¿*Qué es la literatura en cambio? ¿Algo más que un juego verbal?*

—Ah, yo creo que sí. Tiene que haber algo detrás de las palabras, ¿no? Y ese algo es quizás la vida entera del autor, o las emociones, o la imaginación que también es una fuerza. No creo que puede hacerse literatura puramente verbal. Y es que nunca se hace, porque esa misma literatura verbal engendraría una especie de pasión también. Usted empezaría engarzando palabras y luego esas palabras lo llevan a algo. Yo tengo un poema que se titula "Fragmento". Yo había leído unos versos muy lindos de un poeta boliviano, Jaimes Freyre, que no querían decir absolutamente nada, aunque eran muy gratos. Es un soneto, y yo recuerdo el primer cuarteto nomás: "Peregrina paloma imaginaria/ que enardeces los últimos amores/ alma de luz, de música y de flores/ peregrina paloma imaginaria". Ahora, a mí eso me emociona, no sé si a usted le pasa lo mismo; sin embargo, si usted tuviera que decir qué significa esto... Sin duda hay una emoción detrás de las palabras.

—¿*Por qué cree que ha conmovido tanto Borges, no sólo en la literatura argentina sino mundial?*

—No sé. Creo que detrás de lo que escribo hay algo. Aún detrás de los relatos fantásticos hay referencias personales mías. Por ejemplo: cuando yo estudiaba en Suiza, había un muchacho, ginebrino, muy buen mozo, muy inteligente —el primero de la clase—, y ese muchacho quiso ser amigo mío. Yo al principio le dije que era un error de él, que yo no era nadie, que no tenía derecho a ser amigo de él. Entonces eludí los avances del otro, y el otro se cansó y dejó. Muchos años después escribí un cuento que se llama "El indigno": un muchacho judío vive en un barrio de las orillas de Buenos Aires, el arrabal, y hay un malevo que es una porquería realmente pero él lo admira mucho, que se le hace amigo y lo admite entre sus compinches. Entonces el muchacho piensa que el otro se equivoca, que él no es digno de ser su amigo. En consecuencia, va y lo delata a la policía. Ahora, ese cuento, que parece un cuento arrabalero, es realmente como una especie de mito, de exaltación, de aquella experiencia mía con el muchacho suizo de Ginebra. Claro que en mi cuento todo está exagerado monstruosamente.

—¿*En su literatura está entonces su vida, exagerada?*

—Sí, seguramente. Luego, está también aquella parte de mi vida que yo no he tenido y que hubiera querido tener.

—¿*Cuál?*

—No sé. Tantas cosas...

—¿*Qué hace actualmente?*

—Ahora tengo tantas tareas encima... Porque yo renuncié a mi cargo de director de la Biblioteca Nacional. Cuando subió este gobierno pensé que yo no tenía nada que ver con él, y aunque me aseguraron, "desde arriba" como se dice, que iban a respetarme, pensé que mi situación era falsa. Claro, yo iba a ser empleado de un gobierno que abomino.

—¿No son todos los "gobiernos" iguales?

—No. Yo no abomino de todos los gobiernos. ¿Por qué?

—Me refiero a que todo gobierno tiene defectos y aspectos positivos.

—Este gobierno es especialmente infame. Una persona que permite que le digan: "Perón, Perón, qué grande sos", "Mi General cuanto valés", o es una especie de imbécil o de loco vanidoso o no sé qué. Una persona normal diría: "Pero no, si yo no soy para tanto. Y vamos a otra cosa". En cambio él fomenta eso, fomenta así la adulación, el culto de la vileza.

—¿Es usted religioso?

—No, yo no soy religioso. Creo en la ética, sí, creo que uno sabe si obra bien o si obra mal, pero en cuanto a cielos, infiernos, premios, castigos, en otra vida, todo eso me parece tan inverosímil. . . Claro que todo es posible ya que nosotros somos posibles. El hecho de estar alojados en un cuerpo, de tener dos ojos, dos orejas, todo eso es bastante raro.

—¿Qué explicación da a eso?

—No, no doy ninguna explicación. ¿Cómo dice Stevenson del hombre? "This bubble of the dust", esta burbuja del polvo. ¿Linda frase, no? No, no soy religioso. Además, eso se debe a muchas circunstancias. Mi madre es ferviente católica, mi padre, como todos los señores de su época, de éste y del otro lado del Plata, era librepensador. Mi abuela inglesa, que era muy religiosa, sabía la Biblia de memoria: usted le citaba un versículo cualquiera y ella decía: "Sí, Levítico, tal Libro, tal Versículo" y seguía adelante. O: "Libro de Job, tal Libro, tal Versículo". Bueno, yo me he criado en ese ambiente contradictorio: católico, protestante y librepensador spenceriano y anarquista. Sin embargo, todos nos queríamos mucho y nos llevábamos bien. Cuando llegó el momento de la primera comunión, mi padre dijo: "Yo creo que esto puede ser importante. O la persona que lo practica puede creer que es importante, lo cual es lo mismo". Entonces nos llamó a mi hermana y a mí, y nos dijo que podíamos elegir. Mi hermana eligió y es católica, es católica hasta el punto absurdo de ser antisemita, lo cual, como yo le digo, está negando a Jesucristo, a la Virgen, a los Apóstoles, y a los fieles cristianos, que eran todos judíos.

—Su pregunta, su asombro, como decía antes: habitar un cuerpo, poseer dos ojos. . . ¿No es de alguna manera religiosa?

—No, no. Son actitudes de asombro natural. Es lo que decía Aristóteles: el asombro es la madre de la filosofía.

—¿Haría otra cosa si no escribiera, o piensa que sólo podría vivir en la literatura?

—No podría hacer otra cosa, es mi destino. ¿Qué otra cosa podría yo hacer sino escribir? Tengo setenta y cuatro años, estoy ciego, no tengo ninguna otra vocación. . .

—¿Hubiera querido no escribir?

—No. Porque creo que las otras cosas las hubiera hecho mucho peor.

—¿Y para qué existe la literatura? ¿Para qué escribir?

—¿Y a usted no le parece interesante? ¿No le parece que puede ser una pasión o una necesidad, el escribir?

—*¿No sería el resultado de no poder vivir lo que uno quisiera, un inventarse vidas?*

—Puede ser eso, sí. Pero en ese caso no estaría mal. En ningún caso estaría mal. Claro que se escribe demasiado. . ., pero como el tiempo va dejando caer lo flojo, ¿no?

—*¿Será estrictamente cierto, eso?*

—No, a veces no. Pero yo pienso que podríamos vivir sin Calderón, por ejemplo, con toda tranquilidad. Y podríamos vivir sin Góngora también.

—*¿Sin Borges?*

—Bueno, eso desgraciadamente yo no puedo, pero los demás sí. Y casi todos lo logran, además.

—*¿Esa es la modestia de Borges?*

—Es que yo escribo lo que puedo, no lo que quiero.

—*De todas maneras usted se sabe uno de los maestros fundamentales de la literatura hispanoamericana.*

—Yo no sé si existe la literatura hispanoamericana. Somos países tan distintos. Por ejemplo, yo tengo mucho en común con un oriental, pero no sé cuánto en común tendré con un peruano o con un boliviano. Probablemente muy poco. Cuando fui a Colombia me gustó mucho, y lo considero uno de los países más agradables que conozco. Pero no me sentí colombiano en ningún momento. Y aún en Suiza, donde viví cinco años, los cinco años de la adolescencia que son cruciales, en ningún momento pensé que yo era suizo. Nosotros, por ejemplo, y cuando digo nosotros señalo también a los orientales, somos un país de inmigración en gran parte; en cambio el Perú, por ejemplo, es un país de vasta población indígena y casi sin clase media. Yo siempre me jacto de pertenecer a la clase media que es la más importante, después de todo. La aristocracia y el pueblo se parecen mucho, ¿verdad? Por el hecho de ser escritor, yo pertenezco a la clase media. La aristocracia en general es muy ignorante y se parece al pueblo en todos los vicios que tiene: por ejemplo el juego. ¿Qué es Mar del Plata, qué es Punta del Este, sin un garito? O en nacionalismo, que es propio de la aristocracia y del pueblo pero no de la clase media. Es que en la clase media somos de tantas razas. Yo, por ejemplo, tengo sangre española, sangre portuguesa, sangre inglesa. . . Y cada una de esas sangres es mixta. Razas puras no hay, salvo tal vez en el Congo o entre los esquimales, y aún no creo que sean las razas más recomendables o los países a los cuales uno hubiera querido pertenecer, ¿no? No creo que nadie ambicione ser esquimal o africano. ¿Y los judíos? Quizás no haya un solo judío de sangre pura en el mundo, se han mezclado tanto. Wells decía que no había judíos: los judíos eran muy pocos y llamaba judíos a los descendientes de los cartagineses.

—*Está usted escribiendo un libro precisamente sobre un judío famoso: Spinoza, ¿verdad?*

—Estoy preparando un libro sobre la filosofía de Spinoza porque nunca lo he entendido. A mí me ha pasado eso. Cuando yo perdí la vista pensé que corría el peligro de tenerme lástima, lo cual es horrible, o de que me tuvieran lástima, lo cual es casi tan malo. Entonces, pensé, tengo que reemplazar la vista con otra cosa. Y me puse a estudiar inglés antiguo, anglosajón; y ahora estoy estudiando escandinavo antiguo. Cuando renuncié a la Biblioteca me encontré, bueno, con que tenía que hacer otra cosa. Y entonces hay un filósofo que me ha atraído siempre, menos que Berkeley, menos que Schopenhauer, pero a éstos puedo entenderlos, y en cambio a Spinoza no puedo entenderlo. Y un modo de obligarme a entender a Spinoza, lo cual es mi deber de hombre civilizado, consiste en comprometerme a escribir un libro sobre él. Ahora voy a dedicar seis o siete meses a la lectura de y sobre Spinoza y voy a publicar un libro, titulado *Clave de Spinoza*.

IV

—*¿Ha decaído su interés por la novela policial?*

—Bueno, sí ese interés ha decaído desde que yo dirigí, con Bioy Casares, "El Séptimo Círculo". Pero la novela policial sigue interesándome porque en una época de caos literario en que la gente escribe más o menos al azar —sobre todo, los poetas—, creo que la novela policial ha mantenido de algún modo los cánones clásicos de principio, medio y fin. Es decir, en una época de literatura azarosa, la novela policial ha representado el orden. Y, desde luego, no podemos hablar mal de un género que fue inventado por un hombre de genio como Poe, y luego contó con cultores como Stevenson, como Dickens, como Wilkie Collins.

—*¿A Raymond Chandler, lo leyó?*

—No. Es que a mí la novela policial me gusta cuando es tranquila como las primeras novelas de Poe, pero cuando se confunde con las novelas de aventuras, ya no me gusta. Es decir, cuando el *detective* se parece a los forajidos, ya no. Pero creo que hay buenos autores actuales.

—*Sí, norteamericanos. . .*

—No, los ingleses me gustan más que los norteamericanos, aunque el género fue inventado en Norteamérica. Es que los norteamericanos tienden a mezclar lo sanguinario y lo sexual con la novela policial.

—*Van más allá de lo policial.*

—Sí, es que van más allá. Pero creo que precisamente le han quitado el carácter de "problema", esa especie de problema de ajedrez con cuatro o cinco piezas, y lo han mezclado con aventuras, con brutalidades, con golpes, con episodios pornográficos. Y además con algo sanguinario, en muchos casos. En las novelas de Conan Doyle o en las de Chesterton, por ejemplo, se trataba de evitar todo eso, ¿no? El crimen ocurría pero de un modo casi abstracto; en cambio ahora no nos ahorran la efusión de sangre, los golpes. . .

—*¿A qué escritores latinoamericanos actuales ha leído: a Juan Carlos Onetti?*

—Lo conozco muy poco. . . Me acuerdo que era rengo, ¿no? ¿No era rengo?

—*No.*

—Sí, creo haberlo conocido pero nunca leí nada de él. Creo que ha muerto, además, ¿verdad?

—*No, tampoco. Pero lo curioso es que usted premió a Onetti. . .*

—¿Cómo, cómo?

—*Sí, en 1941 usted fue jurado del concurso Losada. Onetti salió en segundo lugar con la novela* Tierra de nadie, *y en el primero* Verbitsky *y* Es difícil empezar a vivir.

—Sí, sí, creo que sí. Pero no lo recuerdo en este momento.

—*¿Otros escritores del continente, como Vargas Llosa o García Márquez?*

—No, a esos no los conozco. Yo perdí la vista en el 55 y resolví seguir el consejo de Schopenhauer: no leer ningún libro que no hubiera cumplido cincuenta años. Porque uno corre el riesgo de leer libros que no tienen valor. En cambio si usted lee autores cuyos libros ya han cumplido cincuenta años, esos libros deben tener algún mérito.

—*Vamos a tener que leer* Fervor de Buenos Aires *porque ya cumplió cincuenta años. Lo demás de Borges tendrá que esperar.*

—No, yo le aconsejaría que no leyera ninguno de ellos porque me parecen todos igualmente deleznables. Aunque no debería decir eso, ¿verdad?

—*¿Por qué esa actitud tan crítica con respecto a usted mismo?*

—¿Con quién, conmigo? Bueno, porque no me gusta lo que yo escribo. Creo que a ningún escritor le gusta lo que escribe. Cada uno escribe lo que puede, no lo que quiere. Todos preferiríamos haber escrito *La Divina Comedia*, por ejemplo, y no lo que escribimos. Salvo que estemos completamente locos.

—*Claro que usted tiene muchas páginas que. . .*

—Bueno, algunas páginas sí. Como le decía antes, creo que hay algunas páginas rescatables en mil, y si sobreviven cuatro o cinco puedo darme por satisfecho. Lo malo es que para escribir esas cuatro o cinco hay que escribir novecientas de escaso o de ningún valor. Bueno, es lo que dijo Horacio: había que guardar todo borrador durante nueve años antes de publicarlo. Muy raro es que en el curso de nueve años uno no descubra errores. En cambio ahora la gente piensa más en la publicidad que en lo que escribe. Por ejemplo, me dicen: yo pienso publicar un libro. Sobre qué, no estoy muy seguro. No, usted no piensa en publicar un libro. Usted espere que un libro exija que usted lo escriba. Que eso venga desde adentro, del Espíritu Santo o de donde quiera. En cuanto a la publicidad, no tiene ninguna importancia. El público lo sabe así también. Y creo que la imprenta hizo mucho mal porque ha permitido multiplicar el número de libros inútiles. En cambio cuando se exigían copias manuscritas cada persona que copiaba tenía la seguridad de copiar algo que merecía ser copiado. En cambio ahora un obrero le multiplica el número de ejemplares de un libro, y posiblemente de un libro que vale muy poco.

—*¿Qué recuerdos fundamentales tiene de su vida y qué momento le hubiese gustado volver a vivir?*

—Bueno, la verdad es que no tiene sentido eso, porque si yo vuelvo a una época pasada de mi vida, el tiempo pasará y me traerá a este momento. De modo que todos son caminos a este mes y a este año. Creo además que tenemos una tendencia a idealizar el pasado. Es lo que decía Manrique: "Porque a nuestro parecer, cualquiera tiempo pasado fue mejor". Realmente no era mucho mejor. Posiblemente, si yo tuviera que revivir mi vida no cometería los mismos errores pero cometería otros sin duda, ¿no? Pero no pienso en mi pasado con especial afecto. Tengo recuerdos de infancia, tengo recuerdos de una estancia en la Provincia de Buenos Aires, de otra en Uruguay, recuerdos de haber andado a caballo, de haber sido un buen nadador. Y luego, los primeros descubrimientos literarios, cuando descubrí a Stevenson, a Wells, a *Las Mil y una Noches*, al *Quijote*. Ahora me parece que no me deslumbran tanto los libros; ahora soy capaz de juzgar si un libro es bueno o malo, pero no tengo ese deslumbramiento que tenía antes. Recuerdo que cuando yo leía *La Máquina del Tiempo* de Wells me sentía arrebatado por ese mundo mágico, por ese mundo terrible de los *morlocks* y los *eloi*, los proletarios ciegos y los subterráneos. Yo sentía todo eso y hasta me olvidaba de mi propia vida. En cambio, ahora, desgraciadamente, aunque un libro me interese, y ése suele ser no una obra de ficción, me cuesta olvidarme de mi vida y de mi destino. Claro que cuando era chico no tenía especialmente destino, de modo que había menos que olvidar y me era más fácil dejarme llevar por la literatura.

1974

2. ONETTI EN BUSCA DEL ORIGEN PERDIDO

La paternidad es un mito, uno de esos mitos forjados para cubrir la soledad, el sentimiento de despojo, el estigma de la orfandad absoluta. El cristianismo ruega por un Padre que ha colocado en la altura, y lo colectiviza para darle verdad. En el momento de la agonía, Jesucristo intuye el terror de la desolación, del desamparo, de la nada, de la duda, gime: "Padre, ¿por qué me has abandonado?" Se busca el padre por doquier y tal vez sólo está en la misma necesidad de encontrarlo. Pavese consideraba la vida adulta como un resultado de las alegrías y las carencias de la infancia: todo estaba de antemano escrito en ella y la vida era sólo devolver a la niñez su enigma aclarado. Pero antes, Wordsworth había expresado esto mismo en una frase perfecta: *The Child is the Father.* El niño es el padre. La paternidad es, pues, un mito.

Juan Carlos Onetti ha retomado este tema y construido con él uno de los relatos más herméticos, misteriosos y exasperantes: *La muerte y la niña* (1973), donde su mundo anterior —Santa María— y sus habitantes —Díaz Grey, Jorge Malabia— parecen haber envejecido, haber sufrido el paso del tiempo, y se encuentran en una situación que ya nada impide llamar decadencia. Jorge Malabia está "más pesado, más paciente y maduro", ha perdido la dura y fuerte lozanía de la adolescencia, se deja llevar por odios mezquinos y, peor, por la necedad de los prejuicios y las hipocresías. Díaz Grey a su turno, se consume en el recuerdo de una hija súbitamente aparecida en la "saga" onetiana, que nadie antes le conocía. Y el relato mismo avanza en saltos, cortes abruptos e interpolaciones misteriosas, como el curso intermitente y desparejo de un río entre montañas. *La muerte y la niña* es la novela más arbitraria de Onetti, la menos concesiva o respetuosa de las leyes de la inteligibilidad literaria. Un relato fascinante pese a ello o tal vez debido a ello. Y es que Onetti ha querido utilizar todos los elementos al alcance para expresar e ilustrar una idea que es a la vez un sentimiento y un socavón de la angustia: la duda del origen (y por lo tanto, del destino), la duda sobre el sentido de una existencia sin Padre que proteja, sin Padre que señale el camino.

Mucho antes de la publicación de esta novela, que el tema de la paternidad era muy cercano a Onetti lo demostró un hecho real registrado por María Esther Gilio en un reportaje de 1966. Gilio le preguntó a Onetti por sus reacciones ante un cuento de Julio Cortázar: "¿Por qué sufre tanto cuando lee *'El perseguidor'*?", y la respuesta no vino del novelista, sino de una anécdota contada por su mujer: "Me llevó hasta el baño y allí me mostró un botiquín al

que habían arrancado el espejo. Sobre la madera que lo sostenía habían escrito en lápiz rojo: "Charlie, brother. Se trata de Bee". 'El espejo lo rompió Juan, una noche, de madrugada. Estaba leyendo el cuento, se levantó, fue al baño y metió el puño en él. Se deshizo la mano. El cuento lo hace sufrir por su hija, que vive en Buenos Aires. ¿Usted lo leyó? ¿Lo recuerda?'. 'Sí. Hay una hija pequeña del protagonista que muere en Estados Unidos. Este recibe la noticia en París, donde vivía con su nueva mujer'. 'Esto es'. Volvimos. 'Es una hermosa historia'. (Y Onetti contestó:) *Babilonia revisitada* de Fitzgerald también suele arruinarme la vida'.
'¿El mismo motivo?' 'El mismo motivo' ".

II

Sin duda el episodio en que Díaz Grey habla de su hija está nutrido de elementos autobiográficos, no sólo en los hechos (hay una circunstancia similar en la vida de Onetti) sino también en el sentimiento de pérdida motivado por el crecimiento, la madurez, la transformación de la criatura en mujer, mientras la memoria sigue registrando aquella imagen fija en la infancia. Claro está que no es ésta la "niña" mencionada en el título de la novela, no es la hija de Díaz Grey sino la de Augusto Goerdel, pero ambas, una y otra, se identifican e intercambian sus significaciones en el pantanoso territorio de la ambigüedad.

La muerte y la niña parte de un núcleo básico y se ramifica en el espacio, en el tiempo y en la sucesión de personajes hasta un límite increíblemente vasto: la "niña" hija de Goerdel matará a su madre por la simple culpa de nacer, aun cuando sus progenitores conocían el previsible desenlace de ese acto antes de concebirla. De ahí la primera pregunta que plantea el relato implícitamente: ¿es esa muerte asesinato (culpable: la niña), suicidio (culpable: la mujer), uxoricidio (culpable: el padre)? La pregunta queda abierta hasta el final del libro y a ella se sucederán otras y otras, en una serie interminable. Más adelante la "niña" de Goerdel será aludida como "el hijo", e incluso al final, pasados los años, el padre regresará a Santa María para revelar con testimonios y pruebas tan verdaderas como probablemente falsas, que no fue él quien engendró a esa hija, que ella fue el fruto de una traición. Este cúmulo de dudas, confusiones, ambigüedades, enigmas y aparentes hiatos de la narración concurren a un solo fin: registrar las variadas cuerdas del tema de la paternidad y disolver el mito en cada una de esas instancias.

En 1950 *(La vida breve)* el personaje Brausen imaginó una ciudad con su plaza, sus calles, su iglesia, sus habitantes, y en la misma novela él y otros personajes llegaron a visitar, huyendo, aquella Santa María que desde entonces se convertiría en la ciudad-madre de una extensa producción literaria. Como irónico homenaje a su origen, Onetti propuso una estatua de Brausen, y la levantó en la Plaza de Santa María como un modelo y a la vez como una presencia inquietante para los ciudadanos. Brausen, llamado el Fundador en las novelas que siguieron a *La vida breve (El astillero, 1961,*

Juntacadáveres, 1964) ya ha sustituido a Dios, ya ha alcanzado la estatura de Padre mítico (el que funda y da origen, el que protege). Díaz Grey dice "Brausen mío", y Onetti imagina a Goerdel rezando: "Padre Brausen que estás en la Nada".

Es precisamente esta disposición de Santa María como un tablero de ajedrez cuyas piezas se mueven a voluntad de un Jugador Supremo (así lo llamaría Faulkner), la que impide concebir el tiempo como alimento, impulso o motor de la historia. Por eso, también, se explica que la "saga" de Santa María no haya sido nunca una saga verdadera en que el autor desarrollara la vida de cada uno de sus personajes, sino el lugar narrativo donde el espacio y el tiempo se congelan y donde el autor puede, cada vez que lo desee, licuar y utilizar cada uno de sus pedazos. En *La muerte y la niña* no fue la intención de Onetti darle historicidad a Santa María, sino mostrar un *cambio*; quiso a sus personajes decadentes, vencidos, más próximos a la desgracia, para enfrentarlos de ese modo a una iluminación última sobre la soledad y la frustración, en particular esa soledad abisal que en *"Esbjerg, en la costa"*, casi treinta años antes, se formulaba melancólicamente como "la desesperanza y la sensación de que cada uno está solo", reflexión "que siempre resulta asombrosa cuando nos ponemos a pensar".

III

Leída en esta clave, pueden rastrearse en la novela por lo menos siete formas de la paternidad, y todas tienden a disolverse unas en otras, como en un juego de espejos opuestos, reiterándose hasta un absurdo infinito.

1. La primera variación presentada en *La muerte y la niña* se refiere a Goerdel y a su problema de conciencia llevado hasta el consultorio del doctor Díaz Grey: los prejuicios católicos, por un lado, y el "deseo inmortal", por otro, ponen en peligro la vida de su mujer, ya que ésta no puede concebir un hijo sin riesgo de morir. Díaz Grey intuye en el hombre, sin embargo, una determinación anterior que hace falsa su consulta y sólo parece querer encubrir el futuro crimen. "De modo que no hay nada que hacer —reflexionó con dulzura—. De modo que este hijo de una gran perra y de los clásicos siete chorros de semen de también siete perros desconocidos nos va metiendo a todos, uno tras otro y con una prisa menor que un año bisiesto, nos va metiendo en su bolsa. Se pasea por estos restos de Santa María con una carta colgada que apenas le roza el lomo, porque su andar es de malicia y lentitud, un cartel que anuncia en gris y en rojo: Te mataré". En efecto, la mujer de Goerdel muere más tarde, al dar a luz; el hombre huye de Santa María, vive durante muchos años en Alemania convertido al sacerdocio papista, y entonces retorna sorpresivamente a Santa María con una novedad: "volví a Santa María para infamar y sentirme absuelto. Un capricho, si usted quiere. Pero a veces lo que llamamos capricho es el resultado de años de vergüenza, de sufrir silencioso . . . Sólo quiero probar que el niño no pudo ser mío. Yo no maté a Helga. Nada tuve que ver con el embarazo y el parto. Es el orgu-

llo de probar, tantos años después, que soy o fui inocente". De ser cierta, la inocencia reclamada por Goerdel lo librará de la gravosa responsabilidad de una paternidad maldita, y de la culpa por haber transmitido a través del "deseo inmortal" la voluntad de destrucción y muerte. Pero esta negativa de Goerdel tiende asimismo a otro resultado que supera su circunstancia personal: tiende a disolver la certidumbre de la "paternidad" biológica, a poner en el terreno de la duda la noción del origen, del Principio de las cosas, y probarnos de ese modo la imposibilidad del conocimiento.

2. Una segunda variación sobre este tema en *La muerte y la niña* la proveen el sacerdote y la Iglesia. A ella se dedican varios capítulos que cuentan la vida adolescente del seminarista Augusto Goerdel en manos de los curas. El capítulo tercero inicia de manera harto significativa cuando quiere precisar —o imprecisar— el origen de Goerdel: "Augusto Goerdel había sido engendrado en la Colonia suiza o ya venía dentro del vientre de la madre durante el largo viaje de nuestra bamboleante 'Flor de Mayo'. De todos modos, nació aquí, en la Colonia recién fundada". Desde que Augusto es muy joven, el Padre Bergner intenta adoptarlo, en nombre de la Iglesia: uno y otra se transformarán así en sus Padres simbólicos. Y sin embargo, el "Padre (Bergner) simuló estar fabricando un cura" durante años pues en realidad su intención era convertirlo en el brazo seglar, en el escribano que defendiera los derechos y beneficios terrenales de la religión, poniendo a su servicio la "ambición" natural del muchacho, su fineza "en la mentira y en sus cautas retracciones". Bergner comprendió que "del muchacho tosco, del estudiante y monaguillo, tenía que nacer su instrumento, su fanático servidor de la Iglesia".

De las formas de la paternidad presentadas en la novela, ésta es sin duda la más despiadada, feroz y desoladora, ejemplo de un anti-clericalismo que las anteriores novelas y cuentos no habían mostrado tan claro. Esta es la imagen del Padre modelando al hijo para su utilidad como un instrumento de servicio, del Padre-tirano construyendo un monstruo, y en dicho sentido la astucia de Bergner ayuda a llenar cabalmente la figura arquetípica del padre posesivo y destructor. Por eso, cuando años después lo nombran Obispo, Díaz Grey rechazará esa transformación restituyéndole la figuración paterna: "El señor obispo coadjutor o como se llame hoy. Para mí sigue llamándose el Padre Bergner". Y el propio Bergner negará ser *amigo* de Augusto Goerdel: "No es mi amigo —dijo seco Bergner—. Es mi hijo en Dios".

3. La perspectiva interior, las vivencias de un padre ante la hija que ha dejado de ver a los tres años aunque le llegan desde entonces, puntualmente, las fotos-testigo de su crecimiento y de su transformación, se ofrecen en el breve capítulo séptimo a propósito de la hija de Díaz Grey, con tal intensidad que hace del pasaje un *morceau de bravure* en la narrativa onetiana, una página de escritura magistral. El episodio es casi una interpolación y viene a insertarse en un diálogo entre Díaz Grey y Jorge Malabia. Díaz Grey sugiere que la niña es nieta de Petrus (el viejo dueño de *El astillero*), relata el alejamiento fatal entre su "amor a la niña de tres

años" y la persona actual que superó esa infancia, y describe con fascinación *el juego de las fotos*, el rito de la perduración.

"Cada retrato tiene en el dorso una fecha diminuta, hecha con mis números de miope. Los distribuía encima del escritorio, encima de los meses, a la izquierda, encima de los años al final y a la derecha. Desde la criatura de meses y pañales hasta la recién llegada. Y entonces, Jorge Malabia, yo jugaba el gran solitario; miraba las caras atento y calmoso para sufrir mejor, para que el juego valiera la pena: la cara, las caras, la evolución y el cambio, las pequeñas y vindicativas transformaciones. Encendía un cigarrillo, acercaba mis ojos, los alejaba, comprendía los cambios o trataba de entender. A veces, horas siempre inútiles. Pero el solitario con las fotos tenía sus leyes y las respetaba. Concluía amontonando las mías, las que no pasaban de los tres años de edad y luego me concentraba en las de la fuga, cumplida con saltos violentos. Ahora estaban los parecidos dudosos, el secreto, la importancia, doce o veinte caras de mi desgracia. Creciendo y desafiándome, cuidadosamente colocadas en su orden de tiempo, las caras se iban ausentando veloces, casi sin gradaciones, exhibiendo la impudicia de sus cambios, alterando los óvalos de los rostros, las formas de los labios y los sentidos de las sonrisas, las líneas de perfiles, cuello y pómulos; cambiando incesantemente y egoístas el dibujo de los ojos que, sin embargo, continuaban atentos, grandes y separados. Hasta que supe, tanto duró el juego, que ella no era ella, que yo estaba viendo otra persona sin relación con el montoncito de fotografías coleccionadas durante los primeros tres años, lejos de aquí, en el otro mundo perdido".

Díaz Grey cumple también con la imagen del padre posesivo, pero en él el sentido de propiedad es diferente del que marcaba la mórbida relación utilitaria entre Bergner y Goerdel. En Díaz Grey hay una posesión afectiva vista a través de la *desposesión*, del abandono y de la lejanía. Entre padre e hija la perduración del amor es imposible, merced al tiempo que mata a la niñez en la adolescencia, a la adolescencia en la juventud, a la juventud en la madurez. La única posibilidad de recuperación se hace así irracional y mítica: consiste en guardar como un objeto sagrado aquella imagen (y las fotografías son imágenes fosilizadas) en detrimento de la *persona* real, en detrimento de su derecho a crecer, a madurar y a morir. La empresa de Díaz Grey vista a través de su juego absurdo de "solitario", se encuentra colmada de melancolía más que de nostalgia: la melancolía que proviene de saberse mortal, transitorio, fugaz.

4. Estas son las figuras más o menos tradicionales de la paternidad, pero hay otras, sin embargo, oblicuas y particulares aunque igualmente rotundas. Díaz Grey, Augusto Goerdel y el Padre Bergner poseen a su vez un Padre superior: Brausen. Ya fue señalado antes: Brausen fundó Santa María en *La vida breve*, y Brausen fue pasando paulatinamente de ser el personaje a ser el Fundador y luego a ser un Dios. En este aspecto, *La muerte y la niña* acumula muchas alusiones, y en algunos momentos las tiñe de ironía, la ironía propia del juego literario. En el primer diálogo con Augusto

Goerdel, Díaz Grey le aconseja disminuir el vigor sexual, ir matando el "deseo inmortal", pero acota rápidamente que la muerte, el suicidio, no es aceptado por Brausen: "Como usted, no soy partidario de matarla. Si no hay otro camino, destrúyase y yo espero ayudarlo. No le hablo de una destrucción total porque también eso sería pecado mortal. Y Brausen no perdona las deserciones".

Esta, la voluntad de Brausen, resulta en última instancia temible y terrible: por ella, los personajes son arrojados a la condición de criaturas dominadas y condicionadas. El mejor ejemplo, como siempre, es el de Díaz Grey, quien por un recurso de nítida estirpe pirandelliana, llega a saberse "personaje", criatura de Brausen. Si no existía la Historia en la narrativa de Onetti, si el tiempo es congelado míticamente, es porque, en efecto, fuera de los hechos narrados en la seudosaga, no existe nada, no hay para nadie pasado ni futuro. Creo que antes de esta novela, ningún personaje de Onetti reflexiona tanto sobre sí mismo como Díaz Grey, en los límites de la ficción y de la verosimilitud, y puede hacer incluso un repaso de su no-existencia. Díaz Grey surge en *La vida breve* con una determinada edad, con determinados rasgos que permanecerán invariables a lo largo de otros libros, o apenas retocados para la conveniencia de su demiurgo o de su narrador. En *La muerte y la niña*, finalmente, el personaje toma conciencia de este hecho, de su cualidad de "personaje".

a) "Brausen puede haberme hecho nacer en Santa María con treinta o cuarenta años de pasado inexplicable, ignorado para siempre".

b) "Me sentía cambiado. No sólo envejecido por los años que me había impuesto Brausen y que no pueden contarse con el paso de trescientos sesenta y cinco días. Comprendí desde hace tiempo que una de las formas de su condena incomprensible era haberme traído a su mundo con una edad invariable entre la ambición con tiempo ilimitado y la desesperanza".

c) "Una curiosidad, dijo Malabia. Una curiosidad muy vieja. ¿Quién es usted? Perdón; no me importa, no lo necesito porque puedo verlo y juzgar. Pero, y sí me interesa conocer su pasado, saber quién, qué era usted, doctor, antes de mezclarse con los habitantes de Santa María. Los fantasmas que inventó e impuso Juan María Brausen".

Indefenso ante un pasado inexistente u oscuro, desconocido para él, indefenso ante un futuro que sólo en las manos de Brausen está, Díaz Grey asume la condición alienada del hombre contemporáneo y representa su misma tragedia: el desconocimiento de su origen, la incertidumbre del porvenir. Brausen ha sustituido a Dios en el universo onetiano como si éste constituyera una realidad aparte, autónoma, y a la vez un reflejo distorsionado de nuestro universo. Si dicho paralelismo o su homología son justificables, hay aún que advertir una cualidad de demencia escondida, de arbitrariedad alucinada, a la que alude en algún momento Díaz Grey para referirse a su Hacedor. Probablemente ésa es la mayor ironía que Onetti descarga sobre Brausen por boca de su personaje cuando éste señala saberse "esclavo del sueño de un infeliz paranoico".

Los personajes de Onetti han entrado, en efecto, en un absurdo círculo de vesanía, donde la paranoia divina parece haberse adueñado de muchos por igual: de Jorge Malabia, de Augusto Goerdel, de Díaz Grey, mientras Brausen fortalece su reino en el espíritu derrotado, en la hojarasca, de Santa María. Brausen Nuestro Señor, Brausen Padre, Brausen el Dios por quien hay que renegar, en la mejor tradición bíblica, de padre y madre, según lo recuerda Bergner: "Si estás obligado a respetar padre y madre, primero está el deber de amar a Dios sobre todas las cosas". Porque Dios es el Padre Eterno.

5 y 6. El juego de círculos concéntricos o de muñecas chinas no tiene todavía fin con la figura de ese pequeño dios ficticio. Goerdel padre de la niña, Bergner padre de Goerdel, Díaz Grey padre de la criatura de las fotos, y de todos ellos, padre Brausen. Sin embargo, ¿quien es el creador, el padre de Brausen-dios, sino un escritor llamado Onetti? ¿Y quién es el Hacedor, el padre de ese escritor, sino Dios, esa sustancia incognoscible? Las alusiones a Onetti y a Dios como demiurgos de una escala superior a la de Brausen son varias en *La muerte y la niña*, así por ejemplo en la imprecación de Díaz Grey contra Brausen: "Maldita sea su alma que ojalá se abrase durante uno o dos pares de eternidades en el infierno adecuado que ya tiene pronto para él un Brausen más alto, un poco más verdadero".

7. En cuanto a una séptima y provisoriamente última forma de la paternidad retomada y registrada por la novela, ésa es la de Jesucristo olvidado y traicionado por sus hijos aunque muriera para la salvación de ellos. El cuerpo de Jesucristo aludido en *La muerte y la niña* aparece significativamente en penumbra, "apenas iluminado por una fosforescencia verdosa", pero esa imagen habla y reprocha en boca de un poeta anónimo que dejó estos versos en un viejo papel:

"Tú que pasas, mírame.
Ay, hijo, qué mal me pagas
Cuenta si puedes mis llagas
La sangre que derramé".

IV

Formas oscuras o nítidas, alusivas o expresas, todas éstas llegan a un mismo fin: desde la perspectiva del padre, el hijo se disuelve, se pierde, ingresa en la duda, se niega o traiciona. Traiciona a Jesucristo, entra en la negación o en la duda con Goerdel, se pierde para Díaz Grey; y desde la perspectiva del hijo, la paternidad deforma (Bergner), es tenebrosa (Brausen) o constituye un juego generado por la angustia (Onetti). Pero siempre, padres e hijos son falsos, ilusorios, conceptos sobre el vacío. Lo que Onetti está postulando en su visión de esta relación básica es la orfandad esencial, la soledad de la condición humana, la imposibilidad de comprender el pasado o discernir el futuro. Ese conocimiento es imposible, pues la realidad se oculta detrás de mil máscaras y el exterior ha

29

sido definitivamente sellado para nosotros. En otras novelas y cuentos de Santa María, Díaz Grey acostumbraba contemplar a través de su ventana el paisaje de la Plaza y de las calles, el día inmóvil, la mañana o la tarde gris y neblinosa, casi siempre llena de tristeza y de desdicha. Pero en *La muerte y la niña* esa ventana ya está "ciega por la lluvia" o es una "ventana negra". Súmense a estos símbolos las expresiones de algunos personajes que se convierten así en la conciencia literaria de la obra, en el portavoz de un coro trágico. Bergner descubre que "las almas serán siempre desconocidas". Díaz Grey reconocerá que "Los caminos de Brausen siempre fueron misteriosos para nosotros", y de su larga experiencia sólo podrá reflexionar sobre la "pequeña parte del mundo que me era permitido creer comprensible". De esta manera *La muerte y la niña* cierra en sí misma el ciclo de una obra narrativa de singular pesimismo. O podría hacerlo, calmosamente, si quisiera.

1974

3. NOTAS SOBRE LARSEN

I

Con las varias novelas "de Santa María", Juan Carlos Onetti se ha propuesto una imagen del mundo que el lector debe continuamente descifrar. ¿Dónde está Santa María, dónde se ubica la ciudad sobre la costa, existe en realidad? ¿De qué personas reales tomó Onetti los rasgos que compondrían a sus personajes: Díaz Grey, Larsen, Jorge Malabia, María Bonita, el boticario Barthé, el padre Bergner, Lanza? ¿Vivieron, viven o son sólo extensiones de la imaginación?

Sin duda la producción de una realidad ficticia es en última instancia un enigma, y las claves dispersas a lo largo de una obra y de sus circunstancias de escritura solamente nos aproximan a un centro generador, a un epicentro, abandonándonos en una tierra de nadie, inquietante y perturbadora.

Pero tan enigmática como esa producción resulta la *fortuna* de los personajes, el fenómeno por el cual éstos devienen figuras concretas, reconocibles, identificables, hasta familiares, y empiezan a tener una vida propia —más allá de la nuestra, más allá de la impuesta por el autor— hasta convertirse en arquetipos culturales y resumir a su época.

Larsen, uno de los principales personajes de Onetti, es una figura caracterizadora de su universo narrativo, que ha terminado por nutrirse de los rasgos de una obra hasta representarla como el portavoz más legítimo. El *pesimismo*, la *rebeldía absurda*, el *afán de perfección*, la *búsqueda de una utopía*, todo lo que parece caracterizar la "literatura" de Onetti, está reunido en una sola imagen: Larsen. Larsen es la literatura de Onetti más que otros personajes, y por eso importa determinar su forma, su carácter, su representatividad.

Refiriéndose precisamente a *El astillero* y a su juego de implícitos (aludir a una historia anterior, por ejemplo, que se publicaría años después de *Juntacadáveres*, aunque estuviera anunciada en un capítulo de *La vida breve*, diez años antes), Onetti señaló sus propósitos: "Eso es lo que yo quiero: que se pregunten: ¿Quién es Larsen? ¿Por qué lo llaman *Juntacadáveres*? ¿Qué es el astillero?" (1). La intención del autor se logra con abundancia, y ya en esa novela es clara su pasión por volcar en Larsen toda una visión del mundo. Larsen importa, pues, dentro de su narrativa, como el pivote sobre el que girarán muchas significaciones. E importa, además, porque cargando sobre sus espaldas esas significaciones, se ha transformado en un personaje contemporáneo imborrable, así como Orlando de Virginia Woolf, Stephan Dedalus de Joyce, Adrian Leverkün de Mann, el Gatsby de Scott Fitzgerald o Nick Adams de Hemingway.

II

Larsen, o una figura de Larsen que podríamos llamar el proto-Larsen, aparece por primera vez en 1941, con *Tierra de nadie*. En esta novela, Onetti quiso mostrar la vida caótica, perdida, de una generación de argentinos dispersos por el espíritu derrotado de la posguerra, cuando tanto gravitó la caída de la República Española (significativamente, el tema de *Para esta noche*, 1943, inspirado en ella, aparece epitomizado en un breve pasaje de *Tierra de nadie*). Pero en ese retrato Larsen cumple una función marginal, casi exclusivamente de puente entre la burguesía intelectual constituida por el grupo de amigos, y el submundo del hampa y la mala vida. En efecto, Larsen se traslada de uno a otro orden, y es capaz de entender y hasta cierto grado compartir experiencias tan disímiles: el acorralamiento del "indio" Oscar acusado de violar a una menor, y el sueño del abogado Aránzuru por la isla Faruru.

Procedimientos similares había utilizado John Dos Passos en *Manhattan Transfer*, y su influencia se advierte en *Tierra de nadie* por su voluntad de captar con simultaneidad diferentes personajes, diferentes circunstancias, diferentes historias que en su conjunto dan el "alma" de la ciudad. En su caso, de Buenos Aires. Por ello *Tierra de nadie* carece de personajes "principales": todos son marginales, rodean una periferia cuyo centro es la voluntad de colectivizar una figura de múltiples aristas. Y cada uno de los personajes tiene por lo tanto la función que esa figura le impone.

En el ejemplo de Larsen, relato y diálogo mantienen una estricta coherencia que revela el propósito de diseñarlo en torno a un esquema muy claro. En uno y otro caso, diégesis o representación, lo que se refiere a Larsen es seco, parco, exterior, frío. La economía del relato apunta así a la economía del personaje. Y si por ejemplo Larsen es incapaz de exteriorizar sus sentimientos (salvo las reacciones directas de enfado, de cólera, que no son sentimientos sino signos), el relato es también incapaz de omnisciencia: al contrario, asume la descriptividad objetiva, el somero apunte de gestos y acciones. Es a través de esta presentación gestual que el personaje cobra vida y significación, con medios estrictos de estructura como pueden ser las reiteraciones (mirarse las uñas, fruncir la boca, balancearse al caminar, entrecerrar los ojos), para hacer de esas actitudes la norma básica de su comportamiento.

La revisión del diseño de Larsen en *Tierra de nadie* convoca a una curiosa comprobación: a partir de la figura casi típica del matón orillero, Larsen empieza a crecer y tomar forma hasta entender el "sueño" de Aránzuru, es decir, hasta comprender a *otro* personaje, y a través de su comprensión darnos la estructura vivencial de la novela. De ese modo, Larsen se transforma en una *conciencia* del relato, en uno de sus testigos lúcidos. Si se hiciera la tipología de los personajes de Onetti podría admitirse una primaria separación de dos grupos (como en su maestro Faulkner): quienes "aceptan" y viven sin cuestionamientos su propia vida mediocre, y quienes se rebelan ante su realidad precisamente por poseer una lucidez trágica. En ambos casos son seres alienados en un orbe absurdo, pero la positividad de la figura del "héroe" se encuentra claramente en los segundos, en los rebeldes anárquicos. De modo que el proto-Larsen pertenece a la segunda categoría gracias a su certero impulso vital (actúa sin notoria reflexión, como si conociera y se amoldara al ritmo de la existencia), pero también a una inteligencia basada en el entendimiento del mundo.

Esta capacidad de entendimiento aparece desde el comienzo de *Tierra de nadie* bajo la forma del manejo hábil de las circunstancias. El es quien pretende solucionar el problema del "indio" Oscar, amenazado y escondido después de violar a la muchachita. El "indio" Oscar desaparece más tarde como personaje, mientras Larsen se mantiene; y es así como el primer episodio tiene no sólo la función de presentar a un personaje (Larsen), sino de mostrar sus virtudes, es decir, de mostrar el papel cumplido y el que prontamente cumplirá de entonces en adelante. El episodio importa en sí mismo, pero más importa como perfil de un modelo.

De acuerdo con ese modelo, la conducta de Larsen a lo largo de *Tierra de nadie* aparece siempre confirmando una misma actitud congelada de fastidio, hosquedad, impaciencia. Se acerca de algún modo al diseño del personaje "duro" que la novela policial norteamericana comenzó a instaurar tempranamente en la década del 30 con Hammett, Cain, Chandler, para luego pasar a la literatura "behaviorista" de Hemingway. Larsen no manifiesta sentimientos, es sólo conducta. A través de esa conducta se arman sus rasgos y se reconoce su personalidad.

Su ingreso en la novela lleva los signos de la referida impaciencia y del fastidio. Es el episodio inicial cuando llega a la habitación del "indio" Oscar: "Afuera, en la luz amarilla del corredor, otra mano avanzó, doblándose en el pestillo. Llave. El hombre gordo dobló los dedos fastidiado y esperó. "Con tal que no se le haya ocurrido. . . Golpeó con los nudillos (. . .) Volvió a golpear con el puño, una vez y otra. Esperaba entre los golpes, acariciándose el mentón carnoso, guiñando los ojos a la luz sucia" (2).

En su diálogo con el "indio" Oscar, dentro ya del cuarto, Larsen es descrito con cautela, la misma cautela con que actúa el personaje. Pocos rasgos, firmes y reiterados, ofrece el narrador: "bajo y redondo", de "sobretodo oscuro", con "pequeña boca"; acomodándose constantemente "los puños de la camisa que le cubrían media mano"; "ojos pequeños y arrugados"; moviéndose en un "balanceo aburrido". Son notas escuetas con el fin de dibujar el personaje con rasgos breves y nítidos. La descripción es siempre externa y tácita. Y también externa y tácitamente pueden advertirse las reacciones de Larsen ante el enojo súbito. Advertir por ejemplo cómo se agudiza su voz y cómo golpea la mesa con la mano:

"Dejó el diario en la mesa. Respiraba ruidosamente, la boca

en o. Fue empujando el sombrero hacia la nuca. Un momento se detuvo inmóvil. Hipnotizado en el brillo de sus uñas que golpeaban la mesa. De pronto enderezó el índice y la cara redonda en dirección a la cama. La voz le temblaba, adelgazada, casi en maullido:

—¿Vos no sabías que era menor?"

Más adelante, la indignación se transforma en actitud de lástima ante su interlocutor:

"Larsen volvió a redondear la cara con desprecio. Pero terminó por encogerse de hombros, con una pequeña lástima por el hombre en camiseta que comenzaba a pasearse nervioso y encogido."

Desde la presentación inicial del personaje, el físico de Larsen se destaca por dos rasgos: es *bajo y grueso.* El narrador lo llama "el gordo Larsen", habla de su "gesto untuoso", lo señala "gordo y cínico". Larsen es un personaje de proyección y crecimiento, pero no se destaca demasiado en la contextura del relato, aunque su importancia aumenta dentro de los límites de una figura secundaria en un tipo de novela múltiple. La "importancia social" de Larsen es lo único que crece, desde el sórdido comienzo hasta una amistad, o por lo menos un *entendimiento,* con el abogado Aránzuru. El "soñador" Aránzuru, lúcido burgués, ingresará a Larsen en su sueño de la isla Faruru, y a través de ese motivo ambos hombres se acercan. El aspecto físico de Larsen, de todas maneras, no varía, y Onetti mantiene a lo largo de su novela una fidelidad descriptiva que sugiere al mismo tiempo la presencia de un modelo real. Se insiste en la sensación de hastío que contagia su presencia, en la gordura, y también en el cuidado personal. En el capítulo diez, éstas son las actitudes significativas del personaje:

"Larsen estaba despatarrado en la silla, inclinado hacia la luz, ceñudo, recortándose las uñas con el cortaplumas. Aránzuru recogió el sombrero y encendió un cigarrillo."

Otras menciones en el mismo pasaje:

"Larsen se alzó con un bostezo."
"En el corredor, Larsen se detuvo junto a la escalera."
"Larsen juntaba las uñas para contemplar el brillo. Hacía girar suavemente los dedos."
"Volvió a sacar el cortaplumas y repasó el borde de las uñas."
"Larsen se soplaba las uñas. Era gordo y lustroso, con un fuerte olor a peluquería."
"Las gordas manos de Larsen se movieron con dulzura frente a la cara."
"Una placidez de sobremesa tranquila se extendió por la cara grasienta de Larsen."
"En seguida alzó una cara inexpresiva, con los ojitos entrecerrados."

De acuerdo con dichas descripciones gestuales y caracterizado-
ras, podríamos preguntarnos: ¿quién es Larsen? ¿Qué modelo posible utilizó el narrador? ¿Qué o a quién está representando esta figura literaria? Se ha dicho varias veces que Larsen es el proxeneta, el
"macró", el representante de una "mala vida" que en la dialéctica
onetiana se transforma en una "vida auténtica" merced a la voluntad y el espíritu de rebeldía. La cualidad de "macró" es indudable
en *Juntacadáveres*, la novela de 1964, que girará en torno al motivo del prostíbulo de Santa María. Pero el proto-Larsen ya posee
en alguna medida esos rasgos y más aún si aceptamos (como parecería lo debido) que su modelo real fue un "macró" que el autor
conoció hacia 1930, durante su primer intento de radicación en
Argentina.

"Al primer Larsen que conocí —yo tendría veintiún años y trabajaba en una empresa que fabricaba silos para las cooperativas
agrarias— lo llamaré Ramonsiño porque era el nombre que le dába-
mos (y a lo mejor está vivo). El trabajaba de ayudante de tenedor
de libros, como un antifaz para evadir la Ley Palacios de deporta-
ción de los proxenetas. Y él tenía dos mujeres en los prostíbulos.
En aquel tiempo —no me acuerdo cuál era el barrio de los prostíbulos bonaerenses, pero había, sí, en el límite de la Capital Fede-
ral, varias zonas de prostíbulos—, este hombre era muy joven, tenía veinte años como yo, o veinticinco. Me llamó la atención porque cuando salíamos del trabajo él se iba a la peluquería que estaba enfrente, en la calle Defensa, pero después se quejaba siempre
de la afeitada que le había dado: que le quedaba barba, que no era
perfecta, que el trabajo de la manicura tampoco lo satisfacía. Bueno, eso siempre. Y me asombró que esas cosas le preocuparan a un
tipo que parecía tan viril. Después me dijo que tenía dos mujeres
trabajando en los prostíbulos. Y me acuerdo, así, fundamentalmente, de un día en que, al salir del trabajo, en el boliche de la esquina me lo encuentro a este hombre llorando. No era el hombre
para llorar, y por eso me llamó la atención. Le pregunté qué le pasaba. Y era que al "Bebe" lo habían asesinado frente a uno de los
prostíbulos. El "Bebe" era "la gran esperanza argentina" prostibularia frente a los marselleses. Lo habían liquidado. Y el hombre,
como dice el tango, "lloró como una mujer". Pero era un orgullo
patriótico, ¿entendés? Porque los marselleses habían ganado en ese
golpe, y la gran esperanza había sido que el "Bebe" los liquidara
a los marselleses para que los prostíbulos volvieran a ser argentinos" (3).

Indudablemente muchos rasgos de este modelo se trasladan a
la caracterización del primer Larsen, en particular la referencia a
su cuidado personal (barba, manicura, en el modelo; la insistencia
por sus uñas, en el personaje), pero en la novela no existe referencia estricta a su edad y a sus actividades como proxeneta. Sólo la
sequedad —y la brutalidad latente— de sus actos, y una suerte de
violencia amenazante ante las mujeres, tienden a esta configuración, mejor delineada aún en el capítulo 31, cuando conoce a Nora

y dialoga con Mauricio, y en el 53, donde Nora ya es su mujer (elididas todas las etapas intermedias, explicativas o causales) y él mantiene aún su conducta cínica, despreocupada, indiferente por los demás.

El referido encuentro con Mauricio resulta paradigmático como evidencia del carácter de Larsen. Allí es descrito con el balanceo que heredaría "Larsen-Juntacadáveres" en las novelas siguientes: "Avanzaba, bajo y grueso, balanceándose." Luego: "Larsen se inclinó cabeceando, miró de reojo a la muchacha y se sentó, trenzando sobre la mesa los dedos cortos y limpios." Mediante el engaño, Larsen hace salir a Mauricio del local y lo obliga a acompañarlo mientras Nora permanece a la espera: "Mauricio seguía la figura ancha, observando el vaivén de los hombros. Doblaron a la derecha, luego a la izquierda, entrando en un corredor. Sintieron la presencia negra y fría de las letrinas. Una canilla chorreaba escondida. Salieron a un patio de baldosas rojas, con un brocal de pozo cubierto de tierra y plantas. Cruzaban el patio en diagonal, uno detrás del otro, siempre lentamente. Larsen alzó la estera verde y podrida de una puerta, sosteniéndola hasta que Mauricio hubo pasado. Estaba oscuro y fresco. Un pájaro se estaba removiendo en su jaula, salpicando agua y alpiste. Larsen golpeó al otro en medio del pecho; una silla se desplomó en la sombra y Mauricio fue a dar la de espaldas sobre la cama. Chocó en un barrote con la cabeza y quedó quieto."

El episodio pretende imitar estilísticamente la misma pausada violencia de los hechos, y en tal sentido accede a una de las técnicas que años después se haría famosa en la novela objetivista francesa. El narrador relata el desplazamiento de los dos hombres a lo largo de patios y corredores, puesta la perspectiva en la descripción exterior del ambiente. Dice entonces: bruscamente "Larsen golpeó al otro en medio del pecho", y esa frase no altera el nivel significativo de la acción, pues no introduce subjetividad alguna, y su valor es tan neutro como el de otras frases del fragmento: "Larsen alzó la estera verde", "doblaron a la derecha", "salieron a un patio", etc. En cambio, la subjetividad (una nota de impaciencia, llena de pequeñas torpezas e insatisfacciones) lo invade poco después, cuando regresa junto a Nora e intenta poner en marcha el automóvil. En ese signo (por esa actitud), se sugiere la índole de la seguridad en sus actos: seguridad (violenta) en un orbe de reglas violentas, inseguridad (torpeza) en un orbe mecanizado al que no pertenece.

"Larsen, de pie, había entrado en la sombra del árbol. Encendió un cigarrillo pausadamente. Soltó el fósforo y lo hizo saltar por atrás del hombro. Ella lo veía acercarse al coche, dejando montones de humo blanco en el aire. Sentado junto a ella, tiró el cigarrillo y consultó el reloj en la muñeca. Se oía la marcha del reloj embutido en el espejo del coche, atrasado dos horas. El hombre rezongaba haciendo jugar los instrumentos del tablero, sacudiendo los botones y las llaves. Entonces ella alargó un dedo: 'El arranque es ése'."

El escolio de este pasaje aparece más adelante, en el capítulo 49, cuando Larsen comenta frente a Aránzuru su encuentro con Mauricio. "Tuve un lío con el mozo ése. Pero es idiota, de veras." Su juicio restituye la seguridad, su seguridad basada en los cánones del engaño y en la superioridad de manejarse en los terrenos propios de la "mala vida". Esa actitud se extiende aún, en el capítulo 53, cuya función consiste en presentar a Larsen conviviendo con Nora. No hay información alguna sobre ese vínculo, o sobre cómo Nora y Larsen llegaron a conformar su unión, pero de alguna manera está dicha la doble carga de odio que alienta cada uno hacia el otro. El capítulo está narrado desde la perspectiva interior de Nora: ella es el personaje traslúcido. En cambio, Larsen, como antes, se expresa a través de sus actos, gestos, actitudes, reiterándose como nota dominante, el hastío.

"Luego aflojó el lazo de la corbata y se apoyó en un codo, bostezando aburrido."
"Dejó de mirarla y abandonó el mate; bufaba aburrido, mirando el tiempo inseguro detrás de las cortinas."
"Se refregó la barbilla con la palma de la mano, bostezando, nervioso y aburrido."
"Soplaba con la nariz y volvía a marchar, balanceando el vientre, de la pared al lavatorio."
"Larsen bajó la escalera, acomodándose los puños. Caminaba pesadamente por el zaguán."
"Larsen se estiró los puños, movió la silla y se puso a mirar indolente hacia la calle."
"Se estuvo un rato mirando el humo."
"Se levantó, cruzó la sala zigzagueando entre las mesas."
"Comenzó a subir, a cada escalón más aburrido y nervioso."
"Larsen cerró y se fue acercando despacio, los brazos flojos colgando."

IV

La vida breve (1950) es una de las matrices del ciclo narrativo de Onetti, así como once años antes lo había sido *El pozo* en los motivos literarios del soñador, de la rebeldía ante lo real, de la "muchacha". Santa María, prefigurada sin nombre en un pasaje de *Tiempo de abrazar* (4), aparece ya en *La vida breve* desde su génesis: creación ficticia de un personaje —Brausen— que en los relatos posteriores se convertiría paulatinamente en la deidad de los sanmarianos, en el señor de un universo homológico al universo cotidiano —e igualmente mítico— que llamamos realidad.

Es sin duda esa condición de núcleo, de matriz, de centro generador, el que determina, sin asombro, que allí se enuncie, por ejemplo, la historia del prostíbulo de Santa María, desarrollada una década y media después por *Juntacadáveres*. O que Larsen aparezca en su figura definitiva, aunque su presencia sea fugaz, ni siquiera episódica.

Todo esto se cumple en el capítulo XVI de la segunda parte, titulado "Thalassa", cuando Brausen y Ernesto se desplazan de una a otra realidad, sin cambio sensible: de Buenos Aires a Santa María, del espacio físico reconocible al espacio imaginario creado por uno de esos dos personajes. Podría decirse, sin forzamiento, que éste es un nuevo ejemplo de "sueño realizado". Efectivamente, en "Thalassa" Brausen y Ernesto deben huir de la persecución, realizar el viaje paradigmático que el narrador "llamaba retirada y pensaba bajo el nombre de fuga". A esa necesidad de huida, se agrega otra necesidad: "Durante la última semana", dice Brausen, "había sentido la necesidad de hacer por Díaz Grey algo más que pensarlo". Ese *algo más* implicará progresivamente la mezcla de dos zonas, que si bien son ambas ficticias (Brausen es tan ficticio como los personajes que él imaginó), deben su tradición literaria a Pirandello y a Unamuno, en quienes la dialéctica creación-realidad se constituye asimismo en tema de obra literaria.

En *La vida breve*, la conciencia dimiúrgica es expresa. El personaje (Brausen) que crea a Santa María y a otros personajes, se sabe haciéndolo y lo dice: "Periódicos viejos y tostados se estiraban en la ventana de la fonda y me defendían del sol; yo podía desgarrarlos y mirar hacia Santa María, volver a pensar que todos los hombres que la habitaban habían nacido de mí." Este proceso (un personaje crea una ciudad) se invierte en las novelas siguientes (la ciudad erige una estatua a su creador; después lo hace Dios), pero curiosamente parecen no tener otra relación entre ellos: determinan una distancia que no osarán pasar. En una de las últimas novelas de Onetti, *La muerte y la niña* (1973), Díaz Grey expresa su conciencia de ser-creado, de creación arbitraria, de haber advenido al "mundo" con una determinada edad y por voluntad del Fundador Brausen. De todos modos, a pesar de estos pasajes de asombrosa simetría (en *La vida breve* Brausen piensa en su creatura Díaz Grey; en *La muerte y la niña* Díaz Grey piensa en Brausen como su creador), lo cierto es que los relatos que componen el ciclo sanmariano actúan siguiendo las pautas del realismo, después de empujar a Brausen hacia el tema del origen mítico de la ciudad, lo cual no interfiere con la vida cotidiana de los personajes.

Algo muy similar sucede en "Thalassa" pese a la *presencia* de Brausen. Brausen y Ernesto llegan a Santa María y allí encuentran a Larsen, a María Bonita, a Jorge Malabia, a Lanza y a otros personajes en el preciso pasaje que *Juntacadáveres* (1964) retomaría para su final: la revocación, por el gobernador, del permiso de instalar el prostíbulo en Santa María. La objetividad del pasaje, la "distancia" entre Brausen y sus criaturas, es clara: Brausen sólo observa, atestigua y narra, sin participar, el diálogo de los personajes.

María Bonita: "No hace falta que me diga señora —interrumpió la mujer liberando su mano para encender un cigarrillo; el muchacho pareció despertar y miró inquieto alrededor—. María Bonita es mi nombre para los amigos."
Jorge Malabia: "Abajo, con su frágil mano abierta encima de los dedos de la mujer, el muchachito chupaba un cigarrillo, alzaba la cabeza en una actitud graciosa y emocionante; el pelo

dorado y sin peinar se rizaba en la nuca y en las sienes, caía lacio sobre la frente."

Lanza: "Y ahora, dijo, a trotar hasta la redacción. Lamento no poder publicar el adiós que ustedes merecen. El cuarto poder se debate amordazado."

Junta: "A su izquierda estaba sentado un hombre pequeño y grueso, con la boca entreabierta, estremeciendo el labio inferior al respirar; la luz caía amarilla sobre su cráneo redondo, casi calvo, hacía brillar la pelusa oscura, el mechón solitario aplastado contra la ceja. (. . .) Tenía una nariz delgada y curva y era como si su juventud se hubiera conservado en ella, en su audacia, en la expresión imperiosa que la nariz agregaba a la cara; enganchaba el pulgar de una mano en el chaleco y movía el cuerpo hacia la mesa y el respaldo de la silla, al compás, como abandonado al impulso de un vehículo que lo arrastrara por malos caminos (. . .). Vaya a dormir, gallego, dijo el gordo sin alzar la cabeza, sin dejar de bambolearse (. . .). El hombre gordo interrumpió su vaivén para mirar la cortina; los ojos claros y salientes se revolvieron, sin expresión, como bolas de vidrio; la nariz curvada avanzaba como una proa, triunfante de la decrepitud de la cara."

Este episodio incluido en "Thalassa" se reitera más tarde, en *Juntacadáveres,* y los diálogos pasan casi textualmente a la novela de 1964, aclarándose entonces los nombres de todos los interlocutores. Pero en el texto de *La vida breve* hay dos aspectos que merecen destacarse fundamentalmente: el primero es que para "el viejo" (que en *Juntacadáveres* será Lanza) la empresa fallida de Larsen por fundar el prostíbulo de Santa María es, pese al tono farsesco en que lo dice, "una etapa en la lucha secular entre el oscurantismo y las luces representadas por el amigo *Junta*". Y más adelante agrega, dirigiéndose presumiblemente a Díaz Grey: "¿Lo ve usted, doctor? No sólo *Junta* ha luchado por la libertad de vientres, por la civilización y por el honrado comercio. Entre otras cosas, vamos, que no es posible recordarlo todo. También se preocupó constantemente por el respeto a los preceptos constitucionales. De todo habrá constancia." Esta lápida humorística y seria a la vez constituye la definición de Larsen para la mirada del periodista liberal. Toda la escena no es más que el adiós melancólico de una derrota que está anunciando —a la llegada de Brausen y de Ernesto— la cualidad conservadora, cerrada, de Santa María y la influencia de la iglesia y de su "airado sacerdote" (llamado Bergner, en *Juntacadáveres*).

El segundo aspecto a considerar es más importante y tiene que ver con un efecto de ilusión artística. Y es que no hay ninguna referencia que establezca la identificación entre este "Junta" (llamado así en *La vida breve,* aunque no "Juntacadáveres", menos aún Larsen) y el Larsen en *Tierra de nadie.* No es forzada, pues, la hipótesis de que aún no se habían unido en una sola figura para el autor, y que eran personajes distintos, separados. Nosotros sabemos que luego Larsen será asimismo llamado "Junta" y "Juntacadáveres", pero no es posible emplear esa información dada por las novelas posteriores para considerar retrospectivamente que todos esos nombres corresponden a una sola persona, a un solo personaje, que pasara de novela en novela.

Onetti ha narrado el origen de este nombre, "Junta", y la existencia de un modelo real que lo hizo posible, en los tiempos en que el escritor trabajó en el semanario *Marcha* de Montevideo, es decir, hacia 1939-1941.

"Hay modelos que me salto, pero un modelo que me importa es, por ejemplo, el último Larsen que conocí, y que estaba siempre en una zona no exactamente de prostíbulos, sino de eso que llaman *Dancing*. En ese momento se ubicaban en la calle Rincón y 25 de Mayo, ahora están en el puerto, ¿verdad? Bien. Entonces un día yo estaba en la mesa de uno de esos boliches, y un tipo abre la puerta y le pregunta al mozo o al patrón: 'Ché, ¿vino "Junta"?' 'No, todavía no vino'. Yo me quedé cavilando con el nombre. "Junta". Pensé en Buenos Aires, pensé en Primera Junta. . . Bueno, no lo ubicaba. Después volvieron a preguntar por "Junta" y entonces hablé con el mozo, le dije: 'Qué nombre raro. . . ¿Quién es "Junta"?' 'No —me contestó—. Lo llaman "Junta" porque le dicen "Juntacadáveres". Ahora el hombre está en decadencia y sólo consigue monstruos, mujeres ya pasadas de edad o de gordura, o pasadas de flacura." (5).

El nombre "Junta" como apócope de "Juntacadáveres" apareció en la vida real hacia 1940, pero lo cierto es que sólo se menciona "Junta" en *La vida breve* (1950), "Junta" (y "Juntacadáveres") en *Juntacadáveres* (1964), y que la identificación Larsen-Junta se establece en *El astillero* (1961), significativamente desde su comienzo: "Hace cinco años, cuando el gobernador decidió expulsar a Larsen (o "Juntacadáveres") de la provincia, alguien profetizó, en broma o improvisando, su retorno, la prolongación del reinado de cien días, página discutida y apasionante —aunque ya casi olvidada— de nuestra historia ciudadana." Este comienzo alude inequívocamente a la empresa del prostíbulo sanmariano, que el autor estaba escribiendo en 1960 cuando la interrumpió para componer de una sola vez *El astillero*.

Originalmente el episodio que registra "Thalassa" no estaba destinado a convertirse en novela. Es el *adiós* de "Junta", como el propio Onetti ha reconocido, lo que intentó el autor dar en ese breve pasaje. De modo que tampoco entonces (en 1950) existía la intención de establecer una saga de Santa María ni hacer recorrer a una serie de personajes —entre ellos Larsen— el periplo propio de las sagas narrativas. "Fue una cosa de visión", señaló Onetti. "Yo veía la despedida de Larsen, el *adiós* de Larsen. Fue como una cosa extraña, porque en el momento de la visión, de ver esa extraña despedida de Larsen con la policía al lado, yo no pensaba escribirlo. No pensaba escribir entonces *Juntacadáveres*, y, por consiguiente, no pensaba tampoco escribir *El astillero*" (6).

Onetti nos ha confundido. Nosotros nos hemos confundido: Larsen no fue desde el comienzo "Junta", y "Junta" nació sin deberle nada a Larsen. Pero desde *El astillero*, el lector onettiano, acostumbrado a oír hablar de una "saga", la saga de Santa María,, con los mismos personajes siempre, identificó ambos personajes en una sola figura. El truco de Onetti es visible en el ya citado comienzo de *El astillero*, pero más aún lo es en *Juntacadáveres*, donde no se ahorra oportunidad para sobreponer ambos nombres y hacerlos componer un mismo personaje.

"Larsen, "Junta", tenía un traje nuevo, oscuro. . ."
"El, Larsen, "Junta" o "Juntacadáveres", no participaba totalmente. . ."

Por cierto, en *El astillero* y en *Juntacadáveres*, "Junta" (o Larsen) ya es esa figura neta, definitiva, y la descripción física constituye apenas el dato corroborante, pues lo que interesa entonces es su aventura anímica, los dos ejemplos del absurdo empeño que se corresponden con una absurda ambición: fundar un prostíbulo perfecto, hacer funcionar un astillero en ruinas.

I. *El prostíbulo de Santa María.* —"Resoplando y lustroso, perni abierto sobre los saltos del vagón en el ramal de Enduro, "Junta" caminó por el pasillo para agregarse al grupo de las tres mujeres, algunos kilómetros antes de que el tren llegara a Santa María." *Juntacadáveres* (1963) se inicia con esta frase de apertura, la llegada que será asimismo un comienzo de la historia conflictiva, social y psicológicamente, cerrada al final (la partida) como una parábola perfecta. Entre ese comienzo de la aventura y su clausura, *Juntacadáveres* alterna dos historias fundamentales: la de "Junta" y su propósito de instalar el burdel sanmariano, y la de Julita y su sobrino Jorge Malabia. Sólo por los personajes (en especial Jorge Malabia) ambas historias se relacionan; por lo demás, siguen su curso en carriles separados, al modo (no extremo) de algunas novelas de Faulkner *(Las palmeras salvajes)*.

La empresa prostibularia de Larsen se realiza cautelosamente y al margen de la vida de Santa María, pero muy pronto las "fuerzas vivas" de la ciudad y su portavoz, el padre Bergner, inician la hostilidad purificadora que culminará con la orden del gobernador y el destierro de "Junta".

Entre tanto, todo gira en torno de él, y la novela ilustra precisamente las reacciones de los diversos estamentos y personajes de Santa María ante el desafío de Larsen. Quienes lo utilizan (Barthé) piensan con desprecio en "Junta": "Es un hombre despreciable pero necesario. Sé que tuvo en otros lados actividades de este tipo." El juego del doctor Díaz Grey es mucho más sutil: envejecido él mismo, derrotado él mismo, de algún modo "Junta" es un reflejo de su propia desgracia y él quiere contemplarse en otro: "Vengo a decirle que sí, que es posible. Me gustaría poder espiar sus ojos, su cara envilecida, para saber cuánto vale para él lo que le traigo. Pero va a disimular y a esconderse; y mucho más si lo que le traigo es la felicidad." Como muy pocos (tal vez ningún otro, excepto el propio "Junta"), Díaz Grey comprende el sentido que la empresa posee para Larsen, comprende, por ejemplo, que ser el portador de la buena noticia (el prostíbulo ha sido aceptado) es llevarle a "Junta" la "felicidad". A su vez, Jorge Malabia reacciona con una secreta admiración, y entiende también desde su perspectiva juvenil, el sentido anticonvencional y rebelde del gesto de Larsen: "No puedo usar el argumento de la presencia de "Juntacadáveres", no puedo azuzar lo burgués contra "Juntacadáveres", que es lo antiburgués en dos patas, un símbolo, algo verdadero, concreto, un pasado, además. Pero cada posición rebelde tiene también sus artículos de fe, sus prejuicios, su burguesía."

El capítulo XIV de *Juntacadáveres* cumple la precisa función de crear la "historia" de Larsen: su vida en el bajo, el encuentro con María Bonita, los cafetines de la capital, su trabajo burocrático juvenil y el comienzo del gigoló en la edad "cruel y joven" cuando estaba "rabioso por vivir" y era el " "Junta" de las noches heroicas y codiciosas". "Después, no se sabe cuándo, tan evidente como la pubertad, una dolencia o un vicio, segura, instalada para siempre, apareció la vocación. (. . .) Nada más que eso y la debilidad, la angustia de saberse distinto a los demás. (. . .) La voluntad de no entregarse, de no aceptar el mundo extravagante que los otros poblaban y defendían." Los años pasan, la vida del proxeneta se define; hay seis meses de cárcel, hay lealtades y traiciones que van modelando el carácter de Larsen. En Santa María lo embarcan, finalmente, en el proyecto ambicioso de levantar el prostíbulo, y, ya viejo y cansado, "Juntacadáveres" encuentra en ese proyecto la *ultima ratio* de su existencia, la justificación, el triunfo que la vida puede finalmente devolver a la vejez.

Larsen es un artista fracasado. Su utopía está condenada a la frustración. La existencia sólo guarda caras de la desgracia.

Dice Onetti: "Larsen tenía el sueño del prostíbulo perfecto, que nunca pudo realizar. El sueño nació en mí en una casa de citas de la calle Buchardo, frente al Luna Park, años ha. Al salir de la habitación pedimos un taxi. Nos pasaron a una especie de patio misterioso, y en ese patio había un tipo manejando una centralita telefónica. Pero ese tipo, m'hijo, no era un tipo, era una computadora. Porque metía una ficha y decía: 'Libre el 24'. Metía otra ficha y decía: 'Limpiar el 16'. Metía otra ficha y decía: 'Taxi para el 5'. Durante la espera y por habernos hecho pasar a ese patio, tal vez se le ocurrió a Larsen la idea —y después el sueño— del prostíbulo perfecto. Y pensá que no, no era el prostíbulo perfecto: era el sueño de una casa de citas perfecta. (. . .) Larsen no estaba en París, sino hundido en un pueblucho de mierda (Santa María), como él mismo dice. La 'perfección' también es relativa" (7).

El "héroe degradado" que se transforma en el "antihéroe" tiene su correspondencia en el motivo de sus empresas: la empresa típica de Larsen es una "empresa degradada", grotesca. Onetti ha subrayado ese carácter de la narrativa contemporánea al establecer el desacuerdo conceptual entre el "sueño" y el "antisueño", la "perfección" y la "antiperfección", el "motivo heroico" por el "antimotivo". Prostíbulo y luego astillero son signos deliberadamente negativos que el escritor emplea con la misma positividad que ha puesto la burguesía sobre los valores opuestos. Y al establecer esa antítesis, su mensaje quiere ser antiburgués, anticonvencional y, finalmente, antiliterario. De ese modo su literatura es un desafío al lector.

John Deredita ha observado con acuidad este aspecto, señalando en su ensayo sobre *El astillero:* "Si toda novela que es novela parodia la de caballerías —es decir, critica el idealismo hinchado de lo que Northrop Frye llama *the prose romance*— entonces *El astillero* será una parodia definitiva de los folletines en que un Horatio Alger joven y honesto cumple el sueño burgués trepando la escala social hasta enriquecerse e integrarse a las normas de la sociedad" (8).

II. *El astillero.*—"Hace cinco años, cuando el gobernador decidió expulsar a Larsen (o "Juntacadáveres") de la provincia, alguien profetizó, en broma o improvisando, su retorno, la prolongación del reinado de cien días..." *El astillero* comienza, al igual que *Juntacadáveres,* con la llegada de Larsen. Pero esta vez Larsen no llega a Santa María, sino a Puerto Astillero, donde conocerá a Jeremías Petrus, el dueño del astillero en ruinas.

"Más viejo, derrotado, depresivo", Larsen siente de todos modos renacer la posibilidad de triunfo, como haciéndose eco de la frase de Hemingway: "El hombre podrá ser destruido pero no vencido." Y si bien su lucidez lo conduce a aceptar la farsa de un astillero que ya no se repondrá, ese mismo juego asume paulatinamente el valor mismo de la aventura. Saber jugar es sinónimo de saber vivir. Si la existencia es farsa, la farsa es existencia.

Probablemente la originalidad mayor de la novela (que se traslada al personaje, a su diseño) consiste en la hibridación de farsa e historia trágica, en el hecho de no decidirse en ningún momento (por exceso de pudor, tal vez; por sutileza, mejor) por uno de los dos módulos. La empresa de Larsen sigue siendo seria y trágica, pero eso no quita que a la vez sea ridícula y grotesca. Y es también probable que en el lector funcione esa misma doble actitud: despreciamos a Larsen por la falsedad de sus sueños, y admiramos a Larsen por soñar a pesar de saber falso su sueño, por aceptar, aun a "disgusto el regreso de la fe".

III. *La muerte de Larsen.*—Onetti ha elaborado su personaje mayor, aunque la conciencia de que así lo sería aparece tarde, en *El astillero* y en *Juntacadáveres.* Después de hacer remontar las historias en que ese personaje devendrá un signo de la época, un signo por cierto bastante pesimista y negativo, el autor acompaña a Larsen hasta su fin, y en *El astillero* narra su muerte. No es por azar —al contrario, muy deliberado— que la acción de *El astillero* tenga lugar en invierno, el invierno neblinoso y frío del río, el invierno simbólico de la decadencia. Incluso la empresa de Larsen ante el astillero es denominada "sueño de invierno", es decir un sueño de derrumbe, de deterioro total, ese "silencioso derrumbe" al que alude en las dos versiones de su muerte. En la primera de las dos versiones, Larsen recupera una visión paradisíaca: "un paisaje soleado...", pero la imagen terminal es dura y definitiva, de una gran belleza plástica: "Hizo un esfuerzo para torcer la cabeza y estuvo mirando —mientras la lancha arrancaba y corría inclinada y sinuosa hacia el centro del río— la ruina veloz del astillero, el silencioso derrumbe de las paredes. Sorda al estrépito de la embarcación, su colgante oreja pudo discernir aún el susurro del musgo creciendo en los montones de ladrillos y el del orín devorando el hierro." La segunda versión está recapitulada entre paréntesis y cierra *El astillero* como su digno final:

"(O mejor, los lancheros lo encontraron, pisándolo casi, encogido, negro, con la cabeza que tocaba las rodillas protegidas por el untuoso prestigio del sombrero, empapado por el rocío, delirando. Explicó con grosería que necesitaba escapar, manoteó aterrorizado el revólver y le rompieron la boca. Alguno después tuvo lástima y lo levantaron del barro; le dieron un trago de caña, risas y palmadas, fingieron limpiarle la ropa, el uniforme sombrío, raído por la adversidad, tirante por la gordura. Eran tres, los lancheros, y sus nombres constan; estuvieron atravesando el frío de la madrugada, moviéndose sin apuros ni errores entre el barco y el pequeño galpón de mercaderías, cargando cosas, insultándose con amasada paciencia. Larsen les ofreció el reloj y lo admiraron sin aceptarlo. Tratando de no humillarlo, lo ayudaron a trepar y acomodarse en la banqueta de popa. Mientras la lancha temblaba sacudida por el motor, Larsen, abrigado con las bolsas secas que le tiraron, pudo imaginar en detalle la destrucción del edificio del astillero, escuchar el siseo de la ruina y del abatimiento. Pero lo más difícil de sufrir debe haber sido el inconfundible aire caprichoso de septiembre, el primer adelgazado olor de la primavera que se deslizaba incontenible por las fisuras del invierno decrépito. Lo respiraba lamiéndose la sangre del labio partido a medida que la lancha empinada remontaba el río. Murió de pulmonía en El Rosario antes de que terminara la semana y en los libros del hospital figura completo su nombre verdadero.)"

1974

NOTAS

(1) Emir Rodríguez Monegal: "Conversación con Juan Carlos Onetti", en J. Ruffinelli (comp.): *Onetti*, Montevideo, Biblioteca de Marcha, 1973, p. 245.

(2) Este y los demás fragmentos citados corresponden a Juan Carlos Onetti: *Obras completas*. México, Aguilar, 1970.

(3) Julio Jaimes y Jorge Ruffinelli: "Las fuentes de la nostalgia y de la angustia" (entrevista del film *Juan Carlos Onetti, un escritor*, de J. Jaimes), en *Crisis* número 10, Buenos Aires, febrero 1974, p. 52.

(4) Juan Carlos Onetti: *Tiempo de abrazar*. Montevideo, Arca, 1974. Es el capítulo VI, que comienza: "Veía empequeñecerse lentamente la última plataforma. . .", etc. En ese capítulo Onetti narra un episodio "separado" del resto de la acción: la huída fugaz de Julio Jason al campo, y el transcurso de un día de felicidad. Es muy significativo que en *La vida breve* (1950), Brau-

sen diga haber estado "un día" en Santa María, y haber sentido lo mismo que Jason: la felicidad. En el episodio de *Tiempo de abrazar* se describe el pueblo —la plaza, la iglesia—, e incluso hay una frase que podría aludir al doctor Díaz Grey y a Elena Sala: ". . . este médico de ahora es muy bueno, se preocupa mucho . . . Me decía Elena cuando entra en la sala . . ." (p. 192).

(5) J. Jaimes y J. Ruffinelli, entr. cit., pp. 52-53.

(6) E. Rodríguez Monegal, entr. cit., p. 248.

(7) Jorge Ruffinelli: "Onetti: creación y muerte de Santa María", en *Palabras en orden*. Buenos Aires, Crisis, 1974.

(8) John Deredita: "El lenguaje de la desintegración. Notas sobre *El astillero*", en *Onetti*, op. cit., p. 227.

4. GABRIEL GARCIA MARQUEZ Y EL GRUPO DE BARRANQUILLA

I

La pobreza de la narrativa colombiana olvida sus raíces en un lejano y borroso pasado, aunque muy probablemente entre las causas menos olvidables está la del aislamiento cultural, suerte común y no comunitaria de los países de América Latina. Por ese aislamiento —que se dio en la política, en la economía, en el lenguaje y en las artes— las formas en que perdura la fisonomía de un país llegaron a esclerosarse y a crear su propia cárcel sin muros. En el estricto espacio de la literatura narrativa, sin embargo, un foco principió por encender la hoguera allá muy lejanamente en 1950: se trataba de un grupo de amigos, ni siquiera un cenáculo o un movimiento o una revista. Simplemente un grupo de amigos díscolos, bohemios, que compartían en el Café Happy de Barranquilla vino y mujeres, y en la librería "del sabio catalán" (como recuerda bien *Cien años de soledad)* (1) la riqueza de la literatura.

Esos jóvenes sufrían también esa cárcel sin rejas, esa abotagante realidad mediocre que no condecía con la lujuriosa y restallante realidad tropical, y fue por eso (lo cuenta asimismo *Cien años de soledad)* que todos ellos se fueron, con diferencia de pocos meses y respondiendo a diferentes estímulos, bajo la mirada cada vez más sabia y mítica del viejo Ramón Vinyes (2). Hacia 1950, cuando apenas contaban más de veinte años, estos jóvenes estaban enfrentados a una tradición literaria poblada escuetamente con algunos islotes. Uno de ellos era Jorge Isaacs, quien en 1867 había llegado al apogeo del romanticismo con *María* y dado origen, sin proponérselo, a toda una serie de novelas lacrimógenas que por su peso espurio ocultaban la transparencia y los valores de la obra primigenia, aquella elegía idílica donde amor y muerte se mezclaban en la escenografía de la cordillera central con los efluvios indianistas del romanticismo de Chateaubriand.

Si *María* fue el hito novelístico del siglo XIX en la literatura colombiana, el XX parecía esperar una nueva obra capital desde sus primeras décadas, y ésta la dio finalmente José Eustasio Rivera con *La vorágine. La vorágine* fue el gran exponente americano de la "novela de la tierra", en 1924. Reveló todavía algunos coletazos del romanticismo pero fundamentalmente se orientaba hacia el realismo para narrar la historia exasperada de un poeta y de su amante que huyen de la burguesía bogotana y se pierden en la selva luego de muchas vicisitudes. La novela termina con la frase imborrable y mil veces citada —"Se los tragó la selva"— que encuadra toda una concepción de la literatura como testimonio de la desigual batalla del hombre americano contra su naturaleza, contra un medio ambiente que aún no ha podido hacer habitable y *propio*. No es casual que Horacio Quiroga, otro "selvático" aunque en su caso un auténtico robinson de las Misiones, dijera en 1929 ("El poeta de la selva") que Rivera poseía un aliento épico como ningún otro novelista hispano-americano (3).

Estas dos novelas separadas por casi seis décadas, constituían hasta 1967 *(Cien años de soledad)*, los hitos fundamentales de la narrativa colombiana. Tal vez por azar, o por un azaroso determinismo, ni Isaac ni Rivera publicaron otra vez libros narrativos.

II

Los "cuatro discutidores" (como los llamará *Cien años de soledad)* se enfrentaban no sólo a la carencia de una auténtica y nutricia literatura nacional, sino también a un concepto vetusto del lenguaje y a una situación política de gran zozobra. En cuanto al lenguaje, la influencia y la defensa pertinaz del casticismo aplastaron buena parte de la literatura colombiana sustituyendo el "decir" por el "buen decir", la "literatura" por la "literatura bien escrita". Caracterizadas por la falta de comunicación con otras zonas y culturas, la lengua y la literatura de Colombia conservaron por mucho tiempo la idea de un español puro, intocado, la lengua madre de los conquistadores entronizada en la propia ideología. Desde esa pureza, desde esa intocabilidad, desde ese casticismo, se juzgaban las obras literarias, se determinaba que estaba bien o mal escrito. Las pautas no surgían del pueblo, del habla sabrosa y vocinglera de las gentes, sino del Diccionario de la Real Academia y de las reglas prescritas por los académicos y gramáticos colombianos.

Rufino José Cuervo (1844-1911) que dejó encarnado su magisterio en el actual y sobreviviente Instituto Caro y Cuervo de Colombia, resultó la síntesis de toda esta concepción y representó el freno para el impulso populista o creador, el freno para los escritores enfrentados a optar entre una lengua popular pero degradada y sin prestigio y un casticismo muy ajeno —muy alienante— a su finalidad artística y a la realización de su visión del mundo. Nicolás Suescún recordó en 1969 la influencia de esta pureza idiomática: "Ya en el siglo pasado, el lingüista Rufino José Cuervo anunciaba tal vez al observar la creciente diferencia entre el lenguaje hablado y el literario, una evolución del español similar a la del latín. Sospechaba que en unos pocos años ya nadie iba a entender a los incultos y arremetía contra los corruptores del castellano" (4). Contra esta orientación nefasta reaccionaron los amigos barranquilleros, y es por eso que uno de ellos, Gabriel García Márquez, abjuró de la primera edición de *La mala hora*, publicada en España, porque un corrector pretendió restituir a la "lengua madre" las incorrecciones del novelista (5).

La situación socio-política no resultaba menos asfixiante y reaccionaria, y aún palpitaba el asesinato de Jorge Eliécer Gaitán que dio irrupción al "bogotazo" de 1949. Después de quince años de gobierno liberal, el partido se había escindido, sufriendo la derrota en las elecciones de 1946 ante los conservadores, pero el lento reacomodo de fuerzas que siguió al colapso prometía el triunfo del sector popular con Gaitán, en las siguientes elecciones. Pese a militar en uno de los partidos tradicionales, Gaitán era un hombre muy cercano al socialismo y por lo tanto resistido por los conservadores y temido incluso por el ala moderada de su propio partido. El periodo de "la violencia colombiana" venía desde el propio origen de las facciones, pero el 9 de abril de 1949 un nuevo hito fundamental revirtió cruentamente en la vida nacional y en la propia literatura. Ese día Gaitán fue asesinado en plena calle, y su muerte provocó la asonada popular, la ira desatada que barrió en tres días tres mil vidas humanas.

El "bogotazo" no tuvo sin embargo como resultado el derrocamiento del partido conservador sino aun mayor represión. Cuando una comisión legislativa intentó comprobar la injerencia del gobierno en la muerte de Gaitán, el gobierno dio golpe de estado y disolvió el parlamento. Es que en todos estos años, visible e invisible, la sombría figura de Laureano Gómez gravitaba poderosamente en la vida política colombiana, ya fuera desde su prédica periodística como desde el escaño presidencial durante los dos periodos en que le tocó desarrollar su odio violento hacia los liberales y manifestar su patología personal (se reconocía y se hacía llamar "el Monstruo"). En 1953, después de Gómez, Gustavo Rojas Pinilla retomó una tradición política basada en la demagogia e inició su gobierno con una serie de medidas populares que con sagacidad ignota por sus antecesores logró solucionar el problema de las guerrillas producidas en el periodo álgido de la violencia. Rojas aplicó el lema *cambiar armas por tierra*, y ese lema tuvo por resultado la gradual desaparición —durante un periodo, es cierto— de la guerrilla campesina. Posteriormente, al mismo tiempo en que el gobierno adquiría formas cada vez más duras y dictatoriales, los jefes de los partidos conservador y liberal —de exilio, a su turno, en España— establecieron una alianza consistente en alternarse en el poder y así compartirlo. De este modo las siempre inexistentes diferencias ideológicas entre ambos partidos (las diferencias radicaban en los intereses económicos y en la estructura feudal y nepótica del poder) se mostraron a la luz. La amarga ironía de García Márquez en *Cien años de soledad* poseía allí una comprobación básica; en efecto, la única diferencia entre liberales y conservadores radicaba en que los liberales iban a misa de cinco y los conservadores a misa de ocho.

III

La época de la violencia generó en Colombia una novelística de la violencia. Si bien esta última emergió tumultuosamente a partir del bogotazo y pareció no detenerse ya hasta los años recientes, el periodo que ilumina y documenta no es sólo el estrictamente contemporáneo a su escritura. Va algo más atrás, a la época de auge y decadencia de las compañías bananeras y del imperio de la United

Fruit Company en el país; va a 1928 (año en que nació Gabriel García Márquez) cuando el ejército aplastó a los obreros del banano causando la tristemente célebre matanza del 28 que igual fuerza expresiva han reflejado *La casa grande* (1962) de Álvaro Cepeda Samudio y *Cien años de soledad* de García Márquez, como símbolo inexpiable de ese tiempo.

Decenas de novelas brotaron al impulso de la indignación; la mayoría de ellas sucumbieron al mero afán documental y a la pobreza expresiva. La novela de la violencia tuvo como finalidad testimoniar un periodo turbulento, pero la buena intención no sustituyó al talento. Tal vez el conformismo subyacente en el solo mostreo de la realidad, sin que se intentara interpretarla, el hecho de no ir más allá de la denuncia cuantitativa y efectista de un realismo maniqueo, explican en buena parte, si no en toda, las razones de su medianía. Lo que en ese contexto habría que preguntarse es si García Márquez no inserta su obra en este ciclo de violencia. Si sus novelas no son, también, "novelas de la violencia colombiana". *La hojarasca* apareció en 1955, casi al mismo tiempo que otras novelas inequívocamente pertenecientes al ciclo de denuncia. *El coronel no tiene quien le escriba* se publicó en 1958, y de esa misma época son varios cuentos después incluidos en *Los funerales de la Mamá Grande* (1962), así como la primera edición de *La mala hora* (1961). Creo que es preciso reconocer no que estas novelas y cuentos pertenecen a la orientación estética de la "novela de la violencia" pero sí que en todas ellas se manifiesta una violencia latente pero violencia al fin.

La hojarasca está escrita sobre una estructura de tensiones sociales y sicológicas. Es la violencia agazapada del pueblo que odia al médico muerto y la que deben vencer los personajes decididos a enterrarlo. *El coronel no tiene quien le escriba* es asimismo un impecable ejercicio de tensiones, y desde su mismo título manifiesta la intensidad de la espera inútil que al final va a resolverse en una expresión liberadora y cargada precisamente de toda la violencia acumulada en los personajes. Por último, *La mala hora* es otro ejemplo implacable de la violencia escondida que aflora como por la presión de los propios hechos ocultos. La vida de ese *pueblo* provinciano, lejos de ser pacífica, o incluso pese a su apariencia pacífica, está asentada sobre volcanes: secretos, historias vergonzantes, hechos que empiezan a revelarse, anónimos que encauzan por vía indirecta los impulsos del odio y de la necesidad de justicia.

De modo que no puede separarse radicalmente la narrativa de García Márquez de todo este proceso. En él está inserta aunque no describa la violencia desatada ni cuente por cientos a sus muertos. La originalidad, la trasmutación del tema, la valoración de sus estructuras literarias que lo diferencian pese a todo de la dicente novela "de la violencia", radican en una serie de matices fundamentales, de posturas creativas e ideológicas propias de la modernidad asumida por el grupo de Barranquilla contra sus tradiciones artísticas pero sin dar nunca la espalda al país. Al rechazar la propuesta artística de esta novela, han encontrado otras posturas y otras propuestas. La teoría se fundamentó en una praxis propia.

"Surge en Colombia lo que se ha dado en llamar la violencia" explicaba García Márquez a Ernesto González Bermejo en 1970 (6). "Y en ese periodo de la violencia política, que fue la violencia organizada desde el poder, los conservadores arrasaban pueblos con poblaciones enteras; armaban a las policías y el ejército, y a sus partidarios, para aterrorizar a los liberales, que eran mayoría, y poder mantenerse en el poder. Ese momento de la violencia tuvo tal impacto entre quienes todavía no eran escritores en Colombia, muchos de ellos testigos de dramas terribles de violencia, que sintieron la necesidad de contarlo y entonces aparecieron, en menos de cuatro o cinco años, más de cincuenta novelas que es lo que se llama ahora la novela de la violencia en Colombia. En realidad más que novelas son testimonios inmediatos tremendos, en general mal escritos, o escritos apresuradamente, con muy poco valor literario pero que tienen la enorme ventaja de ser un material que está ahí y que, en cualquier momento, una vez sedimentado, va a servir de mucho para conocer toda esa época".

El juicio negativo —desde la perspectiva literaria— que emite García Márquez sobre estas novelas no está en tela de juicio; existe un consenso sobre la ineficacia artística de estas obras, en bloque. Por eso interesa la distinción que establece el propio escritor entre sus propósitos y los propósitos de esta literatura, es decir su propia separación de aguas. Refiriéndose a su literatura posterior a *La hojarasca*, García Márquez señala: "Decidí acercarme más a la actualidad del momento colombiano, y escribí *El coronel no tiene quien le escriba* y *La mala hora*. No escribí lo que realmente o exactamente se pueda llamar la novela de la violencia por dos motivos: uno, porque yo no lo había vivido directamente, yo vivía en la ciudad; y dos, porque yo consideraba que lo importante literariamente no era el inventario de muertos, ni la descripción de los métodos de violencia, que era lo que los otros escritores hacían, sino que lo que me importaba era la raíz de esa violencia, los móviles de esa violencia y, sobre todo, las consecuencias de esa violencia en los sobrevivientes" (7).

IV

Algún tiempo antes de que Aureliano Buendía logre descifrar los manuscritos y la "ciudad de los espejos" sea arrasada por el viento y desterrada de la memoria de los hombres, cerrando el ciclo de los *Cien años de soledad*, la novela cuenta las relaciones amistosas de Aureliano y los "cuatro discutidores" que conociera en la librería del sabio catalán "encarnizados en una discusión sobre los métodos de matar cucarachas en la Edad Media". Se llamaban Alvaro, Germán, Alfonso y Gabriel, y Aureliano hizo aún mayor amistad con el último ya que su antepasado el coronel Aureliano Buendía había sido "compañero de armas y amigo inseparable" del bisabuelo de Gabriel, Gerineldo Márquez. Esta historia interna de *Cien años de soledad* restituye la novela al campo autobiográfico y calca la historia de la amistad de los barranquilleros: Alvaro Cepeda Samudio, Germán Vargas, Alfonso Fuenmayor y

Gabriel García Márquez combinaban las sesiones "despotricadoras" en la librería del catalán Vinyes con la vida bohemia, prostibularia, nostálgicamente única y perdida, que sólo se conserva en imágenes festivas o tragicómicas: la llegada de Alvaro a la librería "pregonando a voz en cuello su último hallazgo: un burdel zoológico" o el intento incendiario de Germán en la mancebía de las "muchachitas que se acostaban por hambre", en los arrabales de Macondo (8).

La historia real aparece asombrosamente reproducida por la historia novelesca. El viaje de Cepeda Samudio a los Estados Unidos, el viaje de García Márquez a París, la cohesión del grupo en torno a las lecturas orientadas por Vinyes, el espíritu exaltado y juvenil de los años cincuenta. El grupo buscó una filosofía del vitalismo antes que de la intelectualidad, pero el desfasaje aún se dio en los primeros cuentos de García Márquez (inspirados por Kafka y por Faulkner) si bien estaban anunciando de todos modos la necesidad de una nutrición cultural moderna, que apeteciera, aceptara y se nutriera de toda la literatura nueva de Europa y los Estados Unidos. La actitud primera, básica, del grupo de Barranquilla fue, pues, el rechazo de las formas nacionales y tradicionales obsoletas (aunque admitían y veneraban a algunas figuras cercanas a su espíritu: es el caso de José Félix Fuenmayor, el gran cuentista de *Muerte en la calle* (1967), y es también el caso de Jorge Zalamea cuyo *Gran Burundún Burundá ha muerto* (1952) influyó directamente sobre *Los funerales de la Mamá Grande)*, y el reclamo de nuevas formas que debían introducir en su literatura —y en la literatura colombiana— para enriquecerla.

De los "cuatro discutidores", Alvaro Cepeda Samudio fue sin duda el primero en destacarse, el primero en adquirir una estatura moderna y lograr un estilo valioso y representativo. Fue él también quien introdujo la nueva literatura norteamericana y quien lideró en buena parte la actitud vitalista del grupo. En 1954 publicó su primer libro de cuentos —*Todos estábamos a la espera*— que reveló notoriamente el influjo de la escritura anglosajona a través de escritores como Saroyan o James Jones, así como su siguiente libro, la espléndida novela *La casa grande*, mostraría sus débitos a la escuela periodística de Hemingway y Steinbeck. Su último libro, publicado poco tiempo antes de su muerte *Los cuentos de Juana* (1972), está constituido de prosas débiles, en que la poderosa invención juvenil acabó agostándose.

Es *La casa grande* la novela fuerte, rotunda, que da el tono de la urgencia renovadora y que acapara, como en el caso de García Márquez, más las tensiones que las acciones de la violencia colombiana. Ya *La casa grande*, como cuatro años después *El coronel no tiene quien le escriba*, demuestran la fuerza de la sugestión literaria y la anti-retórica, que llegaban precisamente hasta la costa atlántica desde los Estados Unidos. Las primeras influencias (Kafka, el absurdo, el feísmo y el grotesco *pour épater le bourgeois*, incluso el intelectualismo faulkneriano) se trocaron por formas tersas e intensas del contar. Alvaro Cepeda Samudio viajó en esos años a los Estados Unidos y a su regreso (dice Angel Rama en un excelente ensayo publicado a raíz de la muerte de Cepeda) "como Echeverría traía en sus maletas el romanticismo, Cepeda Samudio traía en sus maletas la literatura norteamericana". Una literatura que lo marcaría a él poderosamente, pero no menos, también, a García Márquez.

Narra *Cien años de soledad:* "Alvaro fue el primero que atendió el consejo de abandonar a Macondo. Lo vendió todo, hasta el tigre cautivo que se burlaba de los transeúntes en el patio de su casa, y compró un pasaje eterno en un tren que nunca acababa de viajar. En las tarjetas postales que mandaba desde las estaciones intermedias, describía a gritos las imágenes instantáneas que había visto por la ventanilla del vagón, y era como ir haciendo trizas y tirando al olvido el largo poema de la fugacidad: los negros quiméricos en los algodonales de Luisiana, los caballos alados en la hierba azul de Kentucky, los amantes griegos en el crepúsculo infernal de Arizona, la muchacha de suéter rojo que pintaba acuarelas en los lagos de Michigan" (9).

Este fragmento de García Márquez resulta finalmente un pastiche de su propia prosa periodística, hay en él la misma concepción fragmentaria, aditiva, impresionista que en la crónica publicada en *El Heraldo* de Barranquilla en 1950 a propósito del viaje de Alvaro Cepeda Samudio:

"Cuando Alvaro viajó a los Estados Unidos, iba empujado por un interés muy distinto al de hacerse un profesional del periodismo, aunque su inteligencia le hubiese servido para eso y mucho más. Tengo la impresión de que fue, más que por cualquier otra cosa, por conocer la abigarrada metrópoli de Dos Passos y poder decir, después, que el autor de *Manhattan Transfer* era realmente el genio que parecía ser, o un imbécil más en la millonada de imbéciles en Nueva York. Iba más que nada por conocer los pueblitos del sur, no tanto del sur de los Estados Unidos como del Sur de Faulkner, para poder decir, a su regreso, si es cierto que en Memphis los amantes ocasionales tiran por la ventana a las amantes ocasionales, o si sólo eso es episodio dramático, patrimonio exclusivo de *Luz de agosto.* Iba para saber si es cierto que allá hay gente bestial atropellada por los instintos como los que viven en las novelas de Caldwell o si existían hombres acorralados por la naturaleza, como Steinbeck".

El fragmento (tanto el real como el ficticio) tiene una doble utilidad: señala la dirección desde donde estaba llegando el concepto y la práctica de una literatura nueva que marcaría un segundo periodo de la obra de García Márquez *(El coronel. . ., La mala hora),* y por otro lado contrasta, con la referencia a Faulkner y a *Luz de agosto,* su afirmación, muchas veces citada, de que no había leído al escritor sureño antes de escribir *La hojarasca* y que lo hizo a instancias de la observación crítica sobre las presuntas influencias faulknerianas. Lo que más importa no es esto último, claro está, sino su valor como índice de lecturas y de concepción del mundo, parejas para el grupo de Barranquilla aunque mejor encarnadas en los dos narradores: Cepeda Samudio y García Márquez.

Posteriormente, este último aún evolucionaría hacia otras formas literarias. Del intelectualismo libresco del comienzo (los cuentos del periodo 1947-1952) pasó al vitalismo y a la escritura escueta de la corriente norteamericana, pero no quedó ahí. El mismo le expresó a González Bermejo cómo había pasado a la escritura imaginativa, exuberante y *mítica* de Cien años de soledad: "Lo que pasa es que se me abrió una idea más clara del concepto de realidad. El realismo inmediato de *El coronel no tiene quien le escriba* y *La mala hora* tiene un radio de alcance, pero me di cuenta de que la realidad es también los mitos de la gente, es la creencia, es su leyenda, que no nace de la nada, es creada por la gente sobre su historia, con su vida cotidiana, e intervienen en sus triunfos y en sus fracasos. Me di cuenta de que la realidad no era sólo los policías que llegan matando gente, sino también toda la mitología, toda la leyenda, todo lo que forma parte de la vida de la gente y todo eso hay que incorporarlo" (10).

No es éste un retorno al primer ciclo intelectual porque el mito no es observado o analizado desde una perspectiva superior o paternalista; no es siquiera analizado, sino vivido, encarnado en la escritura. García Márquez rescata los elementos imaginativos populares y los vierte y recrea en su literatura sin despreciarlos, al contrario, manteniéndoles la misma temperatura, la misma verosimilitud. Que él era consciente de su actitud, lo muestra *Cien años de soledad* cuando Aureliano conoce a los "cuatro discutidores". La novela cuenta cómo entabló una mayor amistad con Gabriel, pues "la noche en que él habló casualmente del coronel Aureliano Buendía, Gabriel fue el único que no creyó que se estuviera burlando de alguien". Es esa atención igualitaria, mimetizada con naturalidad; ese respeto y su vivencia de los mitos populares y de la imaginación de la gente, lo que permitió a García Márquez encontrar una escritura espontáneamente mítica (a diferencia de Borges), y escribir *Cien años de soledad*. Y la credulidad en su propia fantasía, la potenciación de lo mítico en real, es lo que lo separa radicalmente, por ejemplo, del género fantástico. La fantasía no irrumpe con escándalo y sorpresa en la realidad. *Es* realidad, es un elemento más del mundo cotidiano.

De todos modos, para llegar a esta concepción y a esta escritura aún habría de pasar el tiempo, y esa instancia del proceso no corresponde estrictamente al año 50 ni a la historia del grupo costeño. Lo que el grupo de Barranquilla logró, lo que estos aspirantes a escritores consiguieron en los primeros años de la década del cincuenta fue la primera liberación. Liberación de las estructuras verbales y lingüísticas encerradas en el vetusto concepto del español "puro"; liberación de una narrativa urgida por la realidad social y política del país, mediatizada por esa misma urgencia en formas sólo documentales y envejecidas ya desde su nacimiento; liberación de una cultura paupérrima, sin tradiciones nutricias, que aún seguía las pautas de *María* o *La vorágine* sin revisar su vigencia; liberación, finalmente, de los mediocres esquemas nacionalistas que han frustrado a generaciones enteras de escritores latinoamericanos por el aislamiento y el cultivo de las autoctonías mal entendidas y del provincianismo.

Esa fue la labor involuntaria del grupo de Barranquilla, una labor, paradojalmente, que se justifica en retrospectiva porque existe *Cien años de soledad*, y porque ésta ha superado todos los pronósticos de la "fortuna literaria" y ha accedido a una fama insólita por lo extensa. Dado el homenaje que hace al grupo la novela en sus últimas páginas y dada su propia importancia cultural, iluminadora, ese grupo y esos años adquieren relieve como una etapa necesaria en el desarrollo de un gran escritor. De no haber escrito Gabriel García Márquez *Cien años de soledad*, esto sería simplemente una anécdota, gris y perdida, en las historias de la literatura.

1974

NOTAS

(1) Gabriel García Márquez: *Cien años de soledad*. Buenos Aires, Sudamericana, 1972, 30a. ed., p. 324.

(2) Entonces "profesor en un colegio de señoritas y algo así como el patriarca del grupo" (Mario Vargas Llosa: *García Márquez. Historia de un deicidio*. Barcelona-Caracas, Barral-MonteAvila, 1971, p. 36).

(3) Horacio Quiroga: *Sobre literatura*. Montevideo, Arca, 1972.

(4) Nicolás Suescún: *Trece cuentos colombianos*. Montevideo, Arca, 1970, p. 17.

(5) "La primera vez que se publico *La mala hora*, en 1962, un corrector de pruebas se permitió cambiar ciertos términos y almidonar el estilo, en nombre de la pureza del lenguaje. En esta ocasión, a su vez, el autor se ha permitido restituir las incorrecciones idiomáticas y las barbaridades estilísticas, en nombre de su soberana y arbitraria voluntad" (Gabriel García Márquez: *La mala hora*. México, Era, 1972, 5a. ed., nota).

(6) Ernesto González Bermejo: "García Márquez: ahora doscientos años de soledad", en *Triunfo* No. 441, Madrid, 14 de noviembre de 1970.

(7) Id., ibidem.

(8) *Cien años de soledad*, ed. cit., pp. 327-340.

(9) Id., p. 339.

(10) González Bermejo, entr. cit.

5. MUNDO ERRANTE Y MILAGROSO

Desde *La hojarasca*, en 1955, hasta *Cien años de soledad*, doce años después, la narrativa de Gabriel García Márquez ha seguido un curso nítido y consecuente de progresiva disolución de lo real aparente en formas cada vez más delicadas, feéricas y fantásticas. Tal vez esa trayectoria quiera confirmarse en el tono dominante de *La increíble y triste historia de la cándida Eréndira y de su abuela desalmada* (1972) puesto que cuatro de sus narraciones se propusieron en su origen ser cuentos para niños, tocados así de segura magia y encanto para dejar de lado la visión del mal bajo la apariencia de la crueldad u otras formas vicarias. De todos modos, creo que García Márquez no ha evitado esa dosis de maldad y perversión de toda historia humana, sino que precisamente la ha disfrazado con formas festivas y despersonalizadas, como hicieron durante siglos los mexicanos con las trágicas figuraciones de la muerte.

En García Márquez hay otro proceso: el de la institucionalidad estética de las "fiestas errantes del Caribe", la trasmisión, al plano del arte, de toda aquella experiencia objetiva y real que pasa ante los sentidos y la imaginación del escritor a medida que transcurre —o transcurría— en el ambiente físico. Como en *Cien años de soledad*, vuelve en esta novela corta y los seis cuentos que la acompañan, la colorida errancia caribeña tan seductora, y es a través de ella que García Márquez recupera el entorno: lo observa con ojos maravillados y primitivos, como los de sus criaturas. Los hallazgos expresivos de *Cien años de soledad* se continúan así en *La increíble y triste historia...* más allá de la desaparición de Macondo y de que, como observa Mario Vargas Llosa, en uno de sus cuentos aparezca "un rasgo estilístico distinto: un nuevo tipo de frase, larga, envolvente, llena de ramificaciones (...), un experimento en pos de un nuevo lenguaje" *(Historia de un deicidio)*. Resulta atractivo señalar que este libro —y este estilo— es de transición entre *Cien años de soledad* y *El otoño del patriarca*, pero lo cierto es que continúa a la sombra del primero, que de él asoman reminiscencias, y de él se reiteran efectos, técnicas, dignificados por el recuerdo de su gran novela pero con las debilidades de toda multiplicación. Hasta en el aséptico análisis que Vargas Llosa lleva a cabo sobre la obra de García Márquez, el rasgo mencionado es ineludible: "Previsiblemente, estos escritos acusan la cercanía de *Cien años de soledad*, reflejan sus hallazgos, a veces dan la impresión de mecanizar ciertos procedimientos que no tienen en ellos la eficacia que en la novela". Entre estos mismos, no sólo las fórmulas de la hipérbole, o las seudo precisiones ("Al senador Onésimo Sánchez le faltaban seis meses y once días para morirse. . ."), o bien referencias a seres reales o a personajes legendarios (el duque de Malborough) sino también ese motivo —el de la errancia—, constante de su narrativa. Ejemplos hay muchos: en el relato que presta título al volumen es la "desalmada" abuela que recorre el desierto pervirtiendo a su "cándida" nieta con la prostitución hasta que termina de cobrarse el incendio de sus propiedades accidentalmente provocado por la niña. En "Blacamán el bueno vendedor de milagros" es el mercader y sus "frascos específicos" y sus "yerbas de consuelo", que recorre los puertos de la costa anunciando milagros baratos e irresponsables. En otros relatos cuya acción transcurre en sitio fijo la errancia aparece aludida en la llegada —y la desaparición— de un "viajero" cuyo destino es vagar siempre: el ángel achacoso de "Un señor muy viejo con unas alas enormes", que cae a tierra por el peso de la lluvia y comete dislates y milagros inconexos, como el de hacerle salir dientes nuevos a un ciego o ganar la lotería a un paralítico. "El ahogado más hermoso del mundo" ha derivado por el mar sin rumbo hasta recalar en una playa; pero después de ser admirado por las mujeres del pueblo y preparados para él "los funerales más espléndidos que podía concebirse para un ahogado expósito", es devuelto al mar donde seguirá —es de suponer— recorriendo abismos y playas. En "El último viaje del buque fantasma", el viajero es el buque que año a año pasa por la costa ante la mirada atónita de un muchacho. Y en "El mar del tiempo perdido", el señor Herbert, símbolo del pasaje yanqui y su depredación económica por las riquezas de Colombia, llega al pueblo y realiza todos los favores como un nuevo dios sobre la tierra, hasta arrancar de los lugareños el cálido (y funcionalmente irónico) reconocimiento: "Los gringos son muy caritativos".

En el estilo mismo, en su fraseología, hay directas reminiscencias de *Cien años de soledad*. Frases como ésta: "Muchos años después de que viera el transatlántico inmenso. . ." unida a la del cuento, " Tobías llevó a Clotilde a conocer el dinero. . .", está evocando con fuerza el comienzo mismo de *Cien años de soledad:* "Muchos años después, frente al pelotón de fusilamiento, el coronel Aureliano Buendía había de recordar aquella tarde remota en que su padre lo llevó a conocer el hielo. . ."

De los siete, el texto más reciente, fechado en 1972, es "La increíble y triste historia de la cándida Eréndira y de su abuela desalmada", escrito en un principio como guión cinematográfico que desarrollaba aquel episodio de *Cien años de soledad* (pág. 50-51) en que Francisco el Hombre, el anciano trotamundos que llevaba a todas partes las noticias incorporándolas a su repertorio de canciones, se aparece un día en la tienda de Cantarino acompañado por "una mujer tan gorda que cuatro indios tenían que llevarla cargada en un mecedor, y una mulata adolescente de aspecto desamparado que la protegía del sol con un paraguas". En ese episodio Aureliano intenta inaugurar su virilidad pero sólo logra sentirse confundido entre el deseo y la conmiseración, y una oscura necesidad de liberar a la muchacha de tan dura gabela; también en el libro se relata el comienzo de su esclavitud, el malhadado incendio. Pero, en cambio, guión y relato desarrollan a su vez la historia de la prostitución trashumante (que nos recuerda a las "quitanderas" de Amorim), y el papel de Aureliano allí aparece prácticamente trasladado a Ulises, "un adolescente dorado, los ojos marítimos y solitarios", gracias a cuyo idilio con Eréndira se gestan las vicisitudes de un complicado proyecto para asesinar a la desalmada abuela.

Antes incluso de *Cien años de soledad*, en el relato de 1961, "El mar del tiempo perdido", parte de esta historia había aparecido, y en los tres casos (el cuento, *Cien años. . .* y *La increíble y triste historia. . .*) se reitera el ritual y abusivamente la imagen de la muchacha y su amante de turno exprimiendo la sábana empapada hasta hacerla recobrar su "peso natural". El relato ahora es rico en episodios, en acontecimientos, en accidentes narrativos, y si algo prueba es en primer lugar el papel cíclico que cumplen las historias en el mundo imaginativo de García Márquez. Y sin embargo *La increíble y triste historia. . .* en buena parte se frustra, pese a todo su encanto, pese a la magnífica elegancia del lenguaje, porque podía, debía ser, literariamente, mucho más compleja, extensa y ambiciosa de lo que es. Sin duda la traslación del guión al relato se cumple a gran nivel; el que va de una cuidadosa anotación de detalles al servicio de otro lenguaje —el cinematográfico— a la expresión literaria propiamente dicha. Este es un ejemplo que pertenece al momento en que Eréndira es secuestrada por las novicias del convento:

Guión: "Int. Barraca. Noche. En el interior de la barraca, donde se filtra el resplandor lunar, la abuela duerme en un canasto improvisado. Eréndira, en su colchón sobre cajones. Todo el espacio está ocupado por la respiración de la anciana. Las sombras blancas que hemos visto en el exterior penetran en la tienda, reptando sigilosamente como comandos militares: son seis novicias indias, fuertes y jóvenes, con hábitos blancos que parecen fosforescentes en las ráfagas de luna. En absoluto silencio cubren a Eréndira con un toldo de mosquitero, la envuelven sin despertarla, y la sacan del dormitorio como un *pescado* gigantesco capturado en una red".

Relato: "Trece días después del encuentro con los misioneros, la abuela y Eréndira dormían en un pueblo próximo al convento, cuando unos cuerpos sigilosos, mudos, reptando como patrullas de asalto, se deslizaron en la tienda de campaña. Eran seis novicias indias, fuertes y jóvenes, con los hábitos de lienzo crudo que parecían fosforescentes en las ráfagas de luna. Sin hacer un sólo ruido cubrieron a Eréndira con un toldo de mosquitero, la levantaron sin despertarla, y se la llevaron envuelta como un pescado grande y frágil capturado en una red lunar".

Sin embargo, el relato padece saltos y desequilibrios, demasiado constreñido acaso a las breves setenta páginas de su extensión; en algunos momentos los sucesos se aceleran como el pulso, y en otros se retardan. El origen de la historia aparece apenas mencionado y el desarrollo mismo del incendio omitido: la decisión de la abuela, sorpresiva, sin antecedentes que la respalden o la justifiquen. García Márquez no quiso seguramente hacer con este material una novela, sino un relato (aquí calzaría perfectamente la distinción de Forster) y es por eso que prescinde de un sondeo particular de las motivaciones, en los personajes capitales, para contar exclusivamente, por el contrario, cómo se desarrolla la acción. Y no obstante el relato respira como una novela, exige continuamente un espacio y un ritmo propios que le son negados.

Las virtudes literarias de "La increíble y triste historia. . ." radican en el nivel de su escritura, en el talento de la frase. Así, fragmentos como el de la violación de Eréndira, levantada del suelo por una "bofetada solemne" que la hace levitar "con el largo cabello de medusa ondulando en el vacío", derribada con brutalidad sobre la hamaca, y despojada de sus ropas "con zarpazos espaciados, como arrancando hierba" por el viudo a quien su abuela ha comenzado por alquilarla, son magistrales en la composición plástica, tanto o más que los mejores momentos de *Cien años de soledad*.

Los seis cuentos que acompañan el relato pertenecen a tres años diferentes, entre el 61 y el 70, aunque obedecen a ciertos patrones estructurales invariables, ya mencionados, como el motivo del nuevo "elemento" que modifica una determinada situación local antes de desaparecer tal como adviniera. De todos ellos igualmente puede decirse que son espléndidos cuentos, de lectura tan gratificante como ineludible, pruebas de un virtuoso que domina su estilo y logra sucesivas variaciones en su melodía, sin arrancar aún otras notas insólitas o inesperadas. Prefiero, de todos modos, "Muerte constante más allá del amor" (1970), un cuento aparentemente desprendido del guión de cine como unidad autónoma, porque en él es posible reconocer la expresión de una intimidad antiépica no muy habitual por cierto en su obra. Es la historia de un senador que viaja por los pueblitos cada cuatro años, renovando sus promesas de campaña electoral, y que descubre, cuando ya ha sido deshauciado por los médicos, "a la mujer de su vida". El relato alterna la exhibición de la demagogia pública y el encuentro amoroso con la muchacha, que despierta en él la experiencia de la soledad y el acabamiento en un orden transidamente humano y personal. Allí la "fiesta", si no calla, abate sus ruidos, y deja lugar a un semblante narrativo más austero y trágico: es que está en la inminencia de aquel viento implacable que en *Cien años de soledad* borraba lo existente, no dejaba ni el polvo de la aniquilación y destruía toda "segunda oportunidad sobre la tierra"

1972

6. UN PERIODISTA LLAMADO GABRIEL GARCIA MARQUEZ

1. Cuando era feliz e indocumentado

Nada mejor, para un escritor que ha moldeado con sabiduría el mito, que considerar determinadas etapas de su vida como *iniciales y míticas*. "In illo tempore. . ." Cuando aún no era famoso, cuando aún García Márquez no era *García Márquez*. Una de esas etapas, no muy alejadas en el tiempo pues cubre apenas los años 1957 a 1959, la constituye el periodo caraqueño, durante el cual García Márquez vivió en Venezuela y escribió en la revista "Momento" que dirigía su amigo Plinio Apuleyo Mendoza. Ahora, un libro de García Márquez, que ha pasado insólitamente desapercibido, nos recupera la imagen del periodista y nos deja ver algo de la fragua en que se formó el narrador. El libro entona la letanía mítica referida al comienzo, pues su título habla de *Cuando era feliz e indocumentado* (1973).

El contexto de esos años es muy significativo para la obra posterior de García Márquez. Entre otros motivos, porque en ese contexto empieza a tomar forma el tema del "dictador" que protagonizara después su novela *El otoño del patriarca* (1975). En efecto, hacia 1957 García Márquez padecía el frío de Londres y escribía sin embargo febrilmente, en su cuarto de hotel, cuentos y capítulos novelísticos (así lo refiere Mario Vargas Llosa en *Historia de un deicidio),* cuando Plinio Apuleyo Mendoza lo llamó a Caracas. Llegó en la navidad de 1957 y pudo vivir por dentro las vicisitudes de la caída de una dictadura: el fin de Pérez Jiménez, los días turbulentos que agitaron al país entero. De este modo los hechos proporcionaban un invalorable material periodístico, y un motivo narrativo —el dictador en soledad y desgracia— que a partir de entonces crecería en la imaginación del escritor rompiendo las vallas y las limitaciones del estricto génesis. "Los amigos de García Márquez recuerdan haberle oído mencionar por primera vez, en esos días de alta tensión", señala Vargas Llosa, "el proyecto de escribir alguna vez una novela sobre la dictadura. El dice que la idea brotó un día en que esperaba con otros periodistas, en el Palacio de Miraflores, el final de una reunión sobre el sucesor de Pérez Jiménez, y en que vieron salir de la reunión, bruscamente, a un oficial con una ametralladora bajo el brazo y con las botas embarradas, que atravesó la antesala como huyendo".

Ya entonces García Márquez había escrito los cuentos primerizos (1947-1952) que nunca quiso reeditar (1), y también era suya *La hojarasca* (1955), *Monólogo de Isabel viendo llover en Macondo*, los artículos en torno al marinero Velasco (1955) que quince años después formarían *Relato de un náufrago*, y acababa de terminar *El coronel no tiene quien le escriba* (1958). Es decir, que había ya percibido el grotesco de la existencia, trasladándolo a la literatura. Los artículos periodísticos recogidos en *Cuando era feliz e indocumentado* revelan fehacientemente esa misma mirada derramada sobre el mundo, ese mismo tipo de atención puesto sobre las cosas. Sólo que, mientras en sus libros narrativos puede inferirse el trabajo del escritor sobre la moldeable materia de la realidad, y suponerse la superposición de una mirada personal que establece así en el relato una particular perspectiva, en las notas periodísticas es la realidad misma —grostesca o sencillamente colorida— la que se adelanta y se presenta con sus vistosos atuendos.

El estilo recoge esa particularidad de los hechos, los reúne y los exhibe como lo hará en las frases amplias, seudo épicas, de *Cien años de soledad*. Es que el sistema expresivo de García Márquez se basa en la igualdad del tratamiento —grandes oberturas sinfónicas, por ejemplo— para asuntos pequeños, cotidianos, o importantes. La "humilitas" se confunde con la "sublimitas", y todo a su vez con la maravilla, a menudo satirizada, de lo real. Véase si no es el *narrador* García Márquez quien abre dos de sus artículos de la manera siguiente; el primero para narrar la renuncia de Anthony Eden, el segundo para presentar la crónica de un día en que Caracas se quedó sin agua potable.

El primero: "El año internacional de 1957 no empezó el primero de enero, empezó el miércoles 9, a las seis de la tarde, en Londres. A esa hora, el primer ministro británico, el niño prodigio de la política internacional, Sir Anthony Eden, el hombre mejor vestido del mundo, abrió la puerta del 10 Downing Street, su residencia oficial, fue ésa la última vez que la abrió en su calidad de primer ministro. Vestido con su abrigo negro con cuello de peluche, llevando en la mano el cubilete de las ocasiones solemnes, Sir Anthony Eden acababa de asistir a un tempestuoso consejo de gobierno, el último de su mandato, el último de su carrera política. Aquella tarde, en menos de dos horas, Sir Anthony Eden hizo la mayor cantidad de cosas definitivas que un hombre de su importancia, de su estatura, de su educación, puede permitirse en dos horas: rompió con sus ministros, visitó a la reina Elizabeth por última vez, presentó su renuncia, arregló sus maletas, desocupó la casa y se retiró a la vida privada".

El segundo: "Después de escuchar el boletín radial de las 7 de la mañana, Samuel Burkart, un ingeniero alemán que vivía solo en un pent-house de la avenida Caracas, en San Bernardino, fue al abasto de la esquina a comprar una botella de agua mineral para afeitarse (. . .) Samuel Burkart tuvo que hacer cola en el abasto para ser atendido por los dos comerciantes portugueses que hablaban con la clientela de un mismo tema, el tema único de los últimos cuarenta días que esa mañana había estallado en la radio y en los periódicos como una explosión dramática: el agua se había agotado en Caracas".

Claro está que estos dos son ejemplos de un periodismo ameno (al servicio del lector), con un uso moderado del sensacionalismo y la actitud dramática o satírica del testimonio. Es que el momento mismo estaba sobrecargado de crisis y presagios en la Caracas de 1957, y se sentía una euforia muy particular. Si un tema (y la actitud correspondiente) unifica la mayor parte del volumen, ése es el de la subversión social y política encarada como "fenómeno" pero no ideologizado. El joven periodista colombiano que escribía en "Momento" estaba a la búsqueda del tema de la subversión confirmatoria de un mundo que se mueve y se transforma. Porque lo que ansiaba hallar era sobre todo el movimiento que revela vida, y ese movimiento podía ser tanto el de la agitación cotidiana como el más profundo y grave de las conmociones políticas. Como ejemplo del primer caso, la crónica inicial del libro que se titula "El año más famoso del mundo"; en sus veinte páginas logra recorrer con destreza los acontecimientos que hicieron noticia ese año y pusieron a muchos nombres en las primeras planas y en las marquesinas luminosas: Eden, la recién nacida hija de Grace Kelly, Brigitte Bardot, Pedro Infante, el príncipe Felipe, Golda Meir, Richard Nixon, Ingrid Bergman y Anita Ekberg, Batista, Fidel Castro, Mao o Christian Dior. Todos ellos se mezclan en una ensalada periodística variada y multicolor, repasados y comentados con la rapidez del noticiero. Pero si el movimiento vital que le interesaba a García Márquez podía captarse con el registro estereoscópico de los hechos más disímiles a lo largo de un año concreto, hay ese otro movimiento acaso más importante o por lo menos más dramático mencionado antes: el de un pueblo que se reorganiza después de caer su dictador.

En el prólogo de *Cuando era feliz e indocumentado*, Manuel Caballero refiere con razón las características del entusiasmo neófito que revela García Márquez ante el tema político: "Del carnet de García Márquez salen las rosadas nubes de una ilusión que emborrachaba a toda Venezuela en esos días: la unidad nacional, la reconciliación de todos los venezolanos, el pueblo decidiendo su destino, el nacimiento de una democracia impoluta, en cuya defensa se afanaban los estudiantes revoltosos, los buenos sacerdotes, el bravo pueblo y los honestos políticos que regresaban del exilio". Esta actitud esperanzada, que tenía sus raíces en el espíritu festivo del momento, se encuentra en varias de las notas recogidas en el libro. "El clero en la lucha" (una de las mejores) registra con dramaticidad el antagonismo entre los curas opositores y el régimen de Pérez Jiménez, en un crescendo de hostilidad policíaca que se resuelve, en las últimas líneas, con la caída de la "maquinaria del terror": "El heroico pueblo de Caracas, con piedras y botellas, descongestionó el sector a la mañana siguiente. Horas después, el párroco experimentó una inmensa sensación de alivio. La misma sensación de alivio que experimentó Venezuela. Era la madrugada del 23 de enero. El régimen había sido derrocado".

Ese sentimiento comunitario de la lucha, cuando varios sectores diferentes (clero, intelectuales, obreros) se oponen a un gobierno y está en el aire la posibilidad de derrotarlo, se sustituye en otras de las crónicas por la afirmación del futuro, que sin embargo debía ser impreciso. "La generación de los perseguidos" traza el retrato

61

de cuatro líderes políticos: Jóvito Villalba, Rafael Caldera, Rómulo Bentacourt y Gustavo Machado. Cuatro líderes que al volver del destierro son contemplados por la opinión pública (y por el periodismo que la representa y la orienta) casi como héroes, como mesías sobre cuyos hombros se reorganizará la patria. De ahí la ilusión que refiere Caballero, la utopía de la "unidad nacional" que en aquellos años "emborrachaba a toda Venezuela". Estos artículos orillan la crónica política pero raramente la comentan (con una excepción: "Colombia: al fin hablan los votos", donde García Márquez, más seguro al pisar su propia realidad, aventura la opinión, se interna en los vericuetos tras la apariencia). Y es que García Márquez intenta reflejar la verdad siniestra de un régimen a través de sus casos particulares, de la vida misma de su pueblo vista en el padecimiento policial, en las imprevisiones de los gobiernos ineptos, en la represión desembozada.

Para alimentar su imaginación novelística y el movimiento dramático que requiere el cauce de sus relatos, García Márquez se orienta en algunos artículos hacia la nota roja o semi-roja. "Condenados a veinte años, pero son inocentes" cuenta el caso de dos hombres procesados por un asesinato que no cometieron. La crónica se acerca aquí a cierto estilo de búsqueda esclarecedora (fundamento del género "policial") que ha caracterizado por ejemplo los excelentes libros periodísticos del argentino Rodolfo Walsh *(El caso Satanowski, Operación Masacre, Quién mató a Rosendo).* Se trata de descubrir por detrás de los hechos aparentemente claros, la suma de contradicciones que guiarán hacia sus móviles ocultos. En el caso de este artículo la investigación no es exhaustiva ni personal, y sólo se acerca a la determinación de que la culpabilidad de los dos condenados fue impuesta para cubrir la acción de la Seguridad Nacional, un crimen más en una larga serie de crímenes del dictador contra los opositores clandestinos del régimen. Otro artículo, titulado "Estos ojos vieron siete sicilianos muertos", sigue la misma senda del anterior, y logra replantear la misteriosa muerte de siete sicilianos que vivían en la máxima tranquilidad aparente hasta que empezaron a caer, uno por uno, en una red que nadie se explica y que, sin embargo, no es muy ajena de la Seguridad Nacional.

Hay en el libro aún otro tipo de crónicas escritas con pareja habilidad. "Caracas sin agua" y "Sólo doce horas para salvarlo" son los ejemplos sobresalientes. De hechos aparentemente corrientes y cotidianos (un niño necesita un medicamento para sobrevivir, la ciudad sufre la sequía y se queda sin agua por algunos días) García Márquez extrae el máximo de intensidad y convierte la crónica en verdadero cuento. Sabemos que los habitantes de Caracas no murieron de sed, sospechamos que el niño se ha salvado al cabo de esas doce horas (la mención de un "límite" de tiempo nos lo sugiere), pero lo que importa es el modo en que esa peripecia está narrada, las maneras en que la voz encantatoria del narrador nos mantiene en vilo mostrándonos precisamente las articulaciones de la realidad que harán posible una u otra solución. La historia de Caracas sin agua está compuesta por una serie de hechos cada vez más desesperados, cada vez de mayor emergencia, vistos a través de un ciudadano común, el ingeniero Burkart (¿persona real, personaje inventado?) que es rápidamente convertido en personaje literario mediante los más tradicionales recursos de la narración (por ejemplo: describiendo sus actos más familiares, refiriendo sus pensamientos o sus sueños). La narración aquí —como en casi todas las crónicas del volumen— crece en la intensidad para disolverse en el efecto acumulado hacia las últimas líneas. Así, después de llevar hasta el grotesco la agonía de una ciudad donde las ratas mueren de sed en las calles y la gente parece esperar tan sólo el apocalipsis, el relato llega a una suerte de catarsis: "Burkart cerró los ojos y soñó que entraba en el puerto de Hamburgo, en un barco negro, con una franja blanca pintada en la borda, con pintura luminosa. Cuando el barco atracaba, oyó, lejana, la gritería de los muelles. Entonces despertó sobresaltado. Sintió, en todos los pisos del edificio, un tropel humano que se precipitaba hacia la calle. Una ráfaga, cargada de agua tibia y pura, penetró por su ventana. Necesitó varios segundos para darse cuenta de lo que pasaba: llovía a chorros".

Detrás del periodista hay un narrador que apronta y prueba sus procedimientos; detrás del narrador, la visión periodística. Detrás de ambos, García Márquez ordena su escritura con una sagaz intuición del tiempo narrativo, de la expectativa, de la curiosidad, del interés milenario del oyente o del lector. Si algo revela la actividad periodística de García Márquez es, en este sentido, una misma estructura mental con el autor de ficciones. Realidad y ficción se unen en él, no distingue entre una y otra, como si la ficción fuese solamente un modo de manifestarse lo real. Y sin embargo hay una diferencia esencial entre García Márquez-periodista y García Márquez-autor de *Cien años de soledad*. Una diferencia que escinde su personalidad en una y otra órbita aunque ambas conserven similares rasgos.

Cuando en 1958 García Márquez dejó de escribir en "Momento", su carrera periodística alcanzaría aún campos operatorios inesperados. La Revolución Cubana advino a América Latina (2) como la puerta que nadie soñó abrir, y García Márquez pasó por aquella puerta y se adhirió inmediatamente a aquel movimiento y a aquella "dramaticidad" cargada de esperanza para un continente entero. Después de la etapa caraqueña García Márquez trabajó en la agencia cubana de noticias, Prensa Latina, y fue en ese periodo cuando, como a tantos otros escritores, el destino de América Latina —y la lucha por ese destino— se le mostró necesaria y tanto como necesaria ineludible. Las crónicas de *Cuando era feliz e indocumentado*, igual que ese otro periodo posterior, son de afirmación, y el periodista se mueve en un plan de denuncia y de constante esclarecimiento: combate, satiriza con humor, destaca las cruentas injusticias. Su función es "social". De ahí la diferencia entre este hombre "feliz e indocumentado", viviendo espontáneamente la pre-historia personal, y el hombre eminentemente pesimista y desesperanzado que escribe *Cien años de soledad*. El periodista acompaña a la historia con fe en la posibilidad; el novelista mitifica la historia con una conciencia agónica de lo imposible.

2. Crónicas y reportajes

Hay libros —muchos tal vez— que no nacen como libros: se gestan como páginas sueltas, ensayos y artículos que no sueñan verse envueltos entre forros sino dispersos y perdidos en las toneladas de palabra impresa que el periodismo, en consunción vertiginosa, sepulta día a día en el olvido. *Crónicas y reportajes* (1976), de García Márquez, es hasta ahora el tercer intento de exhumación: *Relato de un náufrago* (1970) y *Cuando era feliz e indocumentado* (1973) despertaron también de una época primera, periodística, como testimonios vivos de una escritura en marcha que estaba orientándose hacia senderos literarios y pronto desembocaría en la primera novela, *La hojarasca* (escrita hacia 1951 y publicada en 1955). *Crónicas y reportajes* no esconde su condición: desde el título mismo dice que no es un libro sino un conjunto de notas surgido de aquella actividad periodística.

El primer interés de estos libros es consecuencia de lo que vino después: en 1967 *Cien años de soledad* "descubrió" a un escritor espléndido, obligó la reedición de sus libros anteriores y ahora parece impulsar la búsqueda hacia un pasado aparentemente lateral y secundario —cuando García Márquez era "feliz e indocumentado"—, no tanto para investigar fuentes o fundar erudiciones como para reencontrar al narrador que siempre ha sido. Y nadie sale decepcionado de la lectura de sus crónicas y reportajes porque mantienen ellos también, el nervio de la pulsión narrativa, ese fenómeno de encantamiento que, como señalaba Forster, es mérito principal: hacernos querer saber, a cada instante, "lo que ocurrirá después".

Cuando en 1954 García Márquez escribe las crónicas y reportajes ahora recopilados, venía ya precedido de una corta e intensa experiencia intelectual. A raíz del estallido de la "violencia colombiana" en 1949, con el asesinato de Jorge Eliécer Gaitan, García Márquez se trasladó de Bogotá a Cartagena, donde entonces vivía su familia; tenía 21 años. La inscripción en la Facultad de Derecho y el comienzo de las tareas periodísticas (en *El Universal)* fueron sus actividades durante poco más de dos años. Después de conocer a tres de los "cuatro discutidores" (el cuarto era él) en Barranquilla, así como a don Ramón Vinyes, el "sabio catalán", abandonó Universidad y trabajo y se estableció en Barranquilla. Allí retomaría nuevamente el periodismo *(El Heraldo).* Los años de Barranquilla no sólo le permiten continuar escribiendo, sino que le proveen de un grupo de amigos con quienes compartirá la nostalgia por los "años de aprendizaje" y a quienes recordará de continuo (véase por ejemplo los textos sobre Cepeda Samudio y Mutis en sus *Crónicas y reportajes).* En esa época escribe *La hojarasca* e *Isabel viendo llover en Macondo* y el periodista-narrador (¿o narrador-periodista?) da lo mejor de sí componiendo brillantes reportajes en un estilo suelto por sofisticado (o seductor), atractivo por sensacionalista, moderno por necesidad de actualidad. En 1954 se despide de Barranquilla, viaja a Bogotá a instancias de Alvaro Mutis y comienza a trabajar en *El Espectador:* en febrero de 1955 aparece su reportaje al "náufrago Velasco" y (como señala el propio autor en el prólogo a aquel libro), las tensiones que su serie de notas provocaron lo conminaron a partir: Europa. Y Europa fue el encuentro de primera mano con un mundo que sólo había visto de lejos, desde la provincia.

Quince años después García Márquez recuerda esa época y la valora muy especialmente: "Luego entré como reportero en *El Espectador.* Es lo único que querría volver a ser. Mi gran nostalgia es no ser reportero, y la única vez en mi vida que me ha dolido no hallarme en Colombia, fue cuando se produjo el envenenamiento colectivo en Chiquinquirá: yo hubiera ido gratis a cubrir la información" (entrevista con Semper, 1968). Es precisamente este entusiasmo por cubrir una noticia —si atractiva, vistosa, sensacional, mejor— lo que se comprueba en la recopilación actual de sus notas, lo que las mantiene vivas e imprime interés en la narración.

Tal vez lo más "sensacional" de este volumen es la crónica de su segunda parte (europea) titulada "El Escándalo del Siglo": en trece notas escritas en Italia y publicadas todas en septiembre de 1955, García Márquez reitera la pequeña hazaña de *Relato de un náufrago* y deja en claro el uso de una técnica favorita: la elaboración de una trama policiaca con el crescendo de la información en el relato. Sabio guía y dosificador del suspenso, García Márquez abre, nota tras nota, las puertas del suspenso y de la sorpresa mientras un hecho cotidiano —la desaparición de una joven— se va convirtiendo paulatinamente en un "escándalo" y luego, tácitamente, en el "escándalo del siglo" (título amarillista, si los hay). Wilma Montesi, de origen social humilde (hija de un carpintero), sale un día al cine y ya no regresa: la encuentran muerta, horas después, en otro pueblo. Sin embargo, lo que pudo ser un suicidio o un habitual crimen pasional, se enreda pronto en contradicciones y comienza a implicar a personajes que no se corresponden con el origen social de Wilma. Si la propia familia oculta hechos, si la policía destruye pruebas, es porque hay intereses ocultos y personas poderosas detrás del escenario. El reportero trabaja ese material (nutrido de crónicas periodísticas italianas, sin duda, no de la investigación personal) y nos va descubriendo la sórdida realidad que esconde la apariencia: fiestas de placer donde encontramos nombres conocidos (Alida Valli, por ejemplo), tráfico de drogas y prostitución. La alta burguesía asoma su cabeza y nos deja entrever algo de su decadencia criminal; el periodista está allí, acechante, como el emisario de una justicia que debe desbaratar el tinglado de mentiras y en efecto lo desbarata —*textualmente*, en su escritura. La última de las crónicas anuncia finalmente 32 procesos judiciales que no "cierran" el caso sino que lo abren, mejor, a la comprobación de esa decadente burguesía en el momento de enfrentar al largo y lento aparato de la justicia elaborado para protegerla.

"El Escándalo del Siglo" es un relato dentro del conjunto y el esfuerzo más sostenido de narración, como antes lo había sido la crónica del "náufrago" (por cierto, no incluida en este volumen). En él García Márquez prueba, ensaya, tienta técnicas y un lenguaje rápido y eficaz que pasaría a libros como *La mala hora* o a los cuentos de *Los funerales de la Mamá Grande*. Pero si aquí tiene la ventaja de una extensión generosa (el caso Montesi se lleva más de cien páginas), hay otros reportajes que en corto espacio, apenas siete u ocho páginas, logran verdaderos prodigios de interés. La mayor parte de ellos se encuentra en la primera mitad, en las crónicas y reportajes de Colombia.

Se siente en el conjunto de esos materiales la necesidad acuciosa del reportero por la multiplicidad y el atractivo de sus temas; no se explicarían de otro modo que por una atención muy despierta a su entorno, buscando la *nota*, tanta variedad y colorido del conjunto. ¿Cuáles son sus asuntos?: el cine a las tres de la tarde ("¿Por qué va usted a matiné?"); el *destino* de las cartas que por diversas razones no llegarán nunca a su destino; un famoso torero colombiano que no aprendió a torear; el reportaje a un testigo de la bomba atómica de Hiroshima; un accidente aéreo en la selva, donde dos hombres de lenguas diferentes deben comunicarse de todos modos para sobrevivir. A este grupo habría que agregar otro en el que la preocupación por lo nacional pasa a primer lugar: la sobrevivencia de los veteranos de Corea, que deben vender sus medallas para alimentarse, deshauciados por la propia sociedad que los envió al frente; los deslizamientos de tierra que causaron decenas de muertos en Antioquía; la draga de Bocas de Cenizas y su largo viacrucis burocrático de cuarenta años, o el intento de desmembrar una zona colombiana (el Chocó) y la rebelión contraria de sus habitantes. En muchos de estos casos —especialmente en los últimos, que son extensos— el periodismo denuncia "males" congénitos de nuestra realidad latinoamericana: la imprevisión y la improvisación; el peso de los intereses políticos (o politiqueros), el mucho dinero y la poca seriedad que por lo común ponen los gobiernos en las obras públicas. "En Colombia", dice García Márquez, "lo que un gobierno emprende, el siguiente lo interrumpe, lo modifica o lo continúa a su manera". En otras palabras: vida sin tradición ni continuidad.

Las notas escritas en y sobre Colombia, tienen pues, un sentido crítico, y la intención del autor se revela buscando la imagen "verdadera" del país. Cuando esa imagen no existe ya hecha, el periodista la crea. Recordando sus artículos sobre las manifestaciones populares del Chocó, García Márquez confesó a Semper en 1968: "Inventábamos cada noticia... Una vez recibimos un cable del corresponsal en Quibdó, Primo Guerrero se llamaba, por la época en que se pensaba repartir al Chocó entre los departamentos vecinos, en que se hablaba de una manifestación cívica sin precedentes (. . .) Logré determinar el paradero de Primo Guerrero y, al llegar, lo encontré echado en la hamaca en plena siesta bajo el bochorno de las tres de la tarde. Me explicó que no, que en Quibdó nada estaba pasando, pero que él había creído justo enviar los cables de protesta. Pero como yo me había gastado dos días en llegar hasta allí, y el fotógrafo no estaba decidido a regresar con el rollo virgen, resolvimos organizar, de mutuo acuerdo con Primo Guerrero, una manifestación portátil que se convocó con tambores y sirenas".

¿Creer entonces en la absoluta veracidad de los reportajes y de las crónicas? No son válidas ahora porque den una imagen precisa y desmitificadora de Colombia o de Roma; lo son porque, como las obras narrativas de su autor, constituyen excelentes ejemplos de ficción y porque *su verdad* está más allá de la verificación factual (como en rigor todo reportaje): está en el poder suscitador de imágenes, de entusiasmos, y en la gracia de una prosa siempre fruitiva. En un balance ajustado y riguroso, varias notas, tal vez muchas de sus quinientas páginas, pecarían de superficiales y prescindibles: la guerra de medidas entre Sofía Loren y Gina Lollobrígida, la vida personal del Papa o de su ama de llaves, Sor Pascualina, serían dos ejemplos, y sin embargo sirven para mostrar la apetencia de un lugar en un momento de su historia (Colombia, los años 50), por el mundo de la noticia, con la modernidad, la actualidad y el culto de la moda que lo rodeaban o constituían. *Crónicas y reportajes* exhibe así el clima de un momento —como *Cuando era feliz e indocumentado* lo hace con los años siguientes—, con la maestría de un oficio asumido y dominado. Ahí la diferencia entre narrativa y periodismo se disuelve. Esté donde esté, en el periodismo o en la novelística, García Márquez es un narrador.

3. Relato de un náufrago

Pese a su extenso título, *Relato de un náufrago que estuvo diez días a la deriva en una balsa sin comer ni beber, que fue proclamado héroe de la patria, besado por las reinas de la belleza y hecho rico por la publicidad, y luego aborrecido por el gobierno y olvidado para siempre* (1970), es un libro breve y límpido. La historia cabe entera en su portada: al modo de las antiguas novelas que sintetizaban al comienzo de cada capítulo la acción que sobrevendría, este dramático relato de un sobreviviente se condensa en el título y desde allí solamente es posible seguir su desarrollo. En efecto, a fines de febrero y principios de marzo de 1955, durante diez días, un marinero que nunca antes había alcanzado la notoriedad, debió sufrir el hambre y la sed sobre una pequeña balsa y a merced del mar. La aventura era en sí dramática y cuando el sobreviviente logró llegar a tierra, revivido entre los hombres, la publicidad descargó sobre él sus execrables estímulos (reloj, zapatos, goma de mascar, todo sirvió para explotar un ambiente sensibilizado por la noticia estremecedora) y un país entero lo hizo héroe.

Si a quince años de publicada por entregas en un periódico bogotano Gabriel García Márquez decide exhumar esta crónica realizada en épocas de periodista, hay dos motivos valederos para hacerlo: vívido, lleno de interés en los pequeños detalles, el libro rescata una vez más esa línea del relato marino, de tan rica tradición, creada por un Melville, un Poe, un Conrad y tantos otros escritores. Esta vez todo parece estar apegado estrictamente a la realidad —no hay excesos, hipérboles ni impostación literaria— y sin embargo nada lo diferencia de un cuento de mar. Otro motivo, sin duda, es político. Como los libros de ficción de García Márquez, este volumen periodístico lleva su propio contenido de denuncia, ahora sobre la armada —y el gobierno— que intentaron ocultar las causas del "naufragio": la temeraria carga de contrabando que portaba el destructor colombiano.

El relato fue escrito en primera persona. Luis Alejandro Velasco, tripulante del buque Caldas en su trayecto desde Mobile hasta Cartagena, narra sus propios avatares, sus inesperados cambios de fortuna, en catorce capítulos que son catorce entregas, y a la vez casi catorce variaciones sobre la angustia, la ansiedad, la esperanza y el deseo de morir. En rigor, es cierto que el relato reedita la veta inagotable de los relatos de mar y que nada nuevo agrega a ellos. Pero está realizado con habilidad y arte, con sentido de las proporciones, con una cautela admirable, y si a veces parece fallar (el régimen del suspenso al final de algún capítulo, una contradicción en el episodio de las siete palomas), en su conjunto merece la consagración como un "pequeño clásico" en su género. Los recursos narrativos (de los que no es ajeno el joven reportero, entonces anónimo, hoy García Márquez) se extraen de las viejas crónicas de navegantes. Así la sabiduría del marino, la que lo lleva a conocer el mar por las oscilaciones del barco, saber que el agua no devuelve lo que ya ha entrado doscientas millas o que "puede esperarse un año en el mar, pero hay un día en que ya es imposible soportar una hora más" y todo queda en manos de la desesperación. Esta profunda y oscura sabiduría de la experiencia alude a un venero colectivo, se alimenta de él y ubica inmediatamente el relato en el cauce de las auténticas historias que han surgido de la vida navegante.

En esta dirección hay mucho que recorrer en las escasas ochenta páginas de texto. El mundo marino está convocado en su intimidad, en sus detalles precisos y eficaces —diría definitorios—, especialmente cuando en los dos primeros capítulos presenta a sus compañeros con tono recogido, de presentimiento (su punto de vista es ya el del sobreviviente) en la vida diaria del buque; los temores, los presagios, la superstición, la enfermedad, las trampas contra las tempestades.

Pero la verdadera dirección es otra y se desenvuelve en la soledad del náufrago. Es el intento —oscilante, pero también persistente hasta la muerte— por sobrevivir, el instinto de sobrevivencia y el multiforme ingenio (Ulises es casi un mito inaugural) del hombre por salvarse. Este proceso riquísimo, humano, es un curso casi entre líneas del relato. Porque no interesa en especial la mera acción física, o el sufrimiento para volcar sobre él piedad retrospectiva. Interesa, creo, observar y convivir esa lucha —que se convierte en epítome de existencia— por subsistir solo en un medio inhóspito, enemigo y siempre peligroso. Lo que importa y da relieve al libro es precisamente ese sentido, voluntario o involuntario, de la historia. No en vano su autor —Velasco o García Márquez— nunca lo abandona, está aludiendo a él con persistencia, como al caminar sobre el filo de una espada o viviendo una constante situación límite. De ahí salen, en plena agonía, esos destellos paradójicos de vida en medio de la muerte: "Por fin cerré los ojos, extenuado, pero entonces ya el sol no me ardía en el cuerpo. No sentía sed y hambre. No sentía nada, aparte de una indiferencia general por la vida y la muerte. Pensé que me estaba muriendo. Y esa idea me llenó de una extraña y oscura esperanza". O, más adelante: "La tremenda visión me hizo recobrar el miedo. Y en ese instante el miedo me reconfortó". Y más explícitamente, capítulos antes: "Ahora no esperaba la salvación por ningún lado y sentía deseos de morir. Sin embargo algo extraño me ocurría cuando sentía deseos de morir: inmediatamente empezaba a pensar en un peligro. Ese pensamiento me infundía renovadas fuerzas para resistir".

La soledad en el mar, días y noches, las torturas del sol, las alucinaciones, los tiburones puntuales y obsesivos, los barcos o los aviones que nunca lo divisan pero parecen jugar con su esperanza, la muerte de la gaviota, el asco ante el primer alimento, un pescado que descubre estar comiendo vivo, la aparición de una raíz "misteriosa" en el fondo de la balsa, son los puntales anecdóticos de esa aventura más profunda, de un heroísmo singular (no sirve, en realidad, más que para uno mismo) que recuerda la frase de otro sobreviviente, Guillaimet, cuando en *Tierra de hombres* le confiesa a Saint-Exupéry: "Lo que hice, te lo juro, ningún animal lo hubiera hecho".

Vuelto a tierra, hay otra historia que se superpone. Primero, la recepción tumultuosa, la admiración de su pueblo. La prensa febril tras la nota, el reportaje. Los comerciantes utilizando una agonía para publicitar aquellos productos que habían entrado en su relato. Por otro, más tarde, cuando la historia se enfrió, el verdadero recuento de la odisea y el escándalo por la denuncia que iba implícita, ingenuamente expuesta. Todo esto lo relata García Márquez en su "Historia de esta historia". Y allí rescata otra vez al náufrago que tras pasar por el sufrimiento y la gloria, tuvo que abandonar la marina y sumergirse en la vida cotidiana.

1970-77

NOTAS

(1) Que aparecieron después en ediciones piratas y en ediciones autorizadas: *Ojos de perro azul.*

(2) Un curioso testimonio, en este mismo libro, lo constituye una crónica sobre la hermana de Fidel Castro antes de la entrada en La Habana.

Ultimo Round: Salto al Abismo

Entrar en el territorio que abre y despeja *Ultimo Round* (1969), de Julio Cortázar, supone entrar en un mundo en cierta manera familiar, conocido, a cuya puerta el autor está esperando para hacer pasar cordialmente, tanto a quienes se acercan empujados por la curiosidad (¿Qué es esto? ¿Un libro partido en dos? ¿Un libro-objeto, dos ladrillos de diferente tamaño, un catálogo de excentricidades, un montón de páginas que hay que pasar dos veces?), también a quienes se aproximan con malicia (los hay), o a los otros, los que conocen la casa, alguna vez la han frecuentado, y por eso podrán recorrer ambas plantas sin sorprenderse demasiado cuando el anfitrión afirma que "toda esfera es un cubo" (planta baja), que podemos vestir y desvestir a una sombra (p. b.) que se intenta desde hace tiempo exterminar a los cocodrilos (inexistentes) de Auvernia (planta alta), que como hay escaleras para subir y bajar, también las hay "para ir hacia atrás" (p. b.) o cuando intente usted, con los datos proporcionados por Cortázar, "entender a los pequeos" (p. a.). Claro está, todo esto es cierto, todo esto, en última instancia podrá reducirse a las categorías racionales que usamos para acercarnos a lo real. Pero podremos todavía habitar por un tiempo, como verdaderos cronopios, una realidad colonizada por los sueños de lo imposible, por los saltos al abismo de lo fantástico, por las analogías que descubren realidades infinitas, por la preocupación constante hacia el hombre alienado.

Es cierto, asimismo, que las puertas se abrirán más fácilmente a los que ya habían estado antes. *Ultimo Round*, como las muñecas rusas, presupone *La vuelta al día en ochenta mundos* (1967), o *62 Modelo para armar* (1968), como éstos presuponían —de otro modo menos claro— *Rayuela* (1963), las novelas y relatos anteriores, así como los varios ensayos y respuestas que Cortázar ha dejado dispersos en revistas. Esto es obvio en la medida en que el libro viene después de una larga actividad literaria de hallazgos deslumbrantes, después de haber creado universos y personajes que se congregan simultáneamente, pertenezcan a uno u otro libro, porque todos tienen un sello familiar; y en la medida, también, en que, como un cuaderno de notas —o como un diario— el libro baraja las reflexiones del autor sobre los intentos y los obstáculos, los tanteos y los descubrimientos, todo aquello irreversible de la creación literaria. Hay otra razón, sin embargo. Porque ese mundo —creado no como reflejo, quizá como sustituto, o, mejor como antagonista de éste— tiene sus leyes propias que Cortázar cada vez va haciendo más implícitas y elípticas, como siguiendo un tenaz esfuerzo por sustraerse a una fuerza de gravedad —la antipoesía, la enunciación, lo obvio— que no le corresponde. Así llega a crear la "zona", a vivir en la "zona", a "saberse comprendido", como señala con perspicacia Graciela de Sola refiriéndose a *62*, "por los que habitan 'la zona' ". Si es difícil entrar en ella, si se necesita tener algo de "cronopio", digamos intuición, fantasía, libertad, dotes imaginativas, es otro problema. Pero con esto, por supuesto, Cortázar restringe, limita el número de sus invitados.

El segundo texto de *Ultimo Round* es significativo al respecto: se titula "Descripción de un combate o a buen entendedor". El combate —descrito objetivamente, con la frialdad del *nouveau roman*, y sin olvidar el cierre con la concisa información de cuánto se recaudó en entradas— es el del púgil cordobés Juan Yepes que en el Luna Park "hacía su reaparición después de un prolongado alejamiento" para caer finalmente derrotado. Y el último texto del libro se titula, tampoco por azar, "Para los malos entendedores", nueva referencia al combate de Yepes, donde otra vez con la analogía y el símbolo, el autor, a través de sus personajes, refiere y recoge los "mensajes" implícitos en su escritura. A buen entendedor —había que completar— pocas palabras bastan. Con esas pocas palabras, y con el sentimiento de que en efecto bastan, de que son suficientes para expresar el mundo tal como quiere hacerlo Cortázar, el autor elabora sus ficciones, sus prosas poemáticas, muchos de sus ensayos, la poesía, la índole misma de su libro. Con esto sí, restringe, limita a sus invitados: o, de otro modo, más rico, más valioso: plantea al lector, al lector genérico y anónimo, el desafío de cambiar de piel, desembarazarse de sus reflejos adquiridos, de sus certezas fatuas, de su seguridad de ser hombre de este mundo, de sus juicios o prejuicios, de sus conocimientos "definitivos" esclerosados.

Este es uno de sus aspectos de mayor interés; al nervio, diría yo, que se revela vertical en los ensayos de Cortázar y que muestra ejemplarmente el papel esclarecedor del escritor, de la literatura, en ese ejercicio comprometido de 'testimoniar' la realidad. En *La vuelta al día en ochenta mundos* Cortázar ya se refería una y otra vez a nuestro almidonado carácter rioplatense. Bastaba observar ese "Grave problema argentino: Querido amigo, estimado, o el nombre a secas", esto es, el espíritu de formulismo, rígido, sin flexibilidad, que traslucen nuestras cartas. O acaso la falta de naturalidad para aceptar las "memorias" como un género que no supone necesariamente la inmodestia, ni merece el acecho a toda tímida emergencia del "yo". La misma "falta de naturalidad", grave problema rioplatense, vuelve a ser tratada por Cortázar en *Ultimo Round* acerca del erotismo "/que sepa abrir la puerta para ir a jugar", (así, con barra y minúscula), puede considerarse un jugoso, desmitificador ensayo sobre los complejos nacionales. El argentino (¿y por qué no el uruguayo?) ha descubierto a Henry Miller. Aunque sea un escritor de segunda categoría, Miller ha revolucionado: por primera vez hay allí sexo en bruto, erotismo, desembarazo expresivo, y podemos admirarnos, con admiración de subdesarrollados, por la *naturalidad* con que ese sexo se expone. También Céline o Genet fueron y son monstruos admirados que no se puede imitar: a cada intento de hacerlo, adviene, sorpresiva, la "parálisis de la escritura", ese acto reflejo que obedece a la costumbre —o a las buenas costumbres— que gradualmente impone la sociedad como síntomas sombríos del espíritu colonizado ("la timidez verbal debidamente fomentada por el establishment —y más de cuatro países socialistas— se cuenta entre las mejores armas del enemigo").

Un ejemplo es éste, entre los varios que proponen los ensayos de *Ultimo Round*, allí donde el escritor emplea sus propios instrumentos, su largo ejercicio para sondear los dobles fondos, las trampas, las falsificaciones de la escritura, traduciendo en el proceso lo que ésta revela como actitud fundamental del hombre. De ahí que pueda aparearse como propósito semejante —el esclarecimiento, la defensa de la claridad— el de esos otros textos que ha destinado para definir su posición en el debatido tópico de las relaciones entre la literatura y la revolución. Uno es la conocida carta a Fernández Retamar, "Acerca de la situación del intelectual latinoamericano", el otro un sintético y definitorio enfoque: "No te dejes" que ubica al escritor entre la alienación innegable del intelectual que se pasa con todo su bagaje a las filas del enemigo, y la otra alienación, menos evidente pero igualmente real, de quien exigido por presiones externas abandona la literatura para abrazarse a la oratoria política o a la propaganda (incluso dentro de la creación). Enajenaciones que la sociedad —y la voluntad— socialista abomina por igual, y que han de sustituirse por el compromiso con la realidad, ese que hace al escritor "testigo de su tiempo", sea cual sea la "forma" de su testimonio.

Ese "testimonio" se encuentra aquí no sólo en un sentido estricto, sino como la conformación mental del escritor —denunciatoria, ávida de contradicciones para señalarlas, rica en sugerencias que a su vez enriquecerán la percepción de lo real que revelan los textos. Un ejemplo de lo que funciona como negativo, como índice contrario e irónico de lo que parece expresarse es "Turismo aconsejable", una opresiva descripción de la miseria que en Calcuta se extiende calles tras calles exterminando lentamente a un pueblo. Cortázar sin embargo no cae en la ingenua denuncia-del-estado-de-cosas, sino, más hábilmente, golpea al lector, acusa a este género humano del que el lector forma parte y es tan característico de sus actitudes y actividades turísticas (y el turismo es moderno, universal, masivo, burgués, fruto de la sociedad capitalista, para qué decirlo de tan obvio) que le impedirá a usted, lector, seguir su "consejo" cuando busque recogerse en la individualidad mezquina e indiferente de sus viajes de placer, del cultivo de la belleza natural, o de los paisajes. En fin, cuando quiera viajar sin contratiempos.

Esta alternancia de sistemas hace oscilar a Cortázar entre la definición directa y el enfoque operativo (del cual a menudo salta hacia otras vías, se lanza al vacío); lo que es fácil decir rotundamente en dos palabras porque ya está inmerso en nuestra tradición intelectual y lo que ha de dirigir con lenguaje privado a su cómplice, a su "buen entendedor", a su vecino de la "zona". En este segundo campo se dan muchas de sus mejores páginas inspiradas por el sentido del humor y la ironía, porque el libro no es —ni quiere ser— una suma de ensayos, interpretaciones o tratados. La Planta Alta (así puede llamársela) está constituída por relatos (cuatro, por lo menos expléndidos y brillantes), por un asedio al "cuento breve" como género, con sus concomitantes conductas literarias, y también por páginas seudoautobiográficas en que cuenta, por ejemplo, el largo transcurrir de un día en Saignon, las aventuras históricas del gato Teodoro W. Adorno, o los recuerdos de una infancia melómana. También hay comentarios sobre los "piantados" (como en *La vuelta al día*), la reproducción de las leyendas anónimas de Mayo, numerosos poemas (novedad para cortazarianos), y testimonios, finalmente, del escritor que ha encontrado en el contexto de sus creaciones una materia confesable: las casualidades que rodearon tal o cual cuento, tal o cual novela, los puentes que le han tirado otros libros, los hallazgos posteriores que corroboran a menudo asombrosamente las intuiciones iniciales. La Planta Baja es de constitución sensiblemente diferente: prosas breves en las que domina el humor a veces como nota clave ("Patio de tarde", "El Tesoro de la Juventud") apuntes y comentarios (Salvador Dalí), acotaciones a algún rasgo curioso de la "vida" de sus libros (observar una aparente contradicción en *62*, asombrarse porque sin plena conciencia dos personajes alejados entre sí y pertenecientes a libros diferentes llevan el mismo nombre y apellido); documentos sobre actualidad común a todos (la carta a Fernández Retamar, el texto sobre los estudiantes argentinos en la Revolución de Mayo); ejercicios de poesía "permutante", claro que más de experimentador que de poeta, o transcripciones periodísticas que de algún modo revelan las miserias de las naciones (la influencia yanqui sobre los belgas para impedir una concreta transacción económica con Cuba, o el homenaje —como misa— que a la memoria de Hitler ofrecieron públicamente en España más de "trescientos simpatizantes nazis"). Todo ello, que es sólo parte de un contenido más vasto, da al volumen el sabor característico que denotaba *La vuelta al día en ochenta mundos*, la invención constante; la originalidad buscada y lograda a fuerza de fricciones y fracasos; la vitalidad de la inteligencia atenta a la excentricidad de las situaciones; la iluminación por imágenes, los descubrimientos proustianos por analogías. Un inventario variado que gira sin embargo en torno a las preocupaciones (o, mejor, ocupaciones) de Cortázar escritor.

Si se compara *Ultimo Round* no tanto como actitud sino como libro, como obra acabada, a *La vuelta al día en ochenta mundos*, se comprobará que es mucho menos logrado. Hay más improvisación (hasta en el orden de los factores, que altera forzosamente el producto), más espontaneidad, de ésas que aligeran los materiales, que le quitan el sabor de lo nutrido, de lo carnal, de lo satisfactorio. No hay un texto, digamos como el dedicado a Lezama, no hay la variedad fundamental (o de fundamentos) en los temas o la profundidad con que los trata en *La vuelta al día*; y quizá también se encuentren, si es posible pedir prestado el adjetivo a *Rayuela*, capítulos prescindibles, en especial los dedicados a un humor demasiado fácil ("Patio de tarde", "La protección inútil", juegos de semántica o de claves sólo ingeniosas), aunque en compensación incluya "Silvia", "El viaje" y "Siestas", tres cuentos en su mejor linea de literatura fantástica. Una nota, si la hay, que da tono incanjeable al libro, que lo recorría como espacio literario, la proporcionan las diversas variaciones sobre la experiencia del narrador. Más que nunca, aquí Cortázar está en persona. Pero más allá de la anécdota (que siempre oculta un aguijón, que siempre da un zarpazo) y tan fuertemente personal, resultan sin duda los cabos tendidos desde *La vuelta al día en ochenta mundos*, que recoge ahora en su *Ultimo Round:* el homenaje a los "piantados", esa forma extrema de la excentricidad vital que no ha de perderse; o el rastreado viaje de Marcel Duchamp a la Argentina en 1918; o las analogías que lo enlazan repentinamente a un escritor, a otro escritor, ésos que, de vivir, integrarían seguramente la "zona". Cortázar ha querido continuar su línea de reflexiones, de saltos al abismo, estirar el espacio intelectual que los abarca, aunque ahora en mucho menos líneas.

Y en esas, uno de los textos principales es "La muñeca rota". Hace allí alusión a *62*, explica en cierta manera el proceso, el intento, sus peculiaridades que la muestran tan diferente a sus novelas anteriores y al mismo tiempo tan semejante a *Rayuela*. Pero en especial, a través de este texto —como parcialmente en "Del cuento breve"— Cortázar asienta una estética creativa que lo ha guiado, que guía sus últimos libros, en un azaroso camino personal conducido hacia lo desconocido, hacia el abismo. Recuerda a Felisberto Hernández y adhiere a esta frase: "No creo que solamente deba escribir lo que sé, sino también lo otro". Hacia este otro (otro lado de la realidad sensible, pongamos por caso, que sus cuentos fantásticos bombardean) Cortázar ha colocado de cara su *62;* de ahí la ascesis de la novela, pero también su tenaz y fecunda exploración de las analogías hasta convertir la novela en un caudal de relaciones imaginativas, cuya simultaneidad está mostrando, sin decirlo, sus escondidos sentidos. Esta es otra explicación de su renuncia a emplear siempre un lenguaje enunciativo, de su costumbre de rodear las cosas. Porque esas cosas existen en una zona que primero habrá que habitar.

Libro de Manuel: la novela ingresa en la Historia

De aquel Cortázar veinteañero (sólo contaba 24) con sus poemas de *Presencia* editados bajo el seudónimo Julio Denis; de aquel Cortázar que a los 32 escribía en torno a "La urna griega en la poesía de Keats"; de aquel exiliado interior a quien molestaban "mucho los altoparlantes en la esquina gritando 'Perón, Perón, que grande sos', porque se intercalaban con el último concierto de Alban Berg que estábamos escuchando", de aquel Cortázar, digo, hasta el autor de *Libro de Manuel* (1973), hay todo un proceso ideológico y estético admirable, como pocos escritores de su promoción pudieron realizar. No es un secreto que la orientación creativa de Cortázar se dirigiera en aquellos años a la conformación de un arte puro, gratuito, de una literatura con escasas resonancias de realidades sociales, toda esa estética que durante décadas encarnó la revista "Sur" con su tendencia elitista. Entre otros pocos escritores, Cortázar pudo zafar de aquel remolque que iba directamente hacia la decadencia, conservando, no obstante, un decantado gusto por lo literario, la concepción de la literatura como juego (en un sentido más noble y humano que el entendido por sus detractores), y una duda sistemática ante las definiciones e instituciones de la vida cultural y social. El espíritu juvenil y removedor característico de su narrativa (ahí está *Rayuela* y su enorme influencia formativa sobre dos generaciones enteras de escritores y lectores) no obedece a otra cosa que a su concepción siempre abierta, cada vez más abierta, del ser humano y su papel en la vida.

En *Libro de Manuel* Cortázar ha hecho coincidir, lo más claramente posible, la historia y el arte, la literatura y el compromiso, como él mismo lo ha expresado, mediante la inmersión en un tema actual para los latinoamericanos, y sin que esta inmersión signifique renunciar a su concepción lúdica, antisolemne, hedonística, del hecho literario. Puede decirse que el núcleo anecdótico de *Libro de Manuel* es la historia de un secuestro, planificado por un grupo de argentinos en París y llevado a cabo en la persona de un asesor militar (o algo que se le parece), con el propósito de conseguir la liberación de presos políticos en algunas "democracias" del continente. Es eso y mucho más: la novela no agota su intención ideológica en el simple apoyo intelectual a la guerrilla narrando uno de sus procedimientos, ni siquiera por la reproducción oficiosa y abundante de recortes y noticias en francés y en español, que se incluyen *collagísticamente* en la novela. Hay varios otros núcleos de interés en el libro, ya que ante todo ha querido escribirse una novela, no un panfleto, una novela con personajes conflictuales llenos de contradicciones y por eso plenamente humanos y reconocibles como lo eran los personajes de *Rayuela*.

Hay, adviértase, una experiencia del jipismo frente a la "dictadura de la sociedad": son las cartas de Sara contando su humillante travesía centroamericana, con todas las muestras de hostilidad que la sana sociedad burguesa exhibe ante estos desordenadores del mundo. Hay una serie de "contestaciones" (en restoranes, en cines) narradas detalladamente con ese humor absurdo y surrealista tan caro a Cortázar (y que por otra parte, campea en la novela entera). Los personajes mismos son capaces de discutir el alcance de los actos "contestatarios" y definirlos como "travesuras más o menos arriesgadas" que apenas se parecen al sacrificio de los bonzos, esos "contestadores" trágicos y también inútiles de toda sociedad culpable. Hay asimismo la reflexión estética: "el que te dije" (una de las máscaras del autor) participa de la historia, registra y plantea sus dudas, sus problemas, el carácter contradictorio del arte a medida que éste se realiza. Hay también varias relaciones ejemplares entre los personajes: la relación de Ludmilla y Marcos apunta el reconocimiento del camino al heroísmo, a la aceptación del militante convencido que irá hasta las últimas consecuencias de sus actos. La infructuosa relación entre Andrés, Ludmilla y Francine tiene el signo contrario, es el triángulo *(Jules et Jim* a la inversa) que se pretende vivir por encima de los prejuicios burgueses pero parte de esos mismos prejuicios. La relación lateral entre Andrés y Francine se vuelca, a su vez, hacia la sexualidad perversa y consigue, literariamente, algunos de los pasajes más brillantes de la literatura de Cortázar, dignos de figurar en las mejores antologías del erotismo. El absurdo juega incluso su papel, en el desembarco del pingüino y el viaje de Oscar, en la figura caricaturesca de Lonstein y en otros personajes y situaciones que un diseño casi siempre inspirado de Cortázar logra arrancar a la prosa. (Junto con esto, que es creación original y disfrutable en el mejor nivel de escritura, la novela merece algunos reparos: su estructura "abierta" —Cortázar confesó haberla escrito, en parte, según el azar de los acontecimientos cotidianos—, la hace navegar indecisa durante las primeras cien páginas para entonces sí, retomar una dirección decidida. En dos o tres casos, falla también un excesivo esquematismo: Susana tiene prácticamente la única función de "traducir" los recortes incluidos en el libro; en otros casos el lenguaje busca superar la osadía sexual y cae en el artificio; y en general la estructura interna —muchas y largas reuniones conversadas, *la causerie* brillante y algo errática de los exiliados, la asemejan a *Rayuela:* Oliveira es Andrés, La Maga es Ludmilla, Rocamadour es Manuel, etc).

La propuesta ideológica de la novela no viene impresa en cuartillas didácticas. Hasta diría que *Libro de Manuel,* como novela (pues también así hay que llamar al libro de recortes que los personajes preparan a lo largo de la narración para que Manuel, un día, lea como testimonio de este presente), es la reflexión problemática de un intelectual que tiende al socialismo como mundo futuro y a la revolución como paso para alcanzar esa meta, pero una reflexión inserta en la historia que continuamente escruta a sus costados y ve, sí, actos positivos junto con desconcertantes claudicaciones. Un mundo que debe ser pero también seres que contradicen con sus actos la esperanza de ese mundo. La novela simpatiza francamente con los movimientos guerrilleros (y en ese sentido se atreve mucho más que otros novelistas), no obstante lo cual sus personajes expresan también el escepticismo, la duda dolorosa, a partir de la existencia de los "socialismos estancados", de las inconsecuencias, en fin, de toda la complejidad que tiene la historia de nuestro siglo. De ahí, preguntas como ésta: "¿No estaremos, muchos de nosotros, queriendo romper los moldes burgueses a base de nostalgias igualmente burguesas? Cuando ves cómo una revolución no tarda en poner en marcha una máquina de represiones sicológicas o eróticas o estéticas que coincide casi simétricamente con la máquina supuestamente destruída en el plano político y práctico. . ." Esta clase de desconciertos es más clara, obtiene respuestas menos conflictivas, cuando se relaciona con la práctica misma del novelista en lo que tiene que ver con su comunicación representada latamente en el realismo socialista: "La praxis intelectual de los socialismos estancados exige puente total;

yo escribo y el lector lee, es decir que se da por supuesto que yo escribo y tiendo el puente a un nivel legible. ¿Y si yo soy legible, viejo, si no hay lector y ergo no hay puente? Porque un puente aunque se tenga el deseo de tenderlo y toda obra sea un puente hacia y desde algo, no es verdaderamente puente mientras los hombres no lo crucen. Un puente es un hombre cruzando un puente, che".

Este último fragmento define de algún modo el estilo de la novela, su lenguaje, y con él la intención subyacente en tanto contiene una reflexión ideológica y es una aventura artística. Más que en otros libros, el lenguaje de Cortázar es aquí la imagen y la parábola, los acercamientos intuitivos, los símbolos, toda una parafernalia que exige la complicidad del lector: que el lector no se quede, contemplativo, del otro lado del puente. Ese lenguaje alusivo corresponde al fin con su "mensaje" político: éste no implica la definición tajante que muchos le exigen ni la autoproclama que Cortázar no necesita, por el contrario consiste en la incitación a pensar por nosotros mismos, a plantearnos problemas, quiere movernos el piso y obligarnos a ver la realidad en su complejidad fluctuante y no en el esbozo esquemático de los manuales. Que esto nada tiene que ver con el intelectual atribuído ni con las mediatizaciones que la duda a veces ejerce sobre la acción, lo prueba el propio *Libro de Manuel* en el decurso de la historia, la historia del secuestro, en el proceso personal de algunos personajes (Andrés, principalmente), y también en ese sueño clave de la página 101 cuando una extraña entrevista con un cubano (la Revolución Cubana: no hay que ser Freud para interpretarlo así) le obliga al personaje a cambiar su naturaleza dentro del sueño: si era el espectador de un film de Fritz Lang antes del diálogo, luego será espectador y actor, a la vez, de la película. Es claro, o por lo menos coherente, el sentido que este sueño tiene, simbólicamente, respecto a la actual actitud intelectual de Cortázar, del propósito de su novela y de la peripecia de su personaje Andrés: todo consiste en aceptar una *misión* política (dicho también simbólicamente) sin negar la fruición estética. Al fin de este proceso, o en la etapa actual de la que *Libro de Manuel* es testimonio imprescindible, Cortázar está aceptando la adhesión política, el "compromiso", la inserción en un proceso que lo incluye como latinoamericano: todo esto no significa abolir sus mayores pasiones, su razón de ser, aquello que en definitiva motiva hoy estas líneas y todas las que antes y después se escribieron y se escribirán sobre él: su condición de escritor. La revolución, pese a que muchos quieran lo contrario, no es la destrucción de la literatura ni su enyugamiento, sino el modelo más incontestable de su liberación como forma de arte para expresar, cada vez con menos tabúes, la naturaleza conflictiva del hombre en cada una de sus instancias históricas.

1970-73

La publicación conjunta de dos libros de José María Arguedas *Agua y Amor Mundo* (Montevideo, 1966) revela implícitamente un desarrollo literario que ha alcanzado en treinta años la madurez expresiva, y ahora el renuevo en la explosión de sus temas soterrados.

Nunca la sexualidad había aparecido en la forma absorbente y totalizadora con que aparece en *Amor Mundo*: el título mismo, esas dos palabras totales que se interpenetran, evidencia claramente la concentración temática que en su modulación ofrece. No obstante, este punto de llegada acaso imprevisible al leer el Arguedas de 1935 o de 1940, se hace, a lo largo de la evolución de su arte, una consecuencia necesaria. El proceso por el que ha venido calando más y más la naturaleza, primero social, luego íntima, del indio andino y del choque de civilizaciones entre el Perú antiguo, quechua, y el nuevo, hispánico, llega a una encrucijada crítica que muestra con inusitada fuerza de autenticidad los trasfondos esplendorosos y sombríos del alma indígena.

Sus comienzos literarios tienen un signo casi extraliterario por lo menos exento de esa cuota de esteticismo que acompaña habitualmente la creación: ante un indigenismo que ignoraba la realidad del indio tras su fachada de hermetismo, y como resultado mistificaba su verdad, Arguedas se propuso mostrar esa verdad en los términos brutales y tantas veces escondidos con que se daba la condición social, humana, del indígena. Había sentido en su comienzo, ante las literaturas indigenistas dice Arguedas (según V. Llosa), "una gran decepción porque las obras más famosas de la época mostraban a los indígenas como seres decadentes. Entonces sentí una gran indignación y una aguda necesidad de revelar la verdadera realidad humana del indio, totalmente diferente de la presentada por la literatura imperante". Desde esta base, sin embargo, más allá de los pasos que el propio Arguedas haya calculado para lograr esa revelación, mucho se le escapaba en esos años, mucho que sólo a través del descubrimiento que sería para él hacer su obra, y de la labor antropológica que desde hace años la acompaña, podía realmente realizar. El indio fue paulatina, gradual revelación. De ahí que en los primeros relatos (*Agua*, y especialmente la novela *Yawar Fiesta*, de 1940) dependiera aún de la corteza del problema indígena: lo social, los modos de vida de una civilización irreversiblemente hispánica y por lo tanto —en su relación al nativo material de trabajo— feudal, dominadora. El mundo del indio se presentó en la primera urgencia: la denuncia del despojo y de la inmersión indígena en los moldes feudales que con tanto vigor instaurara el poder hispánico hasta mostrar sus grietas, sus insalvables contradicciones; pero era por lo mismo, un mundo objetivo *prima facie*, listo a ser captado en las estructuras primarias de la crónica.

Mas los años que van de *Yawar Fiesta* a ese libro plenamente fascinante que es *Los ríos profundos* (1958) son por cierto años en que acuña los medios expresivos con que hacer traslúcida, en su relación dialéctica, una a otra lengua, una a otra cultura. De modo que la obra de Arguedas posee así el mérito inicial de partir del fracaso indigenista para forjar por sí sola su lenguaje y moldear del mismo modo su mundo. Como resultado, la confrontación de la obra de los primeros años con la que ya ha alcanzado su madurez, permite apreciar no sólo mayor profundidad, valor o hallazgos técnicos, sino lo que es más valioso y significativo, los rasgos de su creación, su voz. *Yawar Fiesta* no viene dicha aún por la "voz" de Arguedas, no es reconocible sino como la novela de un escritor social, preocupado principalmente por la condición explotada del indio andino, mientras *Los ríos profundos* o *Amor Mundo* han conquistado ya esa voz, ese tono, son inequívoca y rotundamente de Arguedas.

Desde el 58 surgen asimismo los rasgos que dan coherencia y carácter a su obra, que dibujan sus precisos contornos y tan sólo entonces es posible reconocer y rescatar las presencias ocasionales de esos rasgos en relatos anteriores. La vena autobiográfica, el estilo de la primera-persona-narrador, la constancia en rendir el mundo circundante a través de la sensibilidad infantil, la descubierta capacidad mitopoética de la narración, su tono lírico, atravesado por la imaginación mítica en alusiones y descripciones naturales, y, finalmente, uno de los elementos más valiosos: la visión ética de la existencia. Si Arguedas no se encontrara alejado de las "corrientes" literarias por la índole misma de su obra, podría parangonársele, parangonar su tensión, su visión trágica y la humanidad profunda que trasunta, con Dostoievski.

Sus personajes son dostoievskianos. En *Los ríos profundos* Ernesto, el niño protagonista, sólo quiere contagiarse del dolor, la agonía y aún la muerte de la demente prostituida por los internos del Colegio, o bien compartir con los indígenas una igual suerte en la comunidad, el *ayllu*. Esta insólita caridad, paradójicamente cristiana, es reconocible en sus relatos mayores, en toda su comprensión del indio, pero no como causa sino como consecuencia de un sentimiento básico, esencial, expresado también en *Los ríos* como en otros lugares de su obra: el que nace de la situación alienada entre un mundo que es propio y ajeno, y otro —el mundo civilizado por Occidente— que sin embargo le es ajeno aunque en él deba vivir. La imagen, a mi entender núcleo de toda su obra, es el conflicto de *Los ríos profundos*, en que la vida trashumante e inestable de un abogado, lo obliga a dejar a su hijo en un colegio religioso. Nunca se acostumbrará Ernesto a ese colegio, le es extraño como le es extraña la conducta de sus compañeros, y como en contraste le es propia la vida exterior, la vida del pueblo, de los comuneros explotados y reprimidos por el militarismo y la iglesia.

La añoranza de Ernesto había sido expresada por Arguedas en un breve y espléndido relato, "Warma Kukay" (Amor de Niño) escrito a los veintidós años, que puede ahora considerarse con una perspectiva mayor, la piedra fundamental de su obra: "Como amaba a los animales, las fiestas indias, las cosechas, las siembras con música y yaraví, viví alegre en esa quebrada honda y llena de calor amoroso del sol. Hasta que un día me arrancaron de mi querencia, para traerme a este bullicio, donde gentes que no quiero, que no comprendo. . . El Kutu en un extremo y yo en otro. El quizá habrá olvidado: está en su elemento; en un pueblecito tranquilo, aunque maula, será el mejor novillero, el mejor amansador de potrancas, y le respetarán los comuneros. Mientras yo, aquí, vivo amargado y pálido, como un animal de los llanos fríos, llevado a la orilla del mar, sobre los arenales candentes y extraños".

Este momento evolutivo es capital en su obra; no en vano desde *Los ríos profundos* Arguedas fue considerado uno de los escritores más importantes del Perú. Y un síntoma de ese proceso y de ese momento se da en la forma como la narrativa se concentra en las experiencias íntimas, en que el vasto fresco se convierte en historia individual, todo ello aunque en virtud del mito —más que de la tipicidad artística— se trascienden los límites individuales, y en virtud del estilo se gana el registro más directo y fresco de la realidad. (Al decir de Thomas Mann, ese encarar la vida en su carácter mítico, o el advertir la profundidad humana que con el mito se descubre, logra en el escritor "una curiosa elevación de su temple artístico, una nueva frescura en sus poderes de percepción y expresión".)

Puesto que el objeto de su narrativa no había sido el individuo ni la individualidad sino lo comunitario —el indio genérico, la cultura quechua, la vida andina— Arguedas prescindió en sus comienzos de la creación tradicional de personajes. En muy acertadas páginas sobre su literatura, Mario Vargas Llosa advertía precisamente "la falta de héroes individuales", y la institución de lo colectivo en personaje. Sin embargo ahora es posible rescatar, de antes y después de *Los ríos profundos*, en relatos como *Warma Kukay*, *Los Escoleros*, *Orovilca*, *Amor Mundo*, un personaje central —niño y casi siempre narrador— que ha culminado por ser el elemento cohesivo de su mundo, amén del mundo exterior sobre el que ya no se encuentra el fundamento esencial; y con ese personaje, las situaciones, figuras, actitudes que surgen desde dentro, con sus leyes propias, destilando en todos esos relatos una cosmovisión semejante, una esencia común.

Antes de *Amor Mundo* no se da la unidad temática que éste posee, la concentración de toda fuerza sobre un solo punto. Y es que una vez esclarecidos los conflictos de la trasculturación hispano-quechua en el orden social y económico, y expresados con el sentimiento de fondo de la melancolía y la añoranza de lo perdido, de quien ha sido "arrancado a su carencia", es decir trastrocado su lugar en el mundo, se halla nueva cota y símbolo en el problema de la sexualidad. Por un lado es el espectro amplio y diferenciado de las actitudes sexuales en dos culturas, en dos concepciones míticas y religiosas de la vida, que Arguedas tipifica defendiendo la esencialidad indígena. Por otro es el conflicto íntimo del que está en la confluencia de ambos elementos y es, en esa única acepción válida, mestizo. En este último, Santiago *(Amor Mundo)* es el ejemplo desgarrador de la fluctuación entre el instinto y la idea de la pureza como el Occidente cristiano la ha forjado hasta en sus módulos más contradictorios y maniqueos.

El placer, la felicidad carnal, están así ensombrecidos en los relatos, transformados en una fuerza mórbida y terrible que halla sólo imágenes de monstruosos acoplamientos (la violación en "el horno viejo"; la unión de la deforme lavandera y el niño), y sentido en una actitud torturada y crítica. Las experiencias a que es empujado el niño en el primer relato encuentran su desarrollo mítico —esta vez en cuanto mito de la infancia, grabado a fuego— en los relatos posteriores que continúan la saga. De ahí la actitud torturada, única en *Amor Mundo* a partir de la inocencia: a la vez que necesidad fisiológica y alivio, oscura atracción impura, sucia, que el personaje pretende calmar en la invocación a la montaña paternal, padre Arayá, y a sus símbolos de la pureza: el agua cristalina, la nieve. Dura ascesis del héroe, es también un descenso a los infiernos de las experiencias que determinarán la conducta proyectándose al futuro.

Todo se da en términos de pureza e impureza en *Amor Mundo*. De ahí el camino que transita Santiago: de la huerta al Arayá, del acto impuro a la purificación. "¿Cuántas semanas, cuántos meses, cuántos años estuvo yendo de la huerta al Arayá? No se acordaba. En el camino maldecía, lloraba, prometía y juraba firmemente no revolcarse más sobre el cuerpo grasiento de la Marcelina. Pero la huerta se hacía en ciertos instantes más grandes que todos los cielos, que los rayos y la lluvia juntos, que el padre Arayá; esa huerta con el sauce llorón, con ese hedor, con los orines de la borracha, más poderosa. Y cada vez le atacaba el anhelo de ir donde el padre Arayá, cuando los pelos de la Marcelina se erizaban y de allí brotaba algo como el asco del mundo".

Del modo como en este fragmento se evidencia, el sexo es totalidad, se impregna el mundo en múltiples presencias: desde las costumbres del "señor", de quien es testigo forzado en el horno viejo, los encuentros en la huerta que van maculando vez a vez la pubertad, o la unión de los animales ante los ojos de la niña, o la visita al prostíbulo donde avista horrorizado los cuerpos desnudos, la carnalidad hecha comercio. Hasta la sexualidad indígena, que para los señores mestizos son "cochinadas" perfectamente diferenciables de las costumbres del señor cura, y que se expresa en el ritual del ayla secretamente cumplido en el monte, cuando los jóvenes se transforman en gavilanes, las muchachas en palomas, invirtiendo —diría Lévi-Strauss— el totemismo. Este contraste es el conflictivo: la pureza simbolizada en el agua, en la nieve, en la imagen de la mujer ("flor amarilla, suave del sunchu que se desmaya si el dedo pellejudo del hombre sucio la toca"). El conflicto entre esa carga y el origen que en ella misma tiene la pureza: "Sí, el pior asco del hombre que es el sexo hace nacer al hijo. . . que uno quiere más que a los cielos y a las estrellas".

Así la obra de Arguedas, aunque su crecimiento no ha marchado en línea recta, parecería estar regida por una fuerza, tal vez gravitatoria, que ahonda permanentemente la visión de una realidad escondida y hermética. La nueva etapa que significa *Amor Mundo* es asimismo índice de una afirmación que cuesta llamar estética o literaria —llamémosle humana— y que hace de su obra no el fijo testimonio de un mundo desgarrado, sino la desgarradora expresión de ese mundo.

1967

9. JACQUES-STEPHEN ALEXIS: MARAVILLA Y TERROR EN HAITI

A mediados de abril de 1961 Jacques-Stéphen Alexis desembarcó en las costas de Haití, junto con algunos camaradas, dispuesto a trabajar desde la clandestinidad contra el atroz régimen duvalierista. Pocos días después caía en poder de los *tonton macoutes*, era bárbaramente torturado en las mazmorras de Papá Doc y asesinado sin juicio y sin clemencia. Como tantos otros patriotas haitianos, Alexis conoció la muerte en manos de los sicarios del miedo, que segaban de ese modo uno de los talentos más brillantes de la cultura antillana. Alexis nació el 22 de abril de 1922, en Conaives; en sus treinta y nueve años de vida continuó y desarrolló el camino de la lucha por la justicia social que ya había abierto Jacques Roumain (el autor de *Los gobernadores del rocío*, 1944) y en ese trecho formó parte del Partido Comunista Haitiano junto con René Depestre. Este último relata en su libro *Por la revolución por la poesía* su amistad con aquel espléndido ejemplar humano que se convertiría en un gran escritor y en una víctima inexpiable del "reino" más tenebroso de este mundo. Su actividad política hacia 1945 bajo la dictadura de Elie Lescot, los estudios de medicina (que deciden, curiosamente, el léxico preciso de *En un abrir y cerrar de ojos)*, la actividad periodística y los comentarios en una columna que firmaba "Jacques La Cólera", el viaje a Francia determinado por el Partido, la aparición sucesiva de sus libros en Gallimard: *Compère Genéral Soleil* (1955, traducido al español dos años después por Aída Aisenson para la editorial Lautaro en Buenos Aires: *Mi compadre el general sol); Les arbres musiciens* (1957); *L'espace d'un cillement* (espléndidamente traducido por Jorge Zalamea para Era, de México, en 1969: *En un abrir y cerrar de ojos); Romancero aux étoiles* (1960, que ahora cuenta con la notable versión de Idea Vilariño); y finalmente su regreso a Haití y la muerte. Dejó inéditos dos libros más: *L'églatine* y *Etoile Absinthe*, que el asesinato inesperado truncó.

Así lo recuerda Depestre: "Conocí a Alexis al comienzo de 1945. Haití tenía entonces en los pies las cadenas del dictador Elie Lescot, otro miserable agente de los Estados Unidos. Los intelectuales haitianos de la generación ascendente hacia las postrimerías de la guerra, trataban ardientemente de reencontrarse para fijar una línea común de acción. De ese esfuerzo hacia una lucha concentrada nació en nuestras manos un semanario político-literario, *La Ruche* (La Colmena), destinado a defender el conjunto de los derechos de nuestro pueblo. Jacques Alexis, que terminaba sus estudios de medicina, se propuso con entusiasmo mantener en las columnas de *La Ruche* una crónica regular, bajo el título *Carta a los hombres viejos* (. . .) En las últimas semanas de 1946, Alexis y yo, en cumplimiento de una decisión del partido, nos marchamos a Europa a continuar nuestros estudios universitarios. En Francia, absorbidos el uno y el otro por tareas diferentes, nos veíamos poco. Cuando a pesar de todo nos reuníamos, era para discutir de cuestiones de nuestro país, para hablar de nuestras lecturas apasionadas, y de mil otras cosas en relación con nuestra querida "isla a lo lejos", todavía hundida en el espanto. Alexis al mismo tiempo que se especializaba en neurología en el Hospital de la Salpetrière, abordaba su labor novelesca. . ."

Desde sus primeros libros narrativos, la inserción de Alexis en la cultura se orientó hacia una tradición latinoamericana que contaba con antecedentes apreciables en la década del cuarenta; me refiero a lo "real maravilloso" y al "realismo mágico" americano de Carpentier y Asturias, la eclosión literaria de un continente que comenzaba a "contemplarse" por primera vez bajo un prisma diferente y con ojos educados por el surrealismo y su aventura europea. Alexis sufrió sin duda el impacto de esa nueva manera, ya que llevaba ínsita la reacción contra manidos y estériles nativismos. El propio Carpentier ha recordado cómo "hacia 1949, después de haber observado el surrealismo en sus mejores momentos, después de haberlo vivido en carne propia (. . .) 'se encontró', en América, rodeado de jóvenes escritores, llenos de talento, que *sólo entonces* empezaban a manejar las técnicas, espejismos, magias y estrategias del surrealismo". La tarea consistía en "utilizar la *capacidad de entendimiento* otorgada por el surrealismo a una observación de texturas, hechos, contrastes, procesos, de nuestro mundo americano". Una década después, Alexis retoma la lección de sus mayores y se sumerge en una aventura similar que consiste en descubrir nuevamente a América, encontrar una clave diferente y más eficaz de interpretación artística. Lo que esos diez años proveen es una conciencia (y una experiencia) social más acuciosa, que ha pasado por la lectura de Gorki, Ehrenburg y escritores parecidos, hacia un modelo estético que implica cada vez mayor compromiso del escritor en su obra. Son muy interesantes, por ello, las fórmulas que encuentra y expresa Alexis en 1957, cuando asiste al Congreso de Artistas y Escritores Negros (París). Allí expone un "Manifiesto del Realismo Maravilloso" donde se intenta hacer confluir la preocupación social y la recreación sensual, hedonística, del ambiente físico: "Hacer realismo significa, para los artistas haitianos, ponerse a hablar la misma lengua que su pueblo. El realismo maravilloso de los haitianos es, pues, parte integrante del realismo social (. . .) Pretende poner de relieve el tesoro de cuentos, leyendas, toda la simbólica musical, coreográfica, plástica, todas las formas del arte popular haitiano para ayudar a la nación a resolver los problemas y a cumplir las tareas que están ante ella". Esta noción utilitarista de la literatura no se conjuga, para Alexis, en pedestres testimonios de un arte forzadamente propagandístico y artificial. Por el contrario, como artista quiere resolver el problema delicadamente y sin la rudeza de su profesión de fe. En la fragua del estilo

Alexis siente mezclarse en dosis iguales el calor del hombre político y del intelectual participante y por otro lado un sabor verbal innato, caribeño, tropical, barroco, del cual nunca se desprende aunque a veces se abandone, sí, a sus excesos.

En *Compadre general Sol* la índole humilde e ingenua de las criaturas parece encarnada en la figura de sus dos personajes centrales, Hilarión y Claire-Heureuse. El propósito del libro es narrar su historia amorosa, reflejando en ella y en sus vicisitudes la condición social y existencial del hombre haitiano. A causa de ello, *Compadre...* es una novela muy precisa en su ubicación histórica: menciona algunas veces a Sténio-Vincent (1930-1936) y el motivo político que finalmente arroja a sus personajes en la tragedia es la famosa matanza de haitianos en tierra dominicana, concebida y ejecutada por el siniestro Trujillo en 1934. Pero podría afirmarse, con poco margen de error, que las novelas de Alexis obedecen todas a un patrón estructural, y en él se instalan sin grandes variantes. Y *Compadre general Sol* instaura ese esquema. Cada novela es una historia de amor. O, dicho en otros términos, casi ninguno de sus relatos prescinde de un encuentro amoroso que no es fugaz ni casual: marca a sus personajes como prueba de fuego y constituye una pasión por mucho tiempo encendida. Esa historia de amor está llena de sensualidad, y ésta es aquella sensualidad que arranca de la atmósfera, del clima, de la naturaleza, y se vuelca en la índole misma de los individuos como un afrodisíaco. La naturaleza haitiana es descrita "afrodisíacamente". Y sin embargo, dicha historia de amor se halla enclavada enfáticamente en un contexto social, en un mundo de referencias políticas. La fragilidad de la persona y de las relaciones individuales, evidente cuando se los enfrenta a la realidad, denota la verdad fundamental: que el hombre es un ser social, de manera inevitable, y que no puede aislarse en su mero yo egoísta so pena de alienación o de muerte. La narrativa de Alexis expresa así que se puede vivir, robar treguas al sufrimiento cotidiano, edificar frágiles instancias de felicidad, si se tiene conciencia del designio externo, de que todo desemboca en la voluntad policiaca, feudal, al mismo tiempo tan irracional, gratuita y salvaje como puede permitírselo un estado fascista.

Ahora bien, ese choque de la voluntad y de la ilusión con la realidad agresiva no genera sólo o exclusivamente amargura, resentimiento y derrota; es también origen de la chispa de rebelión, una chispa que incendia a veces pequeños predios de la vida, que ayuda a crear una tradición de "resistencia" y que fundamentalmente prepara con lentitud la acometida liberadora que un futuro traerá. Las dos actitudes aparecen en *Compadre general Sol* personificadas en Hilarión y en Claire-Heureuse. Ella posee rasgos entrañables del pueblo haitiano: sensualidad, gusto por los "colores vivos", gracia femenina, espontaneidad, una fibra flexible y resistente, y también ignorancia, carácter supersticioso ante el *vudú* y otros ritos similares, la ancestral condición servil que la costumbre ha degenerado en reflejo. La rebelión es demasiado ardua en esas circunstancias, se convierte en lucidez congelada y en capacidad de sufrimiento. "La calle había sido escuela, su universidad, sus libros. Había logrado pasar por todo eso con una frescura de alma, un amor a la vida que la sorprendían a ella misma cuando pensaba en ello. Pero de todos modos había pagado el rescate sin saberlo. Mientras que otros se endurecían en la miseria, Claire-Heureuse había adquirido un sentido de lucha digno de un animal salvaje, pero también una enorme capacidad de resignación, una capacidad de aceptar sin límites. Desde que había abierto los ojos sobre la vida, habían pasado ante ellos los sufrimientos de todo un pueblo y se sabía inaccesible tanto al desaliento como al asombro, pero también la rebelión le resultaba difícil".

La medida y los límites de la resignación se pulsan mejor en Hilarión ya que la novela lo atiende, como personaje, con mayor proximidad, focalizando el interés sobre su figura, sobre las instancias de su existencia. Alexis podía haber aceptado una riesgosa tentación: la de hacer de su pareja una estructura antagónica sólo unida en la experiencia amorosa, no en la visión y en la actitud con que se asume la vida. Hilarión, en este caso, sería deliberadamente el héroe iluminado, el negro pobre e ignorante (por cierto no pertenece al estamento del haitiano "francés") que descubre súbitamente el camino de la reivindicación social. En este caso, Alexis tenía todas las de perder. Al comienzo de la novela, Hilarión comete un robo y es descubierto. Conoce así la necesidad de robar (compulsión social) y el castigo previsto por esa sociedad. En esa coyuntura otro novelista hubiera hecho nacer al "rebelde" de ficción. En cambio Alexis escoge un sendero más modesto, verdadero y a la postre eficaz. Conociendo la cárcel, los guardianes sádicos, los presos políticos, la venalidad, Hilarión está pronto para saber que ese mundo horrible y sin justicia ha de ser cambiado. Y que los únicos voluntarios del cambio, de la transformación, son los presos políticos y las organizaciones de resistencia, de quienes aprende la confianza en el futuro a pesar de vivir en el presente más agobiador. De esta manera, el personaje se transforma en testigo e inicial participante, en mediador entre el lector (otro testigo) y la realidad haitiana. He aquí un ejemplo de cómo produce Alexis su literatura "utilitaria", de cómo la convierte en un mecanismo de acción.

A medida que su historia se desarrolla, el tema de los presos políticos y el ideal proletario de igualdad y justicia adquiere mayor importancia y gravitación. Hay casos concretos, personajes y hechos históricos. Desde el Pierre Roumel —que en la cárcel acepta el sufrimiento con una sonrisa— hasta el episodio ya referido que cubre los últimos capítulos de *Compadre*. . . Precisamente Hilarión resulta uno de los sobrevivientes de la matanza ordenada por Trujillo. Junto con su mujer y su hijo recién nacido, huye, regresa en una complicada odisea hacia el "sol" haitiano, único compañero. Las bandas policiacas dedicadas al exterminio no le permitirán cumplir ese último sueño de la vuelta a la tierra pero no cierra sus ojos antes de ver el amanecer por vez postrera. En ese capítulo de cierre se explica implícitamente el título de la novela, la insistencia en un sol carbonizador tantas veces descrito como "otro enamorado de la tierra haitiana", que aparece día a día "con su boca de fragua y sacudiendo su melena en llamas". En su agonía, Hilarión delira: "El general Sol es un gran negro, es el amigo de los pobres negros, el papá: no muestra más que un solo ojo amarillo a los cristianos vivos, pero lucha por nosotros a cada instante y nos indica el camino. Así como vence incesantemente a la noche, así como logra arrancarle al año una estación dominada por él, los trabajadores podrán modificar el tiempo y arrancar una estación en que vivir sin miseria. . .". En rigor, es así como la novela recorre la vida azarosa de la pareja sin otorgarle otra culminación que la muerte. Pero ese fin no resulta de derrota sino pasajera, de amargura sino de segura esperanza en un camino difícil. La vida es lección, aprendizaje. ¿Cuál es su resultado? Tal vez algunas generaciones no lo vean, pero el sentido, el derrotero, es firme, y para muchos llegará lo que ahora es negado. "Será duro porque no somos muchos", dice un personaje refiriéndose al camino y a las metas de la lucha política. "Y los mejores de nosotros están presos o se han visto obligados a huir y esconderse. Esto marchará regular, mal, durante algún tiempo todavía; algunos camaradas sin experiencia se desalentarán, pero los reemplazarán otros".

En un abrir y cerrar de ojos (1957) utiliza un cartabón similar para medir la esencia de sus personajes y de sus historias. El Caucho —el protagonista— es un líder gremial y la novela misma trata extensamente, a través suyo, el tema de la explotación patronal y la condición proletaria, al mismo tiempo que la vida de relación de sus humildes personajes: el burdel, la prostitución para consumo de *marines*, un ambiente ciertamente sórdido pero dignificado por el colorido de la atmósfera, la gracia de los tipos femeninos y el respeto folklórico a ciertos mitos como el del machismo. No es casual, sin duda, que en la novela abunden los *marines* yanquis, si no como personajes de relieve sí como masa social, de fondo, que gravita sobre otras vidas ya sea porque provoca la molestia o el temor o el desprecio. Desde 1915 a 1935, durante veinte años consecutivos, Haití vivió ocupada por los Estados Unidos. La prepotencia racista y la prostitución fueron dos secuelas de su paso, notablemente perceptibles en el relato. Pero si *En un abrir y cerrar de ojos* cuenta con todo ese trasfondo social, matizado incluso con referencias al país, al régimen, a la penetración norteamericana y a ciertos hechos de la historia (como la muerte de Jesús Menéndez), lo "novelesco" está constituido, como en sus otros libros, por una historia de amor que no evita los hábitos del folletín ni la pintura idealizadora, en gran parte, de sus personajes. La novela retoma el arsenal de arquetipos literarios: ella es una prostituta, él un obrero. El encuentro con este hombre taciturno y solitario modifica la vida de la muchacha hasta permitirle cumplir un sueño superpuesto a su destino mancillado: dejar el oficio, vivir la vida "normal". Pero Alexis es un escritor culto y excesivamente emotivo; no puede o no quiere impedir que su historia llegue a adquirir ribetes inverosímiles y de enorme carga sentimental gracias al uso de la peripecia y la *anagnórisis* a una cierta altura de su desarrollo. En efecto, al lector se le entera, con cierta sorpresa, que esos dos personajes —El Caucho y La Niña, el obrero y la prostituta, el hombre hosco y la muchacha disponible y lúbrica— se quisieron en su niñez y se "guardaron" luego el uno al otro en la memoria sin sospechar siquiera (pero intuyendo oscuramente) que un día llegarían a encontrarse y unirse. Si tal sorpresa se cumple en el lector, es incluso mayor, melodramática, en los dos personajes "al reconocerse" finalmente. Así El Caucho cumple su papel arquetípico del "héroe" que después de tantas vueltas de su existencia encuentra a la amada y la rescata de un destino infamante e inmerecido. Ambos conservan el toque de la pureza porque logran mantener desde la niñez el mito inalterado del amor. La "herrumbre" de los años, como llamará después a la carcoma que deja el tiempo en la piel, en los huesos, en la vida, no los ha corrompido, protegidos como están por esa inocencia recuperada.

De ahí el carácter feérico, casi fantástico, que la novela soporta con bastante dignidad. Pero lo que se destaca en ella también primeramente —y la resarce de todas sus debilidades, tanto o más que la melancolía a flor de piel con que sigue el trazado de sus personajes, tanto o más que el deliberado cultivo proustiano de las reminiscencias, de las epifanías provocadas por las cosas nimias (Alexis es magistral en la recreación de sensaciones)—, es un lenguaje que clama poderosamente por todos los sentidos. La novela misma está estructurada de acuerdo a seis partes o "moradas": La vista, El olfato, El oído, El gusto, El tacto, El sexto sentido. Y en cada una de ellas el autor modula con virtuosismo su escritura buscando expresar las potencias evocadoras de la sensualidad poseídas por la palabra. La historia amorosa de la pareja, el mensaje social que subyace esa relación y la novela entera, todo se deja penetrar y empapar por una materia sensual como sólo puede darlo el Caribe. Allí Alexis se aleja del novelista a secas y se acerca al poeta: no sólo hay una visión del mundo y una estructura trágica organizada de acuerdo a esa visión, hay también una realidad y un mundo traídos a la literatura con un verbo flexible y plástico, notablemente rítmico, verdaderamente fascinante.

La suma de estos atributos aparece todavía más desarrollada en su último libro editado, *Romancero de las estrellas*, donde en una decena de breves textos que comparten la condición de cuentos y fábulas, intenta concluir un particular rosario de historias coloridas y casi folklóricas. En este libro Alexis no tiene por qué sujetarse a la anécdota; su imaginación corre más libre y se ejercita en el lirismo desenfadado; el uso de la palabra adquiere una connotación expresiva antes que representativa y el "color" local siempre impreso a sus novelas puede aquí aumentarse en pro de un cuadro de exhuberancia formal. Los nueve relatos de *Romancero de las estrellas* tienen, pese a su índole dispersa e incluso a su irregularidad de realización, un hilo conductor, un vínculo fantástico que los relaciona a todos. Los cuentos y fábulas son "narraciones orales" por el simple dispositivo de aparecer relatadas por el *narrador* y un personaje clave —el *Viejo Viento Caribe*— alternándose la palabra entre ellos una y otra vez. El Viejo Viento Caribe posee la sapiencia de la edad y lo vivido; es un patriarca que se fatiga de tanto haber andado y andar sobre las islas, de tanto ver y conocer esta vida humana. De ahí que las historias afluyan sin esfuerzo a sus labios y que al final del libro se lamente de no haber podido rendir otras tantas fábulas, leyendas y cuentos populares, propios de la zona ribereña.

Verdaderamente este procedimiento de narración a dos voces tiene su gracia aunque resulte artificioso desde un punto de vista literario. Con él Alexis expresa la gravitación que sobre el pueblo semialfabeto y supersticioso tiene el *fabulador*. Y no otra cosa que un fabulador simbólico es Alexis como autor de *Romancero de las estrellas*. Pero lo realmente destacable son las historias, en sí, con su cualidad ética, su enseñanza moral que a casi todas nutre. En términos metafóricos representa a menudo al pueblo haitiano encarnándolo en figuras de invención, prototipos en cuya pulpa dialéctica se intenta expresar los matices regionales, la riqueza humana del "lugar", y su más genérica condición humana. Es el caso del primer relato, "Fábula de Buquí y de Malicia", donde se reconstruye la eterna oposición del tonto y el avispado, el trabajador laborioso y el zángano, el confiado y el malicioso. El relato es un pequeño prodigio de narración —aunque primario e ingenuo en sus formulaciones— porque presenta habilidosamente las diversas instancias de esa relación: cómo Malicia vence las prevenciones de Buquí para aprovecharse al fin de él; cómo lo engaña con una falsa camaradería, con qué paciencia —que hace honor a su nombre— oculta su naturaleza hasta que accede a la meta apetecible. Como telón de fondo está presente la trágica hambruna haitiana, la pobreza llevada a límites de locura cuando el río o el sol provocan los desastres naturales y el hambre se adueña de todos. En esta situación el autor incluso parece justificar la "malicia", o por lo menos la flexibilidad de la conducta. Es la lógica de la necesidad y la necesidad de la trapacería. Buquís y Malicias seguirán existiendo como componentes sociales, como elementos del pueblo haitiano: "Los tiempos son duros y desfiguran el rostro de los hombres. . . ¿A quién le gusta ser un Malicia? ¿Quién se siente dichoso de ser un Buquí?. . . Malicia fue siempre sumamente inteligente en un país cruel y miserable. . . Buquí, a pesar de sus hurtos, es un buen chico, y la estupidez a menudo no es más que una bondad demasiado grande".

Otros personajes, otros temas, otras historias se desarrollan en los ocho textos restantes. El relato de un amor mezclado con las supersticiones y el rasgo fantástico *(el zombi)*, aparece en "Crónica de un falso amor"; una fábula-adivinación, con rasgos de crueldad y sombría aspereza delatora de la vida de algunas familias humildes y pobres, es "Fábula de Pruebelflan"; una incursión en el reino onírico del hombre, esa mitad oculta de la existencia, lo constituye "El rey de los sueños"; en tanto "Flor de Oro" acude al venero de la conquista para mostrar en un mito la traición y la bajeza de los conquistadores; "El subteniente encantado" muestra el influjo norteamericano: Earl Wheelbarrow viaja a Haití en busca de un enigmático "tesoro", pero éste es, simbólicamente, la propiedad natural de los haitianos, su condición soberana, su esencia popular. Otros textos como "Romance del cazador infalible" y "Ana la de las largas pestañas" enfatizan el carácter lírico y liberado de una prosa y una imaginación soberbias, barrocas; con todo, el primero está demasiado atenido a la moraleja, el segundo a una pura expresión poética que recuerda la floración surrealista. Finalmente, "El herrumbre de los años" invoca a través de su fábula animal, una reflexión existencial sobre el paso y el desgaste del tiempo.

Al pasar de un régimen narrativo más ceñido y riguroso a la eclosión metafórica de estos textos, Alexis amplía sus procedimientos, su arsenal estilístico, hasta dejarlo notablemente visible, bruñido, destellante. Es claro el empleo dispendioso del verbo y el adjetivo, así en este ejemplo que sirve para describir con lujo sensual la fornicación y la expresividad del cuerpo femenino: "El lujurioso se refocilaba, jadeaba, se restregaba, gimoteaba, lloriqueaba, arrojándose sin cesar sobre el vientre oloroso, radiante, suave, caluroso, electrizado, cauchutado y goloso de la mestiza" ("Buquí y Malicia"). O en el paradigmático comienzo de "Ana la de las largas pestañas": "En la suculencia y el amarillo de cromo de los albaricoques, en lo frutal perlero, en la gracia friolenta de los suaves ananáes, en el chisporroteo de las cortezas y la risa aguda de los jugos de limón, en la embriaguez de los claros jarabes y el espíritu capcioso de las flores de los campos, en los olorosos viajes de los pólenes locos, en la carne nubosa, brincadora de perfumes, vivía, dormía, era dichosa la pequeña Ana de las largas pestañas". Lo que su literatura narrativa pierde en realismo de representación gana en cualidad simbólica, en abstracción de valores. Aunque Alexis no había cerrado su ciclo creador en la fecha de su muerte, y precisamente la madurez podía haber traído aparejadas otras obras notables, este libro parece un resumen de su mundo pletórico, sufriente, disperso, colorido y lleno de sensualidad así como de significación humana. Esa doble vertiente deliberada o buscada según el propio *Manifiesto del Realismo Maravilloso*, se cumple en *Romancero de las estrellas* pese a sus ocasionales debilidades. Debilidades que nacen de la imaginación barroca o de la ingenuidad de algún esquema, pero siempre en el contexto de una creatividad mayor, de un despliegue incuestionable de riquezas literarias.

1974

10. JOAO GUIMARAES ROSA O EL DIABLO EN EL REMOLINO

O diablo na rua, no meio do redemoinhno. . . el diablo en la calle en medio del remolino en la tierra de sol, es sin duda —como necesario equilibrio entre el bien y el mal, como la intuición del demonio o como la necesidad de actuar para romper el pacto que se hizo en otras vidas anteriores, el nervio que empuja al yagunzo Riobaldo en su larga travesía por el desierto. Lo es también de esa vida que uno siente tensa a través de sus obras, y que seguramente impulsó al escritor más importante y talentoso de las letras brasileñas en este siglo: Guimarães Rosa.

Fue él quien introdujo en la narrativa brasileña la novela moderna, superando el realismo y el regionalismo tantas veces volcados sobre el Nordeste —desde Euclides da Cunha a Graciliano Ramos y José Lins do Rego— y legando a las generaciones más jóvenes un ejemplo novelístico difícil de igualar. Aunque se había iniciado en la poesía hacia 1936 (de la cual queda *Magma*, un libro inédito y voluntariamente relegado) Guimarães Rosa abrió su propio camino narrativo a través de pocos pero sustanciosos libros: primero fueron los cuentos de *Sagarana*, en 1946; luego los relatos de *Corpo de baile*, diez años después, aunque desde 1964 desdoblado en tres libros; y en el mismo año 1956, su famoso *Grande Sertao: Veredas* que adecua en sí la denominación de romance por su intención de recoger esa antigua estructura épica que define al vocablo. Y finalmente, en 1962, los relatos llamados *Primeiras Estórias*, que no obstante sin ironía, serían sus últimas.

Cuando se vuelve a esa gran novela que es *Grande Sértão: Veredas*, resulta inevitable señalar el admirable aliento épico que la anima, el entusiasmo narrativo que la recorre, la vitalidad que surge paso a paso en el itinerario del narrador, Riobaldo. La novela —o romance— cuenta su vida en el sertón, pero tributaria de la épica ibérica en las formas más modernas y familiares con que la dotó Cervantes después de las novelas de caballería, hay en ella asimismo una lucidez de procedimientos que la lleva a trascender la clásica composición aditiva, para lograr más ampliamente una unidad de sentido. O, mejor: para expresar a través de una épica panorámica de una extendida intensidad, una visión del mundo y de la vida.

En su *Significado actual del realismo crítico*, Lukács señalaba como particular de las literaturas vanguardistas, la parcialización de la visión de la existencia, ejemplificando en D.H. Lawrence la "reducción de lo erótico a lo fálico, que en nuestros días ha alcanzado dimensiones inverosímiles en las obras de Henry Miller", mientras por su lado Lionel Trilling llegaba a semejante diagnóstico respecto al amor en la literatura, advirtiendo que lejos de la totalidad, la novela moderna busca sólo atender a sus rasgos parciales. Tal vez deba ese fenómeno entenderse como una forma de revolución violenta en el seno de una literatura que deberá buscar después su decantamiento, y una visión más profunda y totalizadora. Pero lo curioso es que Guimarães Rosa la ha logrado desde un comienzo, haciendo de ella una de sus características esenciales. Si ha aventajado al realismo y al naturalismo, precisamente es por eso; a diferencia de otros escritores del sertón, que novelaban desde una perspectiva social, por ejemplo, su obra intenta establecer un mundo más que ser el reflejo de una problemática. Y es incluso por este motivo que debe volverse al *Grande Sertão* como a una cantera: en él se logra con plenitud un cosmos que guarda y revela sus valores, que tiene vida propia y aunque distinguible como una visión fiel y no falseada de lo real, no escapa a las zonas más estrictas de la ficción, como es el mito.

Fiel a la inspiración caballeresca buscada, y a una innegable nutrición liberal por añadidura, hay en el *Grande Sertão* una visión delicada, ambigua a veces y siempre enriquecedora, del amor, a través del culto a la mujer, del respeto establecido entre una serie de valores de la distinción burguesa entre la prostituta y la doncella. Toda la vida sentimental del personaje central está, por ello, nimbada de una ideal concepción del amor y la mujer, no sólo porque en esa concepción somete a prueba su combate interior con el "Maligno", sino porque forma parte misma con la vida y con el pensamiento.

Es así que desde que Riobaldo asume el mando de los yagunzos, parece animado mucho más que por el diablo —con quien cree haber pactado y a quien refrena refrenándose—, por la inspiración caballeresca de defender a los débiles, pobres y doncellas. La actitud es notoria cuando en la hacienda donde se le recibe con temor, ofrece sinceramente sus servicios a la joven cuya belleza le ha impresionado: pero más aún y con una reminiscencia quijotesca, lo es cuando envía a su novia Otacilia "una piedra de valor, tan bonita, que del Arasuí" había traído: "Y dije más: que era para entregar, de mi parte, a la moza de la casa, que Otacilia se llamaba, la cual era siempre mi novia. Pero no dando razón de nombrar mi persona por los altos títulos ni citando jefatura de yagunzos. . . Más solamente encarecer que yo era Riobaldo, con mis hombres, trayendo gloria y justicia al territorio de los Gérais de todos esos grandes ríos que desde el poniente al saliente va, desde que el mundo mundo es, en cuanto Dios dura. . ."

Existe también, junto a su cortés noción del amor —a la que habría que sumar la atracción ambiguamente homosexual que siente Riobaldo por su amigo Diadorín como intuición de una naturaleza diferente—, toda una ética guerrera. A lo largo de la novela, como a lo largo de la vida yagunza, se desenvuelve un sistema de valores que alcanza al mundo de la guerra. Es lo que lleva a respetar la bandera blanca de tregua así como la "solemnidad del embajador" enemigo, y es también el incidente, ya insólito, de que teniendo prisionero al jefe Zé Bebelo, enemigo de los yagunzos, se le enjuicie y por los principios de la valentía y la ausencia de "crimen" según su irónico código de bandoleros, llegue a ser finalmente liberado. "Crimen, que yo sepa", discurre uno de los yagunzos, "es hacer traición, ser ladrón de caballos o de ganado, no cumplir la palabra": todo aquello que el héroe enemigo no ha hecho, aunque sea el más peligroso y todos prefieran ver muerto.

El empleo dialectal, la libertad del neologismo y la quiebra oral de la sintaxis hacen de su prosa una erizada dificultad y un constante descubrimiento, que exige, sin embargo, a una rica inventiva, situaciones resueltas por la peripecia o la anagnórisis, procedimientos que el folletín había explotado hasta desvirtuarlos. Por motivo semejante la extensa narración se aglutina en episodios de relieve: el festín antropófago tras el duro viaje por el desierto; la muerte de Medeiro Vaz entre los cuidados maternales que le dispensan sus yagunzos; la carta de ñonina, que demora ocho años en llegar a su destinatario; el encuentro de Riobaldo con el Niño, de mágico encanto y terrible belleza; la historia de María Zulema y el Padre Ponce; el juicio de Zé Bebelo y la oratoria (homérica) de los yagunzos; o finalmente la muerte de Hermógenes y la vasta panorámica einsensteniana que se crea en el último combate.

En estas tres décadas, después de haber servido como médico militar en la época de Getulio Vargas y de haber viajado mucho por su país, João Guimarães Rosa trabajaba en el servicio diplomático, llegando a ser ministro, y últimamente encargado del Departamento de Demarcación de Fronteras. Hay algo similar y común entre él y Riobaldo al cerrar sus memorias: "Cierro. Ya ve usted. Lo he contado todo. Ahora estoy aquí, casi un barranquero. Para la vejez voy, con orden y trabajo. ¿Sé de mí? Cumplo". Quedan tras él años de experiencia y de creación de un mundo artísticamente rico y perdurable. Por eso *Grande Sertão: Veredas* es una historia legendaria casi, o mítica, con grandes, heroicos y simbólicos personajes, peligros y aventuras que terminan, también míticamente, con el descanso del guerrero y las memorias que labrarán su fama.

1967

11. CESAR VALLEJO, NARRADOR

La vida de César Vallejo en Santiago de Chuco llegó a clausurarse en 1920 cuando fue arrestado bajo el cargo de incendiario en circunstancias hasta hoy nebulosas. De aquella experiencia en prisión —ya había publicado *Los heraldos negros*, 1919— surgirían algunos poemas de *Trilce* (1922) y todo un ciclo en prosa, entre el cuadro y el cuento, que tituló "Cuneiformes" e incluyó en *Escalas melografiadas* (1923), su primer libro narrativo. Cerca estaba su partida definitiva del Perú, su trasplante a un mundo europeo más moderno en el que su vida accedería paulatinamente al compromiso político, a la militancia y al marxismo. Años después, recogido en uno de sus libros póstumos de poesía —*Poemas humanos*, 1939— extendería el certificado de aquella experiencia carcelaria: *"El momento más grave de mi vida fue mi prisión en una cárcel del Perú".*

El recuerdo y la consagración por el tiempo —su vida ya cosmopolita le hacía determinar geográficamente el incidente juvenil— proyectaría luz sobre la cercana relación entre la experiencia del hombre, sus etapas, y la obra en prosa. De ahí que cada una de éstas recoja de manera más o menos simbólica, más o menos documental, los "momentos" de su vida, adhiriéndolos con fuerza como a un verdadero sustento. La continuidad de su producción narrativa no revela, luego, la superación de formas, el camino hacia la madurez artística, sino por el contrario la superación del hombre, el reflejo de su madurez política e ideológica, de modo tal que la narrativa no llegó a constituirse en el descubrimiento de nuevos mundos y nuevas realidades, más que en el testimonio de los hallazgos previos que un régimen amplio y más discursivo le permitiría explayar. Si *Escalas* resume así el periodo de la cárcel trujillana y, en otros cuentos, el de su juventud entre el azar y los paraísos artificiales de la "bohemia", posteriormente descubrirá la vida campesina a través de la historia mórbida de *Fabla salvaje* (1923) y el relato mítico *Hacia el reino de los Sciris* (1944), para desembocar en la asunción militante, en la concepción marxista de la sociedad, tanto en *El tungsteno*, 1931— la novela que reflejó la existencia del proletariado explotado en las minas de Quivilca— como en *Paco Yunque* (1931), dolida historia de un niño que simboliza la miseria de la servidumbre en el Perú feudal.

En "Cuneiformes" se siente o presiente el soplo dostoievskiano en el sufrimiento y la comprensión piadosa de los otros, en la fundamental ambigüedad entre lo justo y lo injusto de un orden social y metafísico ("Nadie es delincuente *nunca*. O todos somos delincuentes *siempre*"). *Fabla salvaje* sin embargo recoge los resabios modernistas en aquello que su estética implicaba con la seducción de los temas decadentes: la locura, los fenómenos mórbidos de la personalidad como venían de Poe o la común tradición francesa. La presencia del narrador norteamericano se vierte precisamente en el tema del "doble" (recogido de "William Wilson" por Vallejo y Mallarmé), típico de la línea que desciende del romanticismo alemán. Curiosamente, este rasgo de la novela breve ha pasado casi inadvertido, y una interpretación clínica —que excede los datos "reales" del relato— se ha sobrepuesto siempre a su carácter de literatura fantástica. Vallejo hizo por cierto de su campesino Balta un personaje torturado en un previsible descenso de los celos a la muerte, pero en su oportunidad cedió al género fantástico e instauró lo insólito en la realidad. Por eso, en el relato existe la ambigüedad típica del género más que la diagnosis de una esquizofrenia en rasgos claros y certeros. El maestro era entonces Poe y como él, Vallejo respetaría las reglas del juego: así Balta, víctima de un doble que sólo él parece advertir, en su final sucumbe ante su existencia por primera vez objetiva en el relato: "Sentóse más al borde del elevado risco. El cielo quedó limpio y puro hasta sus últimos confines. De pronto, alguien rozó por la espalda a Balta. . ."

Más allá de esa historia individual Vallejo prosiguió el descubrimiento de la vida rural en el Perú indígena y mestizo. Las actitudes supersticiosas, el carácter hermético del cholo, se mezclan aquí con ciertos módulos de pastiche, aunque ocasionalmente respire la autenticidad de lo vivido, en las madrugadas entre los animales domésticos, la peculiar luminosidad de la sierra, la actividad cotidiana de la casa, el cariño por los viejos cántaros, la religiosidad teñida por antiguas creencias.

En este contexto, *Hacia el reino de los Sciris* supone, más que otra cosa, una curiosidad literaria. Aparentemente escrito entre 1924-28, quedó en él esbozada una historia que se remonta a la civilización incaica. Hay cierta sensible grandeza en las inmensas construcciones, en el mito de la "piedra cansada" (así titularía también su "drama incaico", que debe guardar con este relato estrechas relaciones) y en las figuras de sus personajes —como Tupac Yupanqui, "padre augusto, hijo de Manco"— o de los dioses tutelares. Sus incoherencias narrativas, la ausencia de un decurso novelístico, para permanecer en forma de cuadros de una civilización o en historias truncadas, se explican por las propias intenciones de Vallejo, nunca cumplidas definitivamente, por corregir y ajustar este primer bosquejo de novela. De todos modos a través de aquel Inca del siglo XV, famoso por sus conquistas y la expansión imperialista que llevó a cabo con sus ejércitos, Vallejo ejercitó una visión histórica que le permitiría descubrir los movimientos que rigen a las naciones, y que también habría de encontrar encarnado como presa, en su país.

Es así como *El tungsteno* resulta una creación narrativa de interés específico. Aunque no se destaque por su escritura ni por el trazado de personajes o su argumento, vale en sí como una visión lúcida de la realidad social a través de la literatura. Tres años antes de publicada, Vallejo había visitado la Unión Soviética, de donde surgiría su crónica *Rusia en 1931* y una serie paralela de artículos periodísticos. *El tungsteno* representó en su proceso vital el correlato literario, la concepción de la realidad en las clases más humildes y desheredadas —los indígenas y mestizos pobres— de su Perú natal. En otro sentido intentó también ser la puesta en prueba de la validez americana del marxismo.

En este sentido *El tungsteno* fue un experimento irrepetible. Tenía como misión narrar el modo de conseguir la contrata forzada de los "enrolados" indígenas con quienes se cumplen las exigencias que desde Wall Street se sienten caer sobre la Mining Society de las minas de Tungsteno de Quivilca. Con ello Vallejo ha querido mostrar una condición típica del Imperialismo y lo hace hasta didácticamente: ". . . la inminencia en que se encontraban los Estados Unidos de entrar en la guerra europea y la necesidad consiguiente para la empresa, de acumular en el día un fuerte stock de metal listo para ser transportado a los astilleros y fábricas de armas de los Estados Unidos". De este modo Vallejo expresaba, sencillamente y sin rodeos, una realidad interpretada. Completaría el cuadro de ese Perú explotado con el relato concreto de los hechos, mera ilustración de su estructura: la depravación de los patrones y sus testaferros, escenas de brutales violaciones y asesinatos en masa en los que la justicia se revela como un aliado eficiente del poder.

Pero la visión de Vallejo estaba demasiado absorbida de doctrina social y, aunque sin falsear los hechos, otorgaba a los incidentes narrados una interpretación muchas veces sobrepuesta con ingenuidad narrativa. Es así como después de sofocar el levantamiento de un pueblo, la gente que se manifestaba por el "orden" queda claramente tipificada por el novelista: De entre la multitud, se destacaban algunos comerciantes, pequeños propietarios, artesanos, funcionarios y gamonales y se dirigían al subprefecto y demás autoridades protestando en voz alta contra el levantamiento del populacho y ofreciéndoles su adhesión. "Las autoridades y la pequeña burguesía hacían responsable de lo sucedido al bajo pueblo . . .". Esta visión histórica, no novelística, aparece así caracterizando a grandes rasgos la actitud aleccionante de Vallejo, cuando muy otra, transida de una auténtica emoción, sería la actitud asumida en poesía con *España, aparta de mí este cáliz* ante la guerra española.

En *El tungsteno*, ya desde su título, se intentó una interpretación social a través de la literatura; de ahí, también, el retrato típico de los personajes que detentan el poder, o de los que se encuentran en su esfera, retratos previsibles en sus rasgos directos, nunca ambiguos o complejos: así la Junta Conscriptora Militar se muestra integrada por un juez venal y necrófago, un arribista y un comisario sanguinario, explotador y usurero. Su dureza narrativa se ve aquí asimismo contrastada por los rasgos de una preocupación anterior: lo "morboso", los "complejos freudianos" se encuentran también en la novela, y constituyen ciertas corrientes subterráneas dentro de la estructura rígida del sistema: sirven en todo caso para expresar sicologías torturadas. La escasa maestría literaria alcanzada en un ejercicio que nunca se hizo esencial en su obra, le impidió finalmente desarrollar en términos novelísticos una realidad innegable. Lo haría en su poesía, su compensación.

Muy diferente —aunque en definitiva de una misma realidad— *Paco Yunque* es un auténtico relato, contado con sencillez y piedad. Seguramente en él hay mucho más de experiencia vivida y Vallejo utilizaría sus años de maestro para otorgar una encarnadura viva a esta historia escolar.

El relato desarrolla la relación entre dos niños: Humberto Grieve —inglés, hijo del patrón de los Yunque y el dueño de la "Peruvian Corporation"— y Paco Yunque, el niño que "habían hecho venir del campo para que acompañase al colegio a Humberto y para que jugara con él, pues ambos tenían la misma edad". La condición social ya ha enseñado a Humberto Grieve a designar todo lo que toca como "mío" y en esta esfera, también Paco Yunque se transforma en "mi muchacho", con la enmascarada situación servil que con menos hipocresía —e igual miseria— reflejara la España del dieciséis en sus novelas picarescas.

El relato de Paco Yunque, aún en esos trozos esquemáticos, encuentra símbolos dados con finura: por ejemplo el pez que muere fuera del agua. Y también con sensibilidad, expresa la desgracia del cholo, su debilidad y su misión. A través de Paco Yunque y su desdicha particular —y no sobreimpresa en ella— hay toda una historia: años de dominio e injusticia del régimen feudal.

La edición de sus *Novelas y cuentos completos* (1967) incluyó "Sabiduría" y cuatro cuentos inéditos. De "Sabiduría" se dice que pertenece a una novela inédita "de la que nada se sabe", "perdida o tal vez no escrita". En 1937, cuando fue publicada en *Amauta*, sí correspondía a una novela inédita; hoy, una lectura de *El tungsteno*, aparecida tres años después, habría permitido advertir que "Sabiduría" es sólo un fragmento, aún sin modificar, de esta novela. En otros relatos pueden encontrarse algunas de sus páginas admirables: con frescura se narra una pelea de escolares ("El vendedor"), ejemplo, a través de la cambiante actitud del personaje autobiográfico, de una natural simpatía por los vencidos. "Viaje alrededor del porvenir" reedita las historias de explotación y brutalidad, como "Los dos soras", con segura limpidez cuentística, enfrenta dos indígenas a una civilización española, con sus propios ritos, sensible violación de la realidad autóctona.

La visión narrativa de Vallejo acompaña a grandes trechos su brillante poesía; testimonia, como a veces aquella, sus sentimientos capitales —la orfandad, la piedad, el dolor—, y por su parte indica el desarrollo hacia una conciencia de su propia tierra, aunque durante muchos años, desde su alejamiento definitivo, viviera lejos, compartiendo otros mundos. De su fidelidad se explica que todo lo demás pudiera borrarse y que el momento más grave de su vida correspondiera a un hecho de su juventud lejana en un lejano país.

1968

Detrás de sí deja una obra caudalosa, fecunda, más de treinta libros de poesía, una voz tonante, una actitud o una suma de actitudes polémicas, una vida trashumante por su Chile natal y por el mundo, deja también la temprana y llorada muerte de su mujer, Winétt, de su hijo Carlos, como él poeta, y deja odios, resentimientos, como acaso ningún poeta ha dejado tras su muerte. Había surgido en 1916 con sus *Versos de infancia*, donde aún no daba plenamente su rabelesiana imagen y su lenguaje oceánico, enclavando su palabra en la generación de Gabriela Mistral, de Vicente Huidobro, acompañada muy poco después por el otro Pablo, Neruda. Su extracción rural —hombre de a caballo, lo llama alguno de sus críticos— no se oculta en esa imagen enorme, llena de apetitos terrestres y espirituales, que asoma en las letras chilenas y poco a poco va delimitando su figura pretendidamente titánica, épica, profética, con que intentará, en sus grandes gestos, barrer la maldad y la ruindad del mundo. "Poesía de higiene social", definió cierta vez la suya, y cuando, alentado por un innegable egocentrismo, podía contemplar su imagen rocambolesca, se refirió asimismo a un papel social y multitudinario que había venido a encarnar entre nosotros.

Si hubiera que definir de modo escueto y definitivo sus mayores virtudes y sus mayores defectos, creo que cabrían ambos en muy pocos y rotundos rasgos de su carácter: la sinceridad a rajatablas, la extroversión apocalíptica, el fuego interior que en la pequeña batalla cotidiana extravió sus fuerzas, confundiéndole muchas veces como al Quijote, los verdaderos enemigos con ilusorios molinos de viento. En su haber, en esta generación que supo alistarse en el buen bando cuando la guerra española, debe anotarse el haber sido de los primeros —el primero— en alzar su voz contra el nazi-fascismo, en haber emprendido no sólo en su poesía sino en la propia vida, una campaña, pueblo a pueblo, para difundir la defensa del hombre ante lo que llamó en poema extenso e imprecatorio la "bestia fascista". Esa extroversión no supo dejar de lado la atmósfera de polémicas que se desataron también torrencialmente entre los grandes poetas del periodo; y la sátira contra Huidobro o Neruda fue fijando algunas de sus obsesiones fundamentales.

Su poesía corrió durante los años encarnándose en anchos, vastos libros que él mismo hacía imprimir, que él mismo vendía: *Los gemidos*, en 1922; *Cosmogonía*, 1927; *U*, 1927; *Escritura de Raimundo Contreras*, 1929; *Jesucristo*, 1933; *Morfología del espanto*, 1942; *Fusiles de sangre*, 1950; *Canto de fuego a China Popular*,

1963, entre muchos otros títulos que quedaron por el camino. Su persona y su figura, sin embargo, fueron silenciados a pesar de la potente voz: la crítica, desde su magíster, Alone, desconoció sus valores, y la polémica arreció aún más contra una definitiva y justa inserción de De Rokha en la poesía chilena. Así el Premio Nacional de Literatura, tras casi medio siglo de labor poética, recién llegó y todavía entre el fragor de la batalla, hace apenas tres años (en 1965).

Sin duda alguna muchas de estas esquirlas mellaron el sendero poético que anunciaba su temprana obra, y le llevaron a encauzar el vigor y la energía en defenderse y atacar la graneada y sorda lucha dentro de la república de las letras. Su decurso, sin embargo, fue preciso, aunque no siempre esclarecido. La construcción de un estilo, la forja de la palabra poética, se sienten convulsas bajo su pluma, y se lo ve llegar, costosamente, a golpe de puño, y luego abandonar lo que ha conseguido. Esa es en realidad su imagen poética, la del tallador de la piedra, que crea formas para luego destruirlas. Su mismo pensamiento, su misma concepción de la poesía varió con el tiempo, y la sinceridad lo llevó a reconocer las superaciones de nuevos conceptos. De su primitivo irracionalismo (el arte no es susceptible de ser entendido, sino intuido), de su confesa raigambre dionisíaca, de la influencia freudiana de su primer periodo, pasó, con mucho de arrobadora ingenuidad, a adherirse, hacia los últimos años, a los descubrimientos de Pavlov. Del mismo modo cambió la poesía. Y así como quería escribir épicamente para el pueblo chileno, así como también exhibía el interior dolorido, lacerado, del guerrero, supo acomodar el lenguaje y el estilo a sus propios oyentes y al mensaje que su condición humana demandaba.

En su carta a Alone (Díaz Arrieta), desde las páginas de su inefable periódico *Multitud* (formato inmenso, grandes tipos de imprenta, largos y pomposos titulares), habló (ya que nadie osaba hablar) de su "poesía dolorosa, épica, corajuda y volcánico-insular-oceánica". De "mis cantos de macho". Y sin pudor aclaró al supremo crítico: "El creador de la Epica Social Americana en el continente soy yo, Hernán Díaz Arrieta. No lo afirmo porque me acose el delirio de grandezas, no, lo afirmo por oficio y artesanía, lo afirmo porque así defiendo mi pan con mi trabajo. Exactamente, y toda otra cosa es mentira y bluff, como es mentira y bluff la poesía "social" de Neruda, su cómplice académico, que produce poesía universal porque produce títulos universales y universalidad a máquina". No podía hablar de sí mismo, realmente, sin hablar del otro Pablo, el que le supo robar el seudónimo, como afirmó tantas veces, y las andanadas (con respuesta) que desde *Multitud* y desde su propia obra lanzó hacia los otros, pocas veces se encontrarán con tanta virulencia, con tanto fuego. En esa fragua forjó asimismo a pocos, limitados discípulos de la imprecación y la furia: Mahfud Massís, su yerno; Oscar Chávez, que escribió sobre Rokha *El poeta crucificado y la jauría;* Juan de Luigi, quien llegó a decir de él, con entusiasmo superlativo, que "es, sin duda, el más formidable poeta de masas, el más formidable cantor revolucionario con que cuenta no sólo la lengua española sino el mundo"; o Antonio de Undurraga. *Multitud*, una revista extraña, fascinante, que no pocas veces sin embargo repele por su ardor blasfemo, puede considerarse, en un ambiente belicoso, una nueva, potente escuela de la imprecación, donde nadie o casi nadie llegaba a salvarse, aunque la propia revista se definiera en primera instancia como una "revista de pueblo y de alta cultura".

Una poesía áspera y fuerte, poesía de la cordillera, fue la suya. Quiso, nutrido por la Biblia, ser el nuevo profeta ya no de Chile, del mundo, y su verso se resiente casi siempre de la tentativa infinita de abarcarlo todo, de dar ya por adelantado el juicio universal. En versos más modosos y serenos, expresó alguna vez:

> Quiero ser simultáneamente
> sombra y luz, raíz, hoja y fruto,
> y condensar inmensamente
> toda la vida en un minuto.

Porque su intento era cósmico. Pero no siempre la poesía fue un ejercicio gesticulante, satírico o inmenso. La muerte de su mujer, Winétt de Rokha (Luisa Anabalón) en 1915, poeta como él, dejó la rasgadura final en el luchador incansable. Quedan, para ella, algunos de los poemas más hermosos de de Rokha, los *Sonetos del amor perdido*, donde la poesía informe y gutural se vio embretada por la rígida estructura del soneto y por el dolor que deja no obstante escapar entre sus grietas la fuerza impulsiva que jamás lo abandonó:

> La desesperación ya echará flor mañana,
> mas los años cavando como un toro un diamante,
> han tronchado de horror la acerba faz urbana
> de aquel que fuera un día tu marido y tu amante.
>
> Y mi soberanía de ser la gran campana
> de los desamparados, la acusación clamante
> por todas las infamias de hoy, la ley humana,
> es el orgullo viejo del viejo trashumante.
>
> Pero aun cuando se doble la espalda hacia la tierra
> bajo los anchos látigos de un comercio de guerra
> y el franco hogaño rancio se ahogue estrangulado;
>
> como el último y único capitán del camino,
> al naufragar tu sueño rugirá como el vino,
> y moriré besando lo antaño idolatrado.

Entre su poesía de respiración oceánica, y su propia vida, el lazo se hizo indisoluble. La primera acompañó a la segunda, fue su reflejo. Un modo de existir, otra forma del apetito en este hombre que gozaba la vida y sentía como una confirmación de existencia, aunque amarga y desolada, los golpes de los otros. Su individualismo, la potencialidad irracionalista de su estética, se alió aunque contradictoriamente, con el dolor del pueblo, y su fervor marxista —en los últimos años, con su viaje a China, con sus poemas de *China Roja* y *Canto de fuego a China Popular*, se había distanciado aún más que nunca de la ortodoxia comunista chilena— quiso mantener un pulso militante. "Así, en tanto, yo solo", escribía, "maldito y pobre, vendía cuadros por los pueblos chilenos, tremendos de miseria y dolor, mis colegas difundían su obra y su vida por los ámbitos del mundo; pero, definitivamente, de ese arrastre de sangre y de aquella carga horrenda de terror y pasión, estrellándose contra la pobreza, emergían la espada, la serpiente, la manzana y las águilas que usted encuentra en mis cantos ahora, y la concepción marxista-leninista-stalinista de la sociedad y la lucha de clases, para la conquista del humanismo proletario y la cultura". Con el marxismo, abrazado como preocupación proletaria desde 1933, llegaba a coincidir su difuso gesto profético, encontraba las masas a las cuales su palabra escasamente podía llegar, y éstas ejercían sobre él el influjo poderoso de las alianzas contra la explotación mundial del Imperialismo. Así las tempranas influencias imaginistas de Lautréamont, negadas por él expresamente, la amplitud de esa violencia bíblica que se le ha adherido desde muy temprano, la irracionalidad "dionisíaca" que ha interpretado en su carácter extrovertido y en sus versos, consumaban una extrañísima mezcla imposible de desbrozar.

Ahora, a pocos días de su muerte, muy difícil resulta, tras una relectura de su obra, despegar la poesía de sus adherencias vitales, de sus pequeñas circunstancias; inútil también. Quedan en ella trozos, trofeos y desgarrones de sangre, que señalan el paso de un poeta feroz lleno de imperfecciones pero vital y enérgico. Un guerrillero, como señalara Fernando Alegría, al margen de toda disciplina militante.

1968

13. OLIVERIO GIRONDO Y EL CONSTANTE ASOMBRO

Con el bisturí filoso del humor, con la capacidad imaginativa que posee en potencia todo lenguaje, puede un poeta oponerse a la materia resistente de su mundo, herirla, hacerla desfallecer, vencerla. Es el desafío que Oliverio Girondo demostró aceptar, hace ya casi medio siglo, con sus *Veinte poemas para ser leídos en el tranvía*, o, tiempo después, con sus *Calcomanías*. Despertaba a la poesía argentina, en la primera posguerra, junto a una generación que absorbería ávidamente las modernas corrientes renovadoras de Europa. Desde el propio Borges, que de regreso trajo bajo el brazo su ultraísmo —hasta Girondo, que hizo de sus dos primeros, libros "de viaje", itinerario encantado del mundo recorrido—, nuevos aires habían comenzado a soplar en la ribera porteña y, chirriando al comienzo, decantándose después, se aclimataron a la sensibilidad temeraria de la poesía.

Fue desde un comienzo el descubrimiento gozoso de la metáfora ultraísta; descendían directamente de Apollinaire y Mallarmé en la disposición gráfica del verso, y encontraban un cercano precursor en el futurista Marinetti. La metáfora libre, a veces desgajada crudamente de sentido —experimentalismo al menos—, respondía a los principios surrealistas de la "libertad"; y a esa misma libertad que exaltara Breton, Girondo pudo adherirse, incluso sin saberlo, acomodado a la incómoda postura de innovación, de desprecio a un orden establecido, de revolución orgánica del lenguaje.

Reunida ahora su obra completa (*) puede advertirse la forzosa evolución que tuvo: el esfuerzo, la disolución, el fracaso final, o los positivos méritos de su tentativa. Ciertamente los dos primeros libros, cercanos entre sí, correspondían a su entrada vital en la creación. Puede notarse en ellos, pues es su característica, el humor desenfadado, la arrogancia del iniciado, junto a un mundo plenamente nutrido de colores y sonidos, un mundo real que parece ir bosquejando a medida que viaja, como bocetos inacabados de Dákar, de Río, de Toledo, de Venecia, de Gibraltar, de Tánger, para gozarse, en Sevilla, con una descripción poética —irreverente, admirable— de la Semana Santa. Es el viajero de ojos nuevos que descubre maravillas en el mundo y que *(Calcomanías*, se titula su segundo libro) forja sus imágenes y retratos dotándolos de vivos colores y trasparencias sensibles.

El ultraísmo, sin embargo, el pleno gusto por la palabra y la

---

(*) Oliverio Girondo: *Obras completas*. Buenos Aires, Losada, 1968, 488 pp., con un prólogo por Enrique Molina.

imagen que ésta proyecta, dotó a Girondo de un arsenal que pronto se hizo pesado, embarazoso. Difícil es que permanezca, al margen de esas súbitas imágenes que son deslumbramientos, todo el producto de un esfuerzo creador que pudo ejemplificarse, poco después, en las greguerías de Ramón Gómez de la Serna. No en vano éste vio en Girondo a un compañero de ruta y supo reconocerlo digno "de sentarse a nuestra mesa sin previo aviso", y se solazó citando sus magníficas imágenes de *Espantapájaros* (1932). Más aun, es cierta su predicción (su perspicacia crítica) al señalar aquel libro como el mejor de Girondo, donde toda su gracia, su humor, se trasparenta. El asombro de lo cotidiano —que busca la metáfora como reflejo de su fidelidad al absurdo— se daba en Girondo con toda la calma de lo natural. Y podía así decir: "A unos les gusta el alpinismo. A otros los entretiene el dominó. A mí me encanta la trasmigración". O preguntarse algo tan vulgar pero a la vez tan nuevo: "¿Nos olvidamos, a veces, de nuestra sombra o es que nos abandona de vez en cuando?". Lo absurdo, la metáfora desnuda y repentina, esa afición a la imagen virgen que se esconde tras el gesto cotidiano, resultó lo más significativo de su obra, el punto cardinal que dividiría sus tentativas hasta someterlo a la opción, al fracaso, a la amargura.

Es sin duda necesario en tan pocas palabras realizar una síntesis de toda su evolución. Fechar, desde 1922 a 1956 —desde *Veinte poemas. . .* hasta *En la masmédula*— los diversos hitos ondulantes sobre los que se deslizó su poesía, afirmándose, negándose, perdiéndose en el vacío. Hacia 1922 se respira la imaginación arrogante en desafío a lo real: es que ha descubierto lo maravilloso, aunque sea sólo en las superficies, en lo pintoresco que, de vez en cuando, deja penetrarse en un súbito chispazo de iluminación. Con *Espantapájaros*, una década después, Girondo abrió su obra como se abre un cuaderno. *Espantapájaros* era en realidad su cuaderno, como las lecciones de Juan de Mairena fueron los cuadernos de Antonio Machado. Hay en él una reflexión que permite la ironía, que deja escapar su sentido discursivo entre tanto y tanto vuelo de la imaginación y así establecer lo que Joyce llamaría epifanía: súbito encuentro con lo real. Tal encuentro abastece el descubrimiento del mundo exterior en *Veinte poemas. . .* y en *Calcomanías;* es, en resumen, la exaltación vital que surge de la poesía de Girondo. En sus "Membretes" había dicho, como definición de ars poética: *"La vida es un largo embrutecimiento. La costumbre nos teje, diariamente, una telaraña en las pupilas; poco a poco nos aprisiona la sintaxis, el diccionario; los mosquitos pueden volar tocando la corneta, carecemos del coraje de llamarlos arcángeles y cuando deseamos viajar nos dirigimos a una agencia de vapores en vez de metamorfosear una silla en un transatlántico".* Con ello Girondo realizó la requisitoria contra la embotada capacidad de maravillarse, e intentó reivindicar el valor de la imaginación ante los hábitos aletargadores. En realidad es su manifiesto por un *constante poder de asombro* que haga del hombre el verdadero habitante del mundo.

Esto, que había sido dicho al pasar, se transforma, desde *Espantapájaros y Persuasión de los días*, en fuego central de su poesía.

Es, por un lado, el agradecimiento humilde ante las cosas ("Gratitud"), es deseo vehemente de experimentarlo todo, de vivirlo sin soslayar los dobles filos, irónicos, de su ambición (" ¡Pensar que durante toda la existencia, la mayoría de los hombres no han sido ni siquiera mujer!"); es también el apóstrofe violento, imprecatorio contra los abúlicos, a quienes —es fuerza recordar— se les reserva el peor desprecio en el infierno dantesco. ("Hay que compadecerlos").

En su estudio sobre *El Martinfierrismo* señalaba Adolfo Prieto dos aspectos que iluminan en gran forma esta poesía: por un lado el humor, el desborde de vitalidad característico del período de entreguerras, ese "sentido festival del arte" que marca a las literaturas de vanguardia. Y luego, un hecho tan significativo, y ya histórico, como fue el primer gesto político de los "martinfierristas", quienes venciendo su evasión del compromiso, esa insensibilidad que les llevaba a aceptar a Lugones y considerarlo maestro olvidando su prédica fascista, hacia 1927 apoyaron a Yrigoyen. Tal actitud y la desaparición de la revista fueron sintomáticamente paralelos: respondían a "un sentimiento o presentimiento común: la frustración de Yrigoyen significaba el fin de la etapa lúdica, el fin del martinfierrismo". De ahí que en las actitudes personales, estos precursores de la frustración porteña, del gesto aristocrático que se llamó después *Sur*, no lograron adecuarse al nuevo tiempo que se avecinaba, al nuevo tiempo que los arrolló. Entre ellos Girondo, quien continuó con su "pirotecnia" verbal.

Tal interpretación es cierta y aclara ampliamente la apertura que con violencia se aferra luego en su poesía. De la creación, simbolizada en los primeros libros, pasó a la explicación, al lamento, a la imprecación, al humor negro, y más tarde, como en un acceso de desesperación por su girar en el vacío, a la poesía hermética, plena y furiosamente esotérica, pero superficial, frustrada. *En la masmédula*, aunque ocasionalmente exprese el desgarrón existencial del fin de la aventura (como es confesión, en el descubridor de las cosas: " ¡Qué nada toco / en todo!"), representa una tentativa imposible por renovar el lenguaje, las estructuras rítmicas, la creación del neologismo, como con una base más cierta lo hiciera Vallejo, o como con un amplio sentido lúdico lo haga ahora Cortázar.

Recorrer las cuatrocientas ochenta páginas que abarcan sus obras completas (en rigor incompletas, si se recuerdan textos, como el "Manifiesto de Martín Fierro", aquí ausente), significa encarar la inmadurez admirable de *Veinte poemas. . .* y de *Calcomanías*, la plenitud de *Espantapájaros*, y ese lento descenso —a través de *Interlunio*, *Persuasión de los días*, hasta llegar a *En la masmédula*— en que el poeta disgregado ha dado su palabra, ha definido de algún modo la poesía y el oficio de poeta, y deja, en fin, algunos poemas intactos, admirables —las metáforas mediante— y un sabor a tentativa inconclusa, a viaje perdido entre los laberintos del juego, del puro desafío.

1968

14. EL REGRESO DE JORGE ICAZA

Quebrando el silencio de quince largos años ha vuelto a surgir el nombre de Jorge Icaza, cuya obra parecía haberse fijado en el ciclo indigenista del 30, en parte debido a la pereza de la crítica en analizar sus desarrollos posteriores, y en parte porque el autor nunca logró, después de *Huasipungo* (1934), el éxito clamoroso e inesperado que aquella novela trajo consigo. Desafío a los lectores a establecer de memoria qué otros libros, antes y después de *Huasipungo*, publicó Icaza; la veleidosa "fortuna literaria", que en un principio lo cubriera de éxito desmedido, echó luego un injusto velo de opacidad sobre una producción que estaba todavía realizándose. Ahora, a los sesenta y siete años, el ecuatoriano reaparece con su obra más ambiciosa, donde intenta recapitular su vida y su mundo, abriéndose a nuevas formas y estructuras de narración en tres tomos que abarcan casi setecientas páginas. El título: *Atrapados* (Buenos Aires, 1972).

Dudo que una novela latinoamericana, antes de *Cien años de soledad*, haya alcanzado la difusión y la fama de *Huasipungo* (tal vez *Doña Bárbara*, 1929, y *La vorágine*, 1924, podrían acercársele): sólo hasta 1959 contaba ya con 16 ediciones regulares en castellano y 14 traducciones, y algunas de esas tiradas fueron de cincuenta mil ejemplares. Y sin embargo para la crítica más escuchada el arte de Icaza nunca resultó enteramente aceptable, dado que entraba en el confuso predio de la literatura y la política. Dos ejemplos pueden ser bastante demostrativos de la consideración de su novelística violenta, llena de exabruptos y asperezas, imperfecta en la escritura y el estilo, a veces balbuceante e inculta. Para Alberto Zum Felde, era difícil considerar a *Huasipungo* como novela, sin más: "Su elaboración es casi primaria; carece de caracteres, de conflicto moral, de todo proceso argumental interno. Es, en sustancia y forma, una simple y escueta crónica de hechos, de hechos públicos de carácter puramente objetivo." Luego: "Denuncia ante todo, *Huasipungo* lo es por la forma escueta y directa si la consideramos como novela, por lo que es menester considerarla otra cosa, además de lo que tenga de tal; un documento revolucionario en forma novelada". A su vez Luis Alberto Sánchez distinguía entre el indigenismo lírico y el de Icaza, diciendo que éste "como sus coetáneos, ha abierto las puertas al cientificismo socializante, con el entusiasmo neófito con que recibían el cientificismo experimental los hombres de 1860. *Huasipungo* chorrea dolorosamente inmundicia humana, egoísmo y crueldades increíbles, si no fuera tan fácil comprobarlas".

De más está señalar que Zum Felde y Sánchez tenían su parte de razón al describir una intención de la novela; lo que ha envejecido es la consideración formal sobre el género y el efecto de crudeza casi intolerable que en su momento impresionó dejando otros elementos de lado. Hoy la osadía expresiva de *Huasipungo* no ruborizaría a un escolar, y de esto es consciente el autor, como lo demuestran sus palabras de tres años atrás: "Es fácil decir ahora las cosas que nosotros dijimos hace 38 años. Es hasta de buen tono hoy escribir cosas despampanantes en lo social, en lo político, en lo sexual, cuando hay el apoyo incondicional de la propaganda, de los premios, del gobierno, que falso o auténtico existe. La misma dicción, la 'mala palabra', es éxito de librería actualmente mientras que en nuestra época acarreaba la excomunión social y religiosa. La mayor parte de nuestros libros fueron al *Index* y con ello el horror y el repudio de la gran beatería nacional e internacional".

Si de algo sirve traer a referencia este contraste es para comprender cómo cambian los usos sociales, la "moral" de la época, y cómo la obra literaria se transforma en *historia* al impulsar, desde su bastión, ese cambio. Icaza cumplió en la década del 30 una función precursora (no es culpa suya que la novela ecuatoriana no haya sabido luego salir del esquema del realismo social), diferenciándose, desde un comienzo, del indigenismo al uso, mistificador. Por el contrario, adoptó la fórmula denunciatoria acompañando desde la literatura los grandes cambios sociales impulsados por la revolución rusa del 17. Hoy que la función de denuncia e información es cumplida mucho más eficazmente por el periodismo y el género testimonial, puede restituírsele a la novela su condición literaria; advertir, por ejemplo, cuánta fuerza narrativa posee *Huasipungo* pese a sus flaquezas, y cuán equivocada a ese respecto estaba la crítica coetánea.

Icaza, de todos modos, no pretendió hacer novela indigenista; no pertenecía al mundo indígena, pese a haberlo contemplado en su adolescencia; carecía así de la "visión de los vencidos" (José María Arguedas es el único escritor de este siglo que traspasó la barrera), y es por eso que intentó, mejor, completar un cuadro social del Ecuador teniendo en cuenta todos sus estratos. Por lo menos eso es lo que advierte quien lee en orden cronológico la totalidad de su obra, desde los primeros relatos de *Barro de la sierra* (1933) hasta las novelas siguientes a *Huasipungo: En las calles* (1935), *Cholos* (1938), *Media vida deslumbrados* (1938), *Huairapamuschas* (1947), *El chulla Romero y Flores* (1958). En cada una de ellas el medio social varía, así como los tipos que lo componen, desde el indio del régimen neofeudal de *Barro* y *Huasipungo* hasta ese "medio señor", no del todo integrado, que es socialmente el "chulla". La virtud de Icaza consistió en haber matizado la simpatía por el indio sin idealizarlo folclóricamente, así como también distinguir las contradicciones entre el mundo indio y cholo (ya claro en el cuento "Cachorros" de *Barro de la sierra*). Las flaquezas, en cambio, se originan en la esquemática visión del mundo dominador (también temprana; aparece en el cuento "Sed"), con el indeclinable maniqueísmo de esa tríada compuesta por el terrateniente, el cura y el comisario político, complotados, en la perversidad más calculada, para explotar a los indios. El tremendismo de *Huasipungo* se alimentó de estos rasgos, los cuales volvieron a aparecer en los libros posteriores, alcanzando sin embargo, en *El chulla Romero y Flores*, una estatura diferente gracias al juego de la ironía y el grotesco con que empezó a modernizarse.

Los tres tomos de *Atrapados* no aportan ahora novedades en el trazado social y sicológico del mundo delineado con antelación entre los extremos del realismo social de *Barro de la sierra* y el expresionismo de *El chulla Romero y Flores*. La novedad es más voluntariosa, de índole formal, pues amoldándose a los requerimientos de la nueva novela latinoamericana, Icaza se impone no sólo una novela sino una reflexión sobre la novela, un relato y un juicio sobre los límites de la literatura, una indagación autobiográfica y un alegato casi documental. De todos modos, sus mutaciones formales tienen menos que ver con las facilidades y felicidades expresivas de un Cortázar, un Vargas Llosa, un Cabrera Infante, que con la literatura de vanguardia y ciertas técnicas pirandelianas al uso algunas décadas atrás. De ahí que la trilogía funcione con el riesgo cierto del anacronismo y su interés sea tan desparejo como las intenciones que animan cada tomo.

I. *El juramento*. En esta primera parte de la trilogía, Icaza reconstruye la infancia y la juventud del personaje a partir de su propio recuerdo. Huérfano de padre, él y su madre son arrojados de la hacienda familiar con el tío, por el especie de gamonal que ha llegado a quedarse con las propiedades gracias a la astuta administración de las mismas. Desde entonces el niño jura venganza y comienza a alimentarse con un odio recurrente que aparece varias veces en sus "voces íntimas" (así llama al coro de frases sueltas que interrumpe continuamente el relato). De ahí en adelante, la novela registra el periplo de madre e hijo: Quito, la escuela religiosa (convocada con una furia anticlerical pocas veces vista), la prostitución de la madre, la inmersión en un mundo donde todo "humilla y ofende", el segundo casamiento de la madre, y luego la vida con el padrastro, masón y liberal, acosado por la represión policial, al allanamiento, el saqueo; más tarde, la muerte de la madre, los primeros contactos del muchacho con el teatro, y finalmente la reaparición del tío, esta vez como "candidato". El narrador intenta matar a su enemigo, pero la pistola es falsa, de utilería. La muerte inesperada del tío, luego, termina frustrando su obsesión de venganza por mano propia: la realidad se le antepone y le demuestra que no es siempre posible el cumplimiento de aquello que podría dar algún sentido a la vida.

II. *En la ficción*. Así se titula el segundo volumen porque reproduce el conflicto del primero, amplificándolo, generalizándolo socialmente, dentro de otro nivel de la realidad: la ficción. La mayor parte de este volumen está ocupada por las obras teatrales de que es autor el personaje: éstas se reproducen en toda su extensión. Desde las primeras, freudianas, cuyo nudo dramático lo provee el parricidio, hasta las que denuncian la situación del indio y del mestizo en el medio feudal. Paralelamente, la novela refiere el efecto que sobre la sociedad ecuatoriana causan estas obras: la persecución política de que son víctimas, el anatema de la iglesia, el repudio educado de la buena sociedad burguesa.

III. *En la realidad.* Este último es sin duda el tomo más seductor y legible de la trilogía: posee unidad y coherencia más rigurosas en la simple progresión novelística. Es en verdad una "novela política" donde a través de los hechos concretos se pulsa al sistema corrompido, se revela la ausencia de justicia en un mundo gobernado por la minoría propietaria. La novela parte de una indagatoria policiaca a cargo de una comisión ordenada por el gobierno para investigar la muerte de una mujer a manos de la turba campesina. La sospecha de que oscuras fuerzas obrarían tras la fachada de los hechos (intereses económicos, complicidad del clero y el poder político provincial) y las presiones del periodismo, motivan la penosa labor que chocará con los obstáculos de los propios comisionados, débiles ante la complejidad de intereses y presiones, y estos mismos intereses actuando en forma directa. Descubierta la responsabilidad del crimen, el narrador redacta un informe que finalmente las autoridades archivarán condenándolo al silencio. La novela denuncia así la convivencia oprobiosa entre el poder feudal y el político: ministros y presidentes son en última instancia la fachada legalizadora del sistema.

No es posible negar la densa sustancia autobiográfica de la trilogía. Las piezas reproducidas en el segundo tomo no son sino las propias de Icaza escritas y representadas entre 1928 y 1936. Los títulos mismos *(El intruso, ¿Cuál es?, Flagelo)* y hasta el relato de los años de actuación y bohemia teatral del personaje, están declarando a viva voz que el narrador es Jorge Icaza. Así la célebre distancia entre narrador y autor desaparece a largos trechos y la novela se transforma en autocrítica y en autorretrato. Pero al mismo tiempo quiere sintetizar, densificar, comprimir todo el mundo novelístico en una obra definitiva donde los valores, la crítica al medio y la rebeldía que generaron una labor literaria de varias décadas se transforman también en materia y sustancia novelística. Icaza logra cumplir esos propósitos a costa de *reescribir* su obra, reiterando esquemas y estereotipos ya desgastados por el tiempo y que hoy no nos parecen igualmente válidos. Icaza vuelve a escribir su novelística del 30, reflexionando a la vez las razones que lo llevaron a hacerlo. De ahí que su regreso no sea al presente, sino al pasado, y haya aquí un abrazo fantástico entre un Icaza viejo y algo fuera de lugar, y aquel Icaza peligroso, temido y odiado por quienes entonces tenían motivos para temerle y odiarlo: la literatura misma era peligrosa.

1973

15. PABLO PALACIO, UN PRECURSOR MALDITO

"Sólo los locos exprimen hasta las glándulas de lo absurdo y están en el plano más alto de las categorías intelectuales. El cuentista es otro maniático. Todos somos maniáticos; los que no, son animales raros". Conceptos como éstos, expresados hacia 1927 por Pablo Palacio, no obedecían a pose literaria alguna ni llevaban consigo, más de lo legítimo, la intención de escandalizar al lector. Por el contrario, la extraña, patética y admirable obra del ecuatoriano Palacio reproduce en el nivel sensible de la escritura, algunos rasgos de su vida, de sus obsesiones, su frenesí de hombre *condenado*. Antes de morir, en 1946, a los cuarenta y tres años de edad, roído por la sífilis y sumergido en la locura, Palacio parecía no sólo haber cumplido un pacto lúcido y deliberado con el diablo sino también con la creación. Hoy se lo conoce poco fuera del Ecuador, pues los breves textos que dejó impresos quedaron semiolvidados en el impulso torrencial del indigenismo y del realismo social a lo Icaza. Y sin embargo ya en 1930 Benjamín Carrión decía que su obra era "la literatura más atrevida, en contenido artístico y temático", de la moderna producción ecuatoriana. Y en 1953 Luis Alberto Sánchez mencionaba la "atmósfera poética excelente" de sus relatos mientras que Zum Felde, seis años después, lo reunía con Velarde, Coll, Arévalo Martínez, Montiel Ballesteros y Felisberto Hernández en un mismo arte donde "el rasgo humorístico, burlesco, está acentuado a punto de caracterizarles, y se presenta como el módulo mismo de su género".

Carrión es quien analizó mejor su vida y obra apenas el narrador había publicado los cuentos de *Un hombre muerto a puntapiés* y la novela *Débora* (ambos de 1927), al plantear sus principales características: el descrédito de la realidad, la conducta antiliteraria, el humor "deshumanizado" y serio que recuerda a Buster Keaton. La corta vida de Palacio, a su vez, resulta clave de comprensión de sus libros, por lo menos para entender el desasosiego, las singularidades sintácticas de su escritura, su noción del absurdo, y el sondeo (ya en aquel tiempo, sin conocer a Beckett) de los límites de la literatura. Palacio nació en 1903, en Loja, pueblo apartado de todo centro cultural, y luego se trasladó a Quito para estudiar "jurisprudencia". Leía a Eça de Queiroz, a Pirandello, a Flaubert, y aunque se cuenta que no pudo pasar de las primeras páginas de *El fuego*, sus relatos tienen extraña semejanza con Barbusse precisamente por su afán observador, nítido e implacable hacia las miserias humanas.

La infancia de Palacio no fue especialmente desdichada si no se piensa en este signo: "hijo de una señorita de buena familia (señala Hernán Rodríguez Castelo en la introducción a sus *Obras escogidas*), aquel "mal paso" de la dama se ocultó celosamente a la inmisericorde sociedad pueblerina". Desde entonces Palacio sufrió una doble orfandad, con la ausencia de una madre que existía. Ya adulto, pasados los treinta, la actividad literaria empezó a declinar por otras actividades: con el curso de los años, Palacio fue abogado, profesor universitario, decano de la Facultad de Filosofía y Letras, autor de ensayos filosóficos como el "Ensayo sobre la palabra verdad" y el "Ensayo sobre la palabra realidad". También secretario de la Asamblea Constituyente; ya en esa época, como testimonia otro Carrión (esta vez Alejandro, citado por Rodríguez Castelo), comenzaron a manifestarse en él algunos rasgos de la locura, que se mezclaban (y quizá hasta lo hubiera querido de ese modo, de poder decidir) con su talento humorístico: "a veces trastocaba palabras y los legisladores achacaban el glamoroso resultado a la "maldad" de Pablo. Tal, por ejemplo, cuando anunciando el resultado de una votación, dijo: *Por el honorable Fulano de Tal, sesenta votos. Por el honorable Zutano de Cual, cuarenta centavos.*

Si la anécdota no fuera verdadera, merecería serlo. El humor de Palacio en su literatura había sido ácido, inclemente, ajeno a cualquier fácil compromiso. Sus contemporáneos, a su vez fueron incomprensivos respecto de una obra que contravenía las corrientes del momento con formas introspectivas, inusuales, aparentemente fantasiosas y evasivas de lo real. No resultaba tampoco casual que sus personajes fuesen marginados, "excepciones", tales como el pederasta, el antropófago, el loco, el deforme, qunque en la composición de sus criaturas es cierto que llevaba a extremos distorsionantes la nueva verdad y realidad que había creído encontrar contra todos los vientos imperantes. Lo que no es posible desdeñar como hecho significativo y paradójico es que al mismo tiempo que se indicaba a Palacio como un escritor de la evasión "individual" (eran épocas en que la didascalia se ponía al servicio de la literatura y viceversa) el autor era un ferviente militante —y fundador— del Partido Socialista. Acaso, si hoy se leyera su obra con un prisma diferente y desapasionado, podría comprenderse que las disecciones minuciosas de las miserias burguesas de la subjetividad fueron más eficaces y auténticas que las toneladas de realismo bien intencionado.

Más que los "temas" habría que decir las "obsesiones" de Palacio. Obsesiones que en sus tres libros narrativos circulan alrededor de muy pocos puntos, casi siempre reiterados: la muerte, la ausencia de madre, la desconexión del mundo, la descolocación social, la conciencia de ser observado y juzgado al mismo tiempo que se pide juicio y observación. Estos son los puntos que reflejan y emplean sus cuentos. Así, en "Un hombre muerto a puntapiés", el narrador quiere reconstruir una noticia del periodismo rojo: la muerte de un "vicioso" en plena calle. A partir de ese hecho (¿cómo puede un hombre morir a golpes?, ¿qué explica una saña tal?) se recorren y calculan las distintas posibilidades en que pudo advenir la muerte hasta plasmar una "versión" cuya fuerza descriptiva afirma como verdadera, aun cuando pueda con igual verosimilitud no serlo. Si el cuento se ha destacado siempre (y al grado de ser, a mi juicio, pieza obligada en cualquier antología del cuento hispanoamericano) es porque une la frialdad del pesquisante matemático (discípulo de Poe) y el motivo patético de un solitario —solitario hasta por su enfermiza necesidad de contravenir el orden social—. Es muy admirable su manera de dar en tan pocas páginas una "cómica" y a la vez "patética" intensidad, como aquí el cuentista logra hacerlo. Los otros cuentos no son tan plenos aunque abunden en chispazos de real talento. "Antropófago", es, como el anterior, la amplificación narrativa de una noticia policial, pero incurre en demasía expresionista con su cierre goyesco y truculento de un padre comiendo a mordiscos a su hijo. "La doble y única mujer" constituye un *tour de force* literario pero asombrosamente hábil pues el narrador hace hablar a su personaje en las dos primeras personas verbales a la vez (yo/nosotros) ya que éste es una mujer físicamente duplicada y al mismo tiempo con una sola personalidad. "Brujerías", "El cuento", " ¡Señora!" y el resto de las piezas que componen *Un hombre muerto a puntapiés* son ejercicios más o menos redondos y cumplidos en los que el particular humor de Palacio encuentra anécdotas, pequeños episodios, para justificarse. Si las dos novelas cortas siguientes —*Débora* y *Vida del ahorcado*— podrían ser llamadas obras "mayores" del mismo narrador pese a su brevedad, igualmente cierto es que estos cuentos las estaban preparando y quedaron a su espera.

Débora y *Vida del ahorcado*, no son, sin embargo, novelas en el sentido tradicional del término. Cada una cuenta prácticamente con un solo personaje que no hay que andar mucho para identificar con el autor, pero carecen de otra "progresión" narrativa que la del conocimiento subjetivo de sus mentes azarosas. Cuando en 1930 Palacio publicó *Vida del ahorcado*, la subtituló *"Novela subjetiva"*, con razón. Y es que nada cuentan, no hay hechos objetivos y verificables, historias para ser desplegadas en el tiempo y en el espacio de la ficción.

La literatura de Palacio era por cierto aislada e individualista porque estaba creada a partir de presupuestos insólitos. Contra el romanticismo, contra la falacias de gran parte del indigenismo, Palacio creyó encontrar la autenticidad en otras zonas. Algunas de ellas son el producto de la elección y el raciocinio, otras parecen impuestas como mórbidas verdades que por su parte el desprecio burgués certifica. De ese modo, por ejemplo, quiso ver en los "deshechos" estéticos la carnadura vital: "Sucede que se tomaron las realidades grandes, voluminosas", decía Palacio, "y se callaron las pequeñas realidades por inútiles. Pero las realidades pequeñas son las que acumulándose, constituyen una vida". Lejos del impresionismo tipo azoriniano, su concepto de "pequeñez" alude a otra realidad, tiene connotación más aséptica y brutal: lo pequeño es lo que acostumbramos despreciar, no es solamente la miniatura hermosa sino también lo horrendo. Y sin que consideremos lo horrendo en su cualidad "negativa": "Eso de ser antropófago es como ser fumador, o pederasta, o sabio". Por este peligroso camino Palacio decide transitar y no tiene ayudas ni tradiciones corroborantes; la empresa es superior a sus fuerzas, y de ahí las grietas que a menudo se perciben en sus textos, ya que había gran desproporción entre lo que quería hacer y una realidad resistente a su fantasía.

Creo que por eso su literatura busca el único interlocutor posible: el lector. No hay identificación entre el narrador y lo que relata (por el contrario, se establece una "distancia irónica"), pero en cambio entabla un diálogo directo con el lector y llena sus cuentos con expresiones como "medite usted...", "Pero no les oiga...", "Figúrenselo ustedes...", "Véanlo a él...", que están intermediando y comentando la acción misma a medida que transcurre. Ese lector (que Baudelaire insultaba pero exigía: *Hypocrite lecteur, mon semblable, mon frère*) es la única tabla salvatoria, su última posibilidad de tomar contacto humano. Porque por debajo de ese humor "deshumanizado", de la "amoralidad" que consiste en dar igual categoría a seres sociales y a parias, alienta un desesperado humanismo cuya primera acción concreta es desmentir los falsos humanismos. Tal vez por esto, la obra de Palacio es necesariamente híbrida, por esto no llegó a su madurez definitiva, absorbido por narrar sus miedos y certezas al mismo tiempo que exigía acuciosamente del lector la lucidez en torno a ello.

Por lo demás, las facultades literarias de Palacio están fuera de cuestión. *Vida del ahorcado*, por ejemplo, da pruebas de ese talento a cada instante con una prosa de notable fuerza expresiva: "Aquí estoy colgado en el bosque, en uno de esos hermosos bosques de la ciudad, cercados, amurallados, y enrejados como cárceles". "Tengo miedo de las tinieblas. ¿Cómo puede uno dejarse engullir y cegar por las tinieblas? Mira: yo cierta vez tuve una madre; pero esta madre se me perdió de vista sin anunciármelo. Entonces he tenido esta sensación: que en el lugar se habían hecho las tinieblas y que mi madre estaba allí, en lo negro buscándome a tientas".

Y es precisamente en esa novela donde Palacio imagina, si bien en forma indirecta, su juicio terrenal y donde toma conciencia de su soledad y marginalidad, mientras resuenan los ecos de una sociedad que no cesa de deponer testimonios adversos y de desear que caiga la sentencia sobre el solitario.

"Los representantes de los burgueses (dicen):

"— ¡Es un bolchevique!

"Los trabajadores sin pan:

"— ¡Protestamos! Es un burgués y de la peor clase. Es el último burgués. Ya va a descomponerse. Está irremisiblemente perdido. El bolchevique es un hombre alegre y sabe amar la vida porque la toma como ella es, jubilosamente. Es un burgués, ¡que se lo ahorque!

"Los representantes de los burgueses:

"— ¡Qué se lo ahorque!, pero es un bolchevique. No ha amado a su patria y ha conspirado secretamente contra el orden. Ha insultado a la autoridad y no ha respetado sus mandatos. Ha hecho mofa de nuestro arte.

"Los amantes:

"—Bueno, al fin ¿qué importa eso? Un bolchevique o un burgués, ¡psch! Ante todo ha sido un ente despreciable. Tenía un concepto errado de la vida. Más bien no tenía un concepto de la vida. ¡Era un imbécil!"

El reo, en el cielo o en el infierno, hoy sonreiría socarrona y amargamente.

1973

Advierte García Márquez, refiriéndose a *La oveja negra y demás fábulas:* "Este libro hay que leerlo manos arriba: su peligrosidad se funda en la sabiduría solapada y la belleza mortífera de la falta de seriedad". Sana advertencia porque el humor de Monterroso —que a veces se convierte en sátira— nos toca a todos por igual, desde el momento en que respiramos, somos humanos, cometemos errores y caemos en actos ridículos. Pero detrás de la sátira hay en Monterroso un mar de la tranquilidad, duro y amargo, que revela sin pretender revelar, vida vivida y desencantos trasmutados en "sabiduría" del texto.

Después de treinta años de residir en México (1944 a 1953, 1956 hasta hoy), cabe preguntarse si el guatemalteco Monterroso —que vivió las vicisitudes políticas de su país, sufrió a Ubico, fue diplomático con Arévalo y luego exiliado—, no pertenece ya a esta cultura, o, mejor, si el mexicano Monterroso no tuvo acaso el accidente de nacer y vivir la adolescencia en Guatemala. De todos modos, pendiente o anulada la respuesta, lo cierto es que los libros de Monterroso, breves, escuetos y casi perfectos *(Obras completas y otros cuentos,* 1959; *La oveja negra y demás fábulas,* 1969 y *Movimiento perpetuo,* 1972) pertenecen a la literatura latinoamericana y dan el ejemplo singular de una coherencia vocacional que es, como el propio autor, difícil y huidiza, crítica y autocrítica, tímida y osada.

I

—Entre los escritores cautelosos pondría dos casos: el de Borges y el tuyo. Durante un tiempo Borges no escribió directamente narrativa sino formas oblicuas de narración, porque, según él, lo intimidaba la literatura. ¿Por qué eres cauteloso tú?

—Por miedo.

—¿A qué atribuyes ese miedo?

—Tal vez a que soy autodidacto y a que nunca he creído ser escritor. Todavía ahora cuando me enfrento a la tarea de escribir algo lo hago como lo hacía a los diecinueve o veinte años: completamente desarmado. Nunca he podido superar ese miedo que tú llamas cautela.

—Lo curioso es que tu humor y la soltura de tu estilo saben esconder muy bien ese miedo.

—Los animales muy cautelosos se disfrazan, o se mimetizan; pretenden ser otra cosa. Probablemente yo me haya estado disfrazando de hormiga por el temor de presentar demasiado blanco ante el público o ante mis amigos. Quizá no tener estudios académicos me haya hecho así y de ahí parta todo.

—Entonces háblame de eso.

—Yo prácticamente no fui a la escuela, por lo menos no terminé la primaria. Cuando me di cuenta de esa carencia, a los dieciséis o diecisiete años, me asusté y traté de superarla yendo a leer a la Biblioteca Nacional de Guatemala, sin lograrlo. Subconscientemente todavía estoy haciendo la primaria, preparándome para la primaria. Quizá por eso me gusten tanto los textos escolares, sobretodo ahora que ciertas cosas mías aparecen en alguno que otro. Es una sensación extraña: los miras por casualidad y de pronto te encuentras allí, e incluso te piden que señales tus propios pluscuamperfectos.

—¿Qué te llevó a tomar conciencia de esa necesidad?

—Bueno, lo que nos lleva a muchos a leer o a escribir: ciertas incapacidades físicas para compartir otras experiencias de muchacho: los juegos, los deportes. Inhabilidades, timidez, timideces. De niño fui malo para correr, para cualquier ejercicio, para nadar. Siempre recuerdo a alguien, sobre todo a mi hermano, sacándome del río una y otra vez, medio ahogado. De pronto, al llegar a la adolescencia me encontré con que carecía ya no sólo de educación sino de cosas tan elementales como zapatos presentables ante las muchachas de que te enamoras y, como consecuencia, de otras cosas necesarias, como soltura o audacia para agarrarles la mano. Entonces te refugias en los libros, o en billares de mala muerte. Por otra parte, yo suponía que cualquiera que hubiera hecho una carrera forzosamente lo sabía todo. Con el tiempo me he ido dando cuenta de que eso no siempre es así pero en ese momento yo sentí la necesidad de saber algo y de empezar por los nombres más universalmente conocidos. La idea era ésta: con sólo mirarme, ese señor se va a dar cuenta de que no he leído a Cervantes, a Dante, a Calderón de la Barca, para no hablar de Gracián y Andrés Bello y don Juan Manuel y... Medio pesadilloso, ¿no crees? Pero en fin, así era y así sigue siendo. Hace apenas unos años trabajé en la edición de las *Obras completas* de Alfonso Reyes corrigiendo las pruebas de galera. Nunca me atreví a ver personalmente a don Alfonso por el temor de que de pronto me preguntara: "Oiga, Fulano, ¿se acuerda de tal verso de Tirso de Molina?", y yo naturalmente no lo supiera. Qué le vamos a hacer.

—De modo que un sentimiento de gran carencia despertó en ti una gran ambición.

—No necesariamente ambición. Sólo me hizo sentir cada vez más pequeño ante la literatura. Los modelos que yo veía eran tan inmensos que de ahí puede venir esa cautela que señalas.

—¿Dejaste la escuela por necesidad de trabajar?

—La escuela la dejé por aburrimiento, por pereza y por, ¿otra vez?, por miedo. Por necesidad económica comencé a trabajar desde los quince años.

—¿En cosas muy ajenas a tu inclinación?

—Si yo tenía alguna inclinación, no lo sabía. Trabajé en una carnicería desde los dieciséis años hasta los veintidós, o algo así, absolutamente todos los días del año, excepto el Jueves Santo, porque el Viernes Santo no se vendía carne. Durante más de dos años mi trabajo comenzó a las cuatro de la mañana, excepto ese jueves increíble. Caminaba hasta el rastro unas cuarenta cuadras, lo que ahora veo como un gran bien: tal vez durante esas madrugadas comencé a reflexionar en lo que leía. Durante el resto del día se presentaba la oportunidad de robar bastante tiempo para leer. Todavía despierto con la pesadilla de que los patrones me sorprenden leyendo. Estudiaba gramática y latín (llegué hasta *rosa rosae)* y trataba furtivamente de traducir cosas de Horacio, de Fedro. Por cierto que encontré un jefe sumamente amable, de nombre Alfonso Sáenz, que me regaló libros, entre otros las obras de Shakespeare, en las ediciones de Blasco Ibáñez. También me dio a leer de lo que era la buena literatura. Este señor me hablaba también de Juvenal y me hizo leer las novelas de Víctor Hugo y creo que hasta las cartas de Madame de Sevigné. Nunca lo he vuelto a ver ni a saber de él.

—¿En esa época tu afición era sólo a leer o también a escribir?

—Solamente a leer. Era demasiado consciente de mi ignorancia como para intentar algo, aunque finalmente lo hice, creo que por 1941 o 42.

—Muchas veces, dados sus resultados, la enseñanza académica no es mejor que el aprendizaje por uno mismo.

—Ser autodidacto es aleatorio y uno ve cómo se las arregla, pero de ninguna manera recomendable. Todo el mundo debería tener estudios serios. Yo no los hice por pobreza y por miedo a los exámenes. En realidad dejé la escuela por esto último, pero todavía lo estoy pagando.

—Quería preguntarte si eras un lector breve, como eres escritor breve; pero ya me lo has contestado y la respuesta es negativa: trataste de leer todo lo que tenías a la mano.

—Sí; soy más lector que escritor. Dedico muy poco tiempo a escribir.

—¿Cómo te sientes ante Proust, Mann o Musil, autores de muy amplia obra, como lector?

—Como de costumbre, a Mann y a Proust comencé a leerlos por cierta obligación, pero terminé por tomarles el gusto, sobre todo a Thomas Mann, a quien leíamos más en los cuarentas. Remontar *La montaña mágica* mientras veía pasar frente a mí los cuartos de las reses fue maravilloso. Proust se afianzó más tarde. Necesité otro ambiente y otro tiempo para acostumbrarme a su ritmo.

—¿Te interesa la novela, como lector?

—No soy muy lector de novelas, pero no porque prefiera los cuentos u otro tipo de narrativa. Ahora casi sólo leo biografías, memorias, ensayos y periódicos. En cuanto a las novelas, leo con gusto trozos de muchas; en realidad más bien las examino. A no ser por razones técnicas o puramente de forma, no entiendo cómo alguien dedicado un tanto a este oficio puede interesarse en una novela muy extensa de hoy (aunque sí entiendo que la escriba): la mayoría de las norteamericanas son vulgares, las rusas y las inglesas no existen, las francesas son afectadas o aburridas hasta lo indecible (todas las latinoamericanas son perfectas, pero tienen el defecto de ser muchas). Incluso un estilista tan consumado como Nabokov sólo logra llevarme a una tercera parte de las suyas. Me imagino que las novelas, algunos cuentos muy largos, quizá hasta las películas, están hechas para los que no saben cómo se hacen, y es un gran bien no saberlo. Desgraciadamente, hoy sé que los personajes de las novelas no son reales; en cambio, fueron y siguen siendo reales Alonso Quijano, Lemuel Gulliver, Huckleberry Finn y, ¡ay! Leopoldo Bloom. Sin embargo, como personas y como escritores los novelistas me dan envidia: ¡Qué manera de tener ocupada la propia mente!

—Una vez te oí decir que no te gusta Musil, en presencia de García Ponce. ¿Lo hiciste para polemizar con él, que es muy musiliano, o bien así lo sientes?

—Supongo que lo hice para conversar más a gusto. Pero en realidad nunca pude comprender a Musil, o mejor dicho, *sentir* a Musil. Intenté con buen ánimo leer *El hombre sin cualidades*. Las primeras cincuenta páginas me parecieron fascinantes, las segundas también, y pensé que sucedería lo mismo con el resto. Desgraciadamente me di cuenta de que era siempre igual, siempre igual, y de que él sabía que era irónico.

—Pero tú eres irónico, ¿no?

(Respuesta censurada)

—Me refiero a que has escrito mucha sátira.

—De vez en cuando la ironía es un buen elemento retórico de la sátira. Pero, a no ser como ironía, ¿cómo puede uno pensar: "soy irónico"? La ironía está bien para cuando uno se pelea con su mujer, aunque generalmente es ella quien la usa. En cualquier texto, satírico o no, puede entrar la ironía, pero como recurso literario, no como característica personal, y menos consciente del autor. ¿Te imaginas lo ridículo que habría sido si Cervantes en su autorretrato hubiera dicho: Este que veis aquí, de rostro aguileño, de espíritu irónico, etc? Me pareció que Musil casi lo decía.

—Creo que la ironía de tu sátira se advierte más en *Obras completas (y otros cuentos)*. Allí creo advertir mayor intención irónica al establecer diferentes casos, como el de la concertista con su padre influyente, el del escritor por fuerza de voluntad, el del productor de conmiseraciones, el de la Primera Dama. Es decir, ahí hay una dirección tuya, que tiende a determinados ejemplos personales y sociales. Para confirmar esta sospecha te preguntaría: ¿tienes la experiencia de gente que se haya sentido aludida en tus textos?

—Hay varios casos; pero uno es excepcional.

—¿Alguien se sintió aludido? ¿Cómo reaccionó?

—Estaba aludido, casi nombrado. El cuento se lo di a leer al propio personaje. Era un gran amigo mío, y me pareció ético que fuera él el primero en leerlo antes de enviarlo a la imprenta. Es ese cuentecito en que alguien propone el servicio de una radiodifusora especializada para que las gentes relaten desde ella, todos los días, sus tristezas, sus penas y sus angustias. El personaje era bien conocido entre nuestro grupo de aficionados a la literatura; el prototipo de esas personas que dedican prácticamente todo el día a contar a los demás sus aflicciones y sufrimientos. Todos somos un poco así; pero en aquel tiempo él había llevado la cosa a ciertos extremos. Cuando el cuento estuvo listo, al primero que se lo mostré fue a él. "Este soy yo, ¿verdad?" Y fue tan elegante que incluso me ayudó a corregir el estilo, echando a perder por un momento el dicho de Horacio según el cual nadie se reconoce en una sátira.

II

—Una curiosidad: ¿por qué pasaron diez años entre este libro y *La oveja negra y demás fábulas* (1969)?

—Tal vez por la cautela de que hablaste al principio, y porque soy lento para escribir y generalmente muy perezoso.

—Pero entonces me llama la atención que después de *La oveja negra*, no se hiciera esperar mucho el libro siguiente: *Movimiento perpetuo* (1972). ¿Continuaste escribiendo en esos diez años?

—En esos diez años hice los dos libros, que aparecieron en fechas diferentes y más o menos cercanas, de la misma manera que hace quince años estoy escribiendo otro, que voy a publicar no sé cuándo. Los tres se han ido haciendo paralelamente y publicándose cuando cada uno ha adquirido (o vaya a adquirirla, en el caso del que preparo) su forma de libro.

—Y son diferentes entre sí.

—No entiendo muy bien.

—Por ejemplo, *La oveja negra*, obviamente, está compuesto de fábulas, mientras que los otros no se disponen en esa forma ni tienen la misma intención estética.

—La explicación tal vez esté en que nunca me he propuesto escribir un libro; lo más que me propongo escribir es un cuento, un ensayo, algo breve. Quizá la única ocasión en que en un momento dado sí sentí que me lo proponía, por lo menos con alguna unidad de género, fue en el de fábulas.

—En *La oveja negra* entiendo que hay una unidad de escritura, no sólo porque son fábulas; también las escribías para completar el conjunto.

—Sí; por primera vez, cuando llevaba hechas unas diez me di cuenta de que podía escribir un libro en esa forma. Entonces escribí otras tantas. Y al escribirlas me aterrorizó la idea de que tenía que escribir el doble; pero seguí adelante, ya con la idea, sí, eso es, de completar un libro. Finalmente me permití, incluso, el placer de desechar una media docena que me parecieron aburridas. Los otros libros son cuentos o algo parecido que he ido publicando aquí y allá; no todo, claro.

—Tus libros me dan la impresión de un gran pesimismo esencial. ¿Lo reconoces?

—Sí, soy pesimista; pero creo que en mi caso el pesimismo es un optimismo. A veces me pregunto si no será una pose o algo así para hacerme el interesante conmigo mismo, puesto que si uno sigue haciendo cosas ese pesimismo no es tan absoluto. Me refiero a hacer cosas no necesarias para la mera subsistencia. Decir, como en este caso, que eres pesimista, lleva implícita la idea optimista de que alguien lo va a oír o a leer. Depende de tantas cosas. Tienes que ser forzosamente pesimista respecto del progreso, por ejemplo. Ésta forma de pesimismo sí la padezco: se seguirá desarrollando esta serie de destrucciones y esperanzas, destrucciones y esperanzas hasta el infinito.

—¿Qué piensas entonces?

—Que no hay esperanza.

—¿Que vamos hacia la destrucción?

—Estamos en la destrucción. No vamos a ninguna destrucción. Es fácil darse cuenta de que todo es la misma repetición, la misma estupidez. Y sin embargo, si en este momento tú me dices que vaya a una manifestación en homenaje a Salvador Allende yo iría con entusiasmo. ¿Qué clase de pesimismo entonces? Hay un pesimismo del instante próximo, y otro del día próximo, y otro del futuro de la humanidad. No quisiera ser de ese tipo de pesimista que no cree que la realidad contemporánea se pueda cambiar por una mejor. Claro que se puede. Lo que no podemos saber es qué va a pasar tres generaciones después. Es triste.

—El tuyo es entonces un pesimismo esencial; pero no obsta para que en la vida cotidiana, durante el ciclo de vida que te toca cumplir, intentes mejorar lo existente. Pero consideras que no está en las manos de una generación hacer el futuro.

—En todo caso, que no hay futuro, o sólo un futuro muy inmediato, y eso sí vale la pena intentar cambiarlo, pero ya.

—Esto lo relacionaría con tu sátira, que precisamente no es hiriente, sino que busca señalar los errores humanos para adquirir conciencia de ellos. En ese sentido te diría que es una sátira sana.

—Está bien.

—Pero asimismo con una base amarga.

—No sé. Un amigo me dijo que *Movimiento perpetuo* es un libro muy amargo, Pero estoy más acostumbrado a que me digan: qué divertido. Cuando ese amigo me dijo: "Tu libro es muy amargo", encontré que verdaderamente yo había puesto allí más de lo que imaginaba de mis propias experiencias que, por lo que veo, no han sido siempre muy placenteras, y yo no me había dado cuenta. ¿Es ésa la impresión que da el libro?

—Sí, es la impresión general. Analizándolo, puedes comprobar que hay textos muy amargos, y precisamente por eso quedan en la memoria, pasan más en el balance. Incluso pareces volcarte más en ellos. Aunque el libro no sea autobiográfico, se siente que estás hablando de ti con desconsuelo. Esa nota se encuentra en este libro más que en los anteriores. Aunque en todos tratas de los defectos humanos, creo que puede reconocerse un tono más personal, menos frío, aquí, en *Movimiento perpetuo.*

—Bueno, será algo inconsciente. Jamás me he propuesto escribir algo amargo o alegre. Empiezas alegremente y el mismo texto va sacando las vivencias escondidas, agazapadas quizá. Uno se hace la ilusión de que está hablando de otro e insensiblemente termina hablando de sí mismo.

—¿No explicaría eso que este libro tuyo es fruto de un periodo, de una instancia de vida determinada, diferente a las anteriores?

—No lo creo; todos mis libros abarcan muchas épocas, buenas o malas. El mundo entero sabía cuando Thomas Mann estaba escribiendo una novela, pues él lo anunciaba y ahora es fácil decir si en esa época su vida estaba bien o mal. Todo el mundo sabe que Schubert escribió *La trucha*, cuando disfrutó de una temporada en la casa de un amigo, vivió allí quizá sus únicos seis o siete días felices y por eso *La trucha* es tan alegre. Eso se puede determinar. Salvando las distancias, en el caso de los cuentos de *Obras completas*, por ejemplo, no, porque hay en ellos como doce años de trabajo. Su publicación es tardía —del 59— y en él hay cosas que escribí en el 46. Hay también en él diferentes humores. *Vaca* es producto de una vivencia real de cuando viví exiliado en Chile de 54 a 56. *Mr. Taylor* fue escrito en Bolivia, en 1954, y está dirigido particularmente contra el imperialismo norteamericano y la United Fruit Company, cuando éstos derrocaron al gobierno revolucionario de Jacobo Arbenz, con el cual yo trabajaba como diplomático. *Mr. Taylor* es mi respuesta a ese hecho y por cierto me creó una cantidad de problemas de orden estético. Yo necesitaba escribir algo contra esos señores, pero algo que no fuera reacción personal mía, ni porque estuviera enojado con ellos porque habían tirado a mi gobierno, lo cual me hubiera parecido una vulgaridad. Claro que estaba enojado, pero el enojo no tenía por qué verse en un cuento. Precisamente en los días de los bombardeos a Guatemala, cuando lo escribí, tuve que plantearme un equilibrio bastante difícil entre la indignación y lo que yo entiendo por literatura. Sinceramente, creo que lo logré. *Primera Dama* obedece también a una reacción de tipo político, pero muy diluida, digamos, para que finalmente el producto se pareciera a algo literario. (Entre paréntesis te contaré que en cierta ocasión una señorita me preguntó, para un periódico, si en lo que escribo hay algún mensaje. Yo le contesté que sí, que en todo lo que escribo hago llamados a la rebelión y a la revolución, pero desgraciadamente en una forma tan sutil que por lo general mis lectores se vuelven reaccionarios.) Pues bien, esta *Primera Dama* me sirvió para retratar a cierta clase media guatemalteca bajísima (es casi la única que hay) en el poder, y su actitud ante los problemas sociales. *Sinfonía concluida* es un cuento absolutamente gratuito: simplemente me gustó la posibilidad de que alguien encontrara en una pequeña iglesia de Guatemala los dos movimientos faltantes de la Sinfonía Inconclusa de Schubert, e imaginar qué sucedía; por supuesto, no tiene ninguna base en la realidad. Escribí *Leopoldo (sus trabajos)* por 1948, en una época en que yo mismo me sentía incapaz de escribir y no me decidía a ser escritor. En cuanto a *El concierto*, había una hija del Presidente Truman, ¿murió ya el presidente Truman?, entonces ya se puede contar. Había una vez una hija del presidente Truman que era cantante. Durante la presidencia de su papá dio conciertos y la prensa, excepto en dos o tres ocasiones, los comentó con benevolencia e incluso con elogios. El hecho es que ella daba conciertos aprovechando el poder de su padre. Yo vi que en eso había un tema, pero para no hacer tan evidente el lado político la convertí en pianista y al padre en un gran financiero que le podía pagar sus apariciones en público y atraerle un público y lograr buenas notas en los periódicos. Sin embargo, esta pobre mujer se fue convirtiendo en el cuento, de protegida de su papá, en algo que no era lo que yo quería. El tema se transformó en el de la duda del artista respecto del elogio y el éxito. Después de los conciertos ella oye los aplausos y más tarde ve que las críticas son favorables, pero curiosamente, a medida que éstas lo son más, de alguna manera intuye la realidad de que todo aquello no es cierto, de que entre más elogiosas, las críticas son menos reales. Ha adquirido el sentido de la duda. Debe de ser una inmensa dicha no tener ese sentido. Al escribir el cuento, en un momento dado experimenté toda la angustia que esa mujer podía sentir. De modo que comienzo dizque satirizando a ese ser que nada me importa, o que me importa nada más como tema, pero termino más bien revelando algo que está en mí o descubriendo que esa señora, como diría Flaubert, soy yo. En el fondo de uno mismo, ¿cuál es la realidad? Supongo que todos los que escribimos (o pintamos o contamos) nos hacemos alguna vez esa pregunta. ¿Cómo se sentiría el boxeador Primo Carnera, campeón de peso completo del mundo, cuando supo, si alguna vez lo supo, que todo había sido una manipulación para hacerlo campeón? Es un tema muy divertido.

III

—Hablamos ya de la escritura de *La oveja negra y demás fábulas*, pero quiero preguntarte por tus temas: ¿cómo surgieron?

—Fueron hechos en un solo impulso de alrededor de un año. Sin embargo, los temas y las vivencias, o las cosas que yo quería expresar, estaban ya en cuadernitos y en anotaciones desde mucho tiempo atrás: pero sucede que yo no encontraba la forma de expresar todo eso. No me gusta repetirme. Personalmente siento que uno no debe encontrar jamás una fórmula (mejor que "forma"). Por eso en esas fábulas hay muchos estilos, diferentes extensiones, distintas perspectivas, varios "puntos de vista". Insisto en que en cierto modo es fácil encontrar un estilo personal o una manera que uno declara ya apta. ¿Cómo te diré? Supongamos que el cuento *Primera Dama*, como es la realidad, me gusta mucho, que me salió bien, entonces el próximo cuento lo voy a escribir dentro de esas características y voy a hacer diez o quince con el mismo procedimiento y a publicar un libro. Pues no, no puedo. Después de hacer ése, por alguna causa misteriosa siento que ya no debo hacer otro ni siquiera parecido. Bueno, el caso es que tenía, por esa razón, muchos proyectos de cuentos que no hacía. Y así fue como un día escribí más bien una fábula (cosa que nunca había intentado) y otro día otra, y otro otra, hasta que me di cuenta de que había encontrado el género que necesitaba.

—A tus ejemplos de no reiteración yo añadiría uno de tus cuentos más famosos, *El dinosaurio*. Nunca lo reiteraste, no intentaste otros de igual extensión mínima. Un autor diferente hubiera tratatado de escribir nuevos cuentos de una sola línea, como explotando el filón.

—Puede ser. En vez de buscar la seguridad yo me aferro a la inseguridad, la aventura, o como quiera que se llame, lo cual aparentemente es muy neurótico. Por esa razón, como te decía al principio, siempre que me pongo a escribir algo nuevo es como si tuviera dieciocho o diecinueve años y me encuentro tan desarmado como a aquella edad. Tal vez por eso casi no escribo; ésa es la verdad.

—Me hablabas de las fábulas.

—Bien, el género estaba encontrado, pero incluso dentro del género procuré no usar una fórmula.

—¿Tus apuntes, entonces, no tenían forma de fábulas, eran simplemente apuntes que utilizaste al encontrar ese estilo, ese género?

—Sí; eran contemporáneos de otros textos, pero nunca realizados antes de encontrar el género. Bueno, me dije, vamos a hacer fábulas. Naturalmente, eso me preocupó mucho. ¿Cómo hacer fábulas? No debían ser como las de Iriarte y Samaniego. Había también fabulistas modernos como Thurber, Bierce u otros. Eso también me creó problemas porque yo no quería hacer lo mismo. Una vez embarcado en el proyecto, de puro miedo comencé a adquirir las fábulas completas de Esopo, La Fontaine, etc., con ánimo de leerlas todas y aprender a hacerlas. Pero me di cuenta de que eso era una tontería, de que precisamente no debía leerlas y hacer lo mío como Dios me diera a entender. Quizá habrás leído u oído decir que en algo se parecen las mías a las de Thurber. Creo que se trata de una comparación algo mecánica. Soy gran admirador de Thurber, pero casualmente no del fabulista (del cual leí hace años algunas traducidas por Jaime García Terrés) sino del ensayista, del caricaturista, y sobre todo del autor de uno de los mejores cuentos que jamás se hayan escrito: *La vida privada de Walter Mitty*, una especie de *Don Quijote* en seis páginas.

—¿De modo que no volviste a consultar nada?

—No; si tenía una especie de idea inmanente de lo que es una fábula, como todo el mundo, ¿para qué buscar más?

—¿Cómo encontraste la "forma"?

—Haciéndolas, y dejándome llevar un poco por el instinto hasta que cada tema tomara sus propias dimensiones y su propio lenguaje. Se puede ver en algunas, como *La parte del León*, que empieza exactamente con las mismas palabras de una de Fedro. Tiene forma no en verso, pero sí clásica. Al contrario, cuando hice una sobre Kafka tuve que usar un lenguaje moderno, con una concepción diferente, circular, que diera una idea del infinito, tal como salió, espero. Hay otras contadas en el estilo de Víctor Hugo o Tolstoi, como *La Jirafa que de pronto comprendió que todo es relativo*. Aparecen en ella dos ejércitos que se enfrentan. Yo tenía en la mente las batallas de *La guerra y la paz*, o las de *Los miserables*, Waterloo y esas cosas. Es una tontería decir esto, pero mi problema era cómo describir una batalla en media página usando las grandes frases de la novela histórica del siglo XIX: "Los generales arengaban a sus tropas con las espadas en alto, al mismo tiempo que la nieve se teñía de púrpura con la sangre de los heridos", etc.

Claro que en donde vive la jirafa no hay nieve ni de broma. Otra, *Gallus aureorum ovorum*, pretendí escribirla en el estilo que lo hubiera hecho Tácito (en la traducción de Coloma que todos conocemos, por supuesto). La anécdota de *Gallus* es tan vulgar que necesitaba estar revestida de un tono absolutamente severo, e incluso hay en ella referencias al propio Tácito y hasta al poeta Estacio. Así que en ninguna hay una forma o fórmula que hubiera servido para las otras. Cada una exigió su propio tratamiento.

—¿Qué me dirías sobre *Movimiento perpetuo?*

—Es un libro misceláneo: yo no "quería" hacerlo desde un principio. Se fue haciendo con pequeños ensayos y cuentos de diverso carácter; algunos textos fueron escritos para él, otros estaban hechos sin saber que irían a parar allí. No tengo mucho que decir sobre este libro, tal vez porque está demasiado cerca. Es como una antología personal de cosas que he ido publicando aquí y allá; como de mis otros libros, espero que no tenga ninguna unidad.

—Primero pruebas tus textos en otros campos. Pero el próximo libro, la *Vida de Eduardo Torres*, ¿no será inédito, precisamente?

—No; lo he venido publicando por partes desde 1959, cuando el personaje apareció por primera vez en la *Revista de la Universidad de México* y creó un principio de polémica. Se trata de un sabio, un prócer de provincia, pero prefiero no hablar mucho de él. A pesar del tiempo trascurrido desde entonces, no quiero dar la impresión de que se lo he dedicado todo. Pasan muchos meses en que no le añado ni una línea, en que estoy haciendo otras cosas, pero preferentemente nada. No tengo ningún método ni disciplina para el trabajo. Retomo el libro cada tres, cada seis meses, y le añado una página o dos.

—Trabajando de ese modo, ¿no se te aleja el tema?

—No; el tema siempre va conmigo; lo que me da pereza es el trabajo. Tal vez sí sienta que el personaje se me ha salido antes de tiempo a la calle, pues muchos amigos míos lo citan ya como existente. Tengo cierta esperanza de terminarlo este año y de que sea un libro breve, de unas ciento veinte páginas. Pero eso es una ilusión; probablemente tendrá el doble. Me gustaría hacer una edición limitada para regalarlo a mis amigos. Creo que mi editor Joaquín Mortiz preferiría esto*.

—¿Lo escamotearías al lector cuando, como dices, ya ha tomado estado público?

—Tengo mis dudas.

—¿El libro tiene una continuidad interna, novelística?

—Tiene una diversidad interna y una unidad externa, aunque yo mismo no sepa muy bien qué quiera decir eso. Tal vez que también he usado aquí varios estilos. Su unidad consistiría en que todo el libro trata del mismo personaje. No sé si por esa razón parecerá una novela o quién sabe qué cosa. ¿Podríamos cambiar de tema?

—Quiero hacerte una pregunta, pero antes otra cosa preámbula: ¿*La cucaracha soñadora* es un homenaje a Borges?

—No se me había ocurrido; pero me gustaría pensar que todo lo

---

* El libro apareció en 1978: *Lo demás es silencio.*

que he publicado es un homenaje a Borges.

—Esa era precisamente mi pregunta: ¿cómo consideras a Borges?

—De alguna manera eso está contestado en un texto de *Movimiento perpetuo*.

—Entonces, parafraseando ese texto, te preguntaré si la lectura de Borges ha sido para ti "benéfica" o "maléfica".

—Creo que benéfica, porque siempre me di cuenta de que en él había una parte maléfica: su propio brillo. Los que se le acercan demasiado caen achicharrados. Borges es tan él que imitarlo es fácil, y muchos han caído en su trampa. Se explica: es más tentador imitar a Góngora que a Garcilaso, pero más difícil lo segundo. Por otro lado, Borges nos ha enseñado mucho: todo un mundo de literatura, y tras de ese mundo, otros, de rigor de imaginación. Nos ha enseñado hasta cómo no se debe ser en política, si es que sus declaraciones no son simples bromas de mal gusto. Pero hasta en eso sería primero: el escritor importante de más mal gusto político de América Latina, como para Premio Nobel. Bueno, en este terreno tal vez hay otros, pero aunque quisieran que se les notara, se les nota menos.

1976

—¿Cómo relatarías tus orígenes literarios? ¿Comenzó muy temprana tu afición por la lectura y la escritura? ¿Qué fue lo primero que publicaste y cómo se recibió?

—Fui aficionado a los libros desde muy niño, pero no a leerlos sino a mirarlos, manejarlos, desarmarlos. Con mis hermanos leíamos un libro en equipo, lo deshojábamos y nos íbamos pasando las páginas de una por una; así leímos *Hambre* de Hamsun, acostados, echando a volar las hojas y agarrándolas en el aire; al final, las amarrábamos con hilo y vendíamos el ramillete a un librero de la calle Independencia. Hoy, cuando recibo un libro paso largo tiempo sintiéndolo en mis manos, observo las tapas y las costuras, miro fechas y direcciones de imprenta, y luego me dijo ir, como quien entra a un laberinto al revés. Las primeras ediciones de Neruda son fascinantes por sus complejos colofones, esas historias de los tipos Bodoni, aventureros y vagabundos, esos números árabes y romanos, esos nombres de toda clase de personas que van recibiendo sus ejemplares por orden de estatura y según el peso, la porosidad y latitud del papel. Pero, volviendo a tu pregunta. Escribí una novela cuando era muy joven, tendría unos once o doce años. La tentación de escribirla me vino de una colección de libritos enanos que publicaba entonces la Editorial Letras, en Santiago. Tal vez sentí que podía y debía entrar en esa colección. Los volúmenes parecían tarjetas postales aunque venían impresos en papel de almacén. De los autores incluídos en esa colección no se acuerda nadie ahora. Yo los veía como héroes románticos, individuos con pipa que narraban viajes por la India y por Egipto y equívocas aventuras en bares de Valparaíso. Mi novela trataba de un cura que salía de su parroquia y atravesaba la plaza. Eso era todo. No le pasaba nada. En realidad, ¿qué podía sucederle? Pero la travesía de la plaza, la tarde de verano, los árboles y la gente en los escaños, deben haber encerrado un misterio muy grande para mí. También escribí una historia sobre Cristo y una jaula abierta. No recuerdo la trama, sólo esa relación de un momento entre el joven de los milagros, la prisión y el prisionero que no volaba. Después escribí un libro de poemas para una niña del barrio Recoleta. En seguida vino un periodo de ensayos o, más bien dicho, de sermones anarquistas que mi padre me hizo leer en alta voz para un hermano suyo, profesor de Trabajos Manuales y Lecciones de Cosas, hombre muy alto y flaco, cargado de espaldas, que hablaba con profunda voz de barítono y cuya opinión, por lo inesperada e incongruente, jamás olvidaré. Dijo: "Este niño tiene muy mal color". Nos habían cortado la luz en la casa porque no pagábamos y yo pasaba horas leyendo, escribiendo, tocando el acordeón, alumbrado por una candela. Mi tío tenía razón. Debo haberle parecido grisáceo. Nos gustaba la literatura y la música en casa. Mi padre se había ido a los lavaderos de oro de Las Cabras. Vivíamos con mi madre y dos hermanos en una extraña casa de la calle Maruri (ésa de los Crepúsculos de Neruda); en el amontonamiento de pisos ocupábamos la planta baja y arriba, muy arriba, en una especie de palomar, vivía una troupe de bataclanas y chansonieres argentinos. Hubiera querido conocerlos íntimamente, pero entonces yo era demasiado tímido. Ambicionaba ser bandoneonista. Sin embargo no tenía dedos para el instrumento. Después fui guitarrero, no de gran habilidad, aunque entusiasta, entonado y querendón. Por lo general, me va bien cuando guitarreo y canto. Se me olvidan las canciones, la letra, pero les voy poniendo palabras; a veces salen bien. Recientemente improvisamos una ópera en casa sobre el tema de la Reconstrucción Nacional. La percusión resultó interesante. La ópera duró varias horas, hasta la madrugada, para ser exacto, y en verdad podría decirse que no se acaba; lo cual es absurdo porque llega el momento en que ya no hay ruidos y los cantantes se van muriendo a la cama. Mis años de Maruri fueron de mucha pobreza y una especie de enamoramiento social-cristiano. Escribí un poema a propósito de eso. Dice así:

Vasta luz fue mi audaz adolescencia
con lentas marchas de banderas rojas
cuando el otoño coronaba de hojas
los viejos parrones de Independencia.

Casas de ladrillo guardan la esencia
de las higueras que el rocío moja
y a un lucero de su luz despoja
la noche que revela su violencia.

Sé que en el barrio de sonoras puertas
donde hice el memorial de mi pobreza
el fogón consumió la letra muerta

de una vergonzante moral burguesa.
Con puño en alto a Dios le abrí mi huerta
y de pan popular cubrió mi mesa.

En 1938 publiqué mi primer libro: *Recabarren*, la biografía novelada del gran líder obrero que fundó el P.C. chileno, participó en la fundación del Partido Socialista Argentino. Es un Libro Lírico que busca constantemente el do de pecho. En esos años se leía a Rolland, Barbusse, mucho Volga desemboca en el mar Caspio y mucho Cemento. Me aficioné a Lytton Strachey. Tenía 17 años cuando escribí ese libro. Me documenté en la pampa nortina, alojándome en casa de compañeros de la FOCH, viajando en camiones y en barco; junté una valiosísima correspondencia de Recabarren, tuve en mis manos su diario de vida, conocí a su compañera, entrevisté al primer oficial de carabineros que entró a su casita de la calle Lastra y firmó el parte de su suicidio. No creo que entendí bien la tragedia de Recabarren, pero la canté con buena voz. Algunos críticos me aplaudieron. Parece increíble. Hombres sumamente conservadores, al parecer enternecidos por mi juventud y mis esfuerzos, elogiaron el libro en *La Nación* y en diarios de la derecha. Recuerdo un hermoso artículo de Benjamín Subercaseaux y otro de Domingo Melfi. Mis profesores me abrazaban; buena gente, generosa y cariñosa; especialmente don Mariano Latorre que nos daba plata para comprar sopaipillas y vino tinto. Gran hombre, y muy buen mozo y muy lacho. Su novia de entonces era una estudiante morena a quien se llevaba en el tren nocturno al sur y por ella se agarró a puñetes una vez en la estación del ferrocarril, pero le pegaron, no sabía pelear. Escribía, en cambio, bellos cuentos de zorros y cazadores.

—¿*Consideras que la materia prima de un escritor es su experiencia personal? ¿Reconoces en tu obra una vena autobiográfica, hechos, vivencias, inclinaciones, aficiones?*

—Pienso que si algo sé en materia de escribir lo aprendí de un modo lento y difícil, particularmente en años de madurez, en que se ha perdido una forma entera de vida y se está escogiendo otra. ¡Cuánto tiempo perdido! ¡Y qué bien perdido! Si se consideran las personas que iluminaron mis días de hípico, los clásicos universitarios, las noches blancas de San Francisco y los regresos siempre al atardecer a un Santiago de árboles polvosos y tinajas llenas de cardenales. Los cuentos de *El poeta que se volvió gusano* y mi novela *Caballo de copas* pudieran parecer escritos por una persona suelta de cuerpo. Y no; son testimonios de una época dura y popularmente heroica. ¿Cómo es que dice Neruda "Dios me libre de inventar cosas, etc."? Así fue, pues. Recuerdo que cuando publiqué *Caballo de copas* Manuel Rojas me habló del libro no como cosa literaria, sino más bien como quien interroga al amigo que se salvó del terremoto. Esta novela y *Los días contados* son documentales de una picaresca sin sermones. Tengo especial afecto por *Los días contados* y los padres de la patria que allí recuerdo: el boxeador Victorio y El Palomo, maratonista del barrio. La idea para esta novela estuvo en remojo como treinta años. Se transformó en novela cuando las anécdotas dejaron de ser anécdotas y se hicieron parte esencial de lo que soy ahora. Todo boxeador retirado y todo maratonista que no llega jamás a la meta comprende y acepta la porción de eternidad que se esconde en la casa de su vecino y nunca lo pone en duda, nunca lo "cuestiona" como dicen los sociólogos. Por eso me gusta el "Torito" de Cortázar. Ese púgil sabe. Aprendió y no olvidará ya. (Debo añadir que Troilo —a juzgar por la genial entrevista que leí en *Crisis*— tambien aprendió y también sabe.) Pasa lo mismo con cierto tipo de jockey: me refiero a los escogidos que pueden, cuando la ocasión lo exige, usar el látigo con la izquierda y, si todo falla, *llevan* al caballo por el aire con las manos, mágico muñequeo, en el último tramo. Todo esto exige duro aprendizaje y maduración despaciosa. Poco brillo. Nada de técnica. ¿Técnica para vivir? ¿Para escribir? Para bailar, tal vez. Pero eso es otra cosa.

—¿*Cómo ves el proceso de tu obra narrativa desde el primer libro publicado hasta* América, Amérikka, Amérikkka? ¿*Cuáles han· sido los principales supuestos y presupuestos de tu obra literaria*?

—Hay constantes obvias en la literatura de mi generación, no es necesario repetirlas; sí me parece más significativo hacer notar cambios de énfasis, de tono, acaso una variante decisiva respecto al punto de vista con que consideramos a la sociedad que vimos morir. Hace sólo unos años podía hablar de literatura de combate con cierta perspectiva y hasta alguna tranquilidad. Así narré en *Mañana los guerreros* la trágica aventura de los nazis chilenos de 1938. Nada se me revuelve allí y la cosa sale armoniosa. Hace unos meses, apenas poco más de un año, escribía y hablaba sentenciosamente de cómo los trabajadores de la cultura ayudábamos a construir el socialismo en Chile. *Literatura y revolución*. Hoy, que se nos vino abajo el techo y tanteamos desconcertados a ver si encontramos una puerta abierta, reúno mis pertenencias, todas mis armas, lo que sé y lo que adivino, me arrincono como puedo y resisto. ¿Qué va de una literatura de combate a una de resistencia? El camino de los mitos que se deshicieron a tiros. Es posible que no haya tiempo de escribir ya. Las crisis de violencia exigen una literatura de resistencia, no exactamente una literatura revolucionaria. Esa seguirá. A la violencia que nos aventó de la patria he respondido con un libro titulado *El paso de los gansos*. Ese proceso a que tú te refieres parece venir desde una joven y lírica militancia, a través de un neorrealismo picaresco, hasta un testimonio presencial porque, como dije, se desplomó todo y es necesario volver a comenzar. Cuesta abajo o cuesta arriba, da lo mismo: no le importa al maratonista que no encontrará ya la meta.

—*Desde hace muchos años enseñas literatura en los Estados Unidos. ¿Cómo has podido —cómo se puede— mantener la cualidad latinoamericana frente al sistema*?

—Quisiera decir que no se puede, pero no es verdad. Se puede, si uno resiste con dientes y muelas. Como sea. Mi experiencia se reduce esencialmente a esto: convivir con rebeldes, aprender de los jóvenes que destaparon la olla, insistir hasta la locura en la santidad feroz del lenguaje, vivir, pues, metido en un poncho y sobrevivir en la hermandad de gente solidaria que es igual aquí y en la quebrada del ají. El sistema a que te refieres da la impresión de ser una bola abierta y su vacío, transitable. Pero la verdad es otra: el Sistema acepta todo basándose en la premisa de que el extremista producirá su propio anti-cuerpo y terminará siempre liquidándose a sí mismo. Quienes no entran en el Sistema dan vueltas agarrados a la orilla del disco que cada día aumenta de velocidad. La mayor parte de la gente con quien he convivido, especialmente en San Francisco, siente ya la quemadura en los dedos y empieza a soltarse y, como en las ferias, va a dar a lugares imprevistos. Pero esta gente se levanta y se aleja por sus propios pies. Quisiera aprovechar la oportunidad para decir unas cuantas cosas con la gravedad que se usa en los primeros días de un año nuevo: fue un triste error vivir tantos años fuera de mi tierra, me dolerá hasta el fin; un escritor, si ha de enseñar en una universidad, enseñará a dudar de todo y pondrá al estudiante en la cátedra y él se colocará en un rincón, castigado, vuelto para la pared; la universidad, como las revoluciones, no puede institucionalizarse (¡qué palabrota!), su razón de existir está en el poder de la improvisación, en la bancarrota de la memoria, en el triunfo del olvido; yo no profeso, tú no profesas, él profesa, nosotros no profesaremos, vosotros profesaréis, ellos se joderán; me gustaría convivir siempre con los estudiantes, nací para adolescente; mi curso favorito es uno que llamo "Poemas y canciones de protesta" en que mis alumnos escriben y cantan, como dice el título, y yo protesto; la universidad no es la madre del cordero, la calle es la madre del cordero; díme con quien andas, dice el Rector militar, y te sacaré la mierda. ¡Así no se puede enseñar! ¿Y quién me metió a enseñar? ¿Quién tirará la primera piedra?

—*Durante el gobierno del Presidente Allende tú cumpliste un papel significativo en la vida diplomática y por ende política. ¿Cómo se relaciona esa experiencia con la novela que estás por publicar?* *

—Mi novela —*El paso de los gansos*— es un testimonio personal de la tragedia ocurrida en Chile el 11 de Septiembre de 1973. En el Prefacio se dice lo siguiente que, a mi juicio, explica la índole del libro:

"Nosotros los muertos somos los que llevamos la voz cantante en esta historia, somos los que más gritamos, los ultravociferantes y tumultuosos y agitados, en una palabra, los verdaderos *extremistas* a que se refieren los decretos y folios jurídicos de guerra. Otro sí, por muy muertos que estemos llevamos la responsabilidad de muchos vivos bajo el brazo y la vamos cumpliendo con humor negro y entereza de ultratumba, o sea, constituímos una Resistencia imbatible y —lejos de mí la ironía—, imperecedera; somos los muertos que seguimos muriendo a cada hora de cada día del curso escogido por los enemigos de la vida; decimos con sencillez que somos eternos porque sabido es que a los muertos no les entran balas.

"Pueblo pobre, pero sufrido; país ala y cielo, nieve para sobrevivir, océano profundo para confesarnos, bosques talados aunque renacientes, selvas ruinosas de lluvias y helechos y mapuches petrificados, una isla de pascua y una tierra del fuego, Chile, creemos en él y lo hemos querido como se quiere al hijo que nadie entiende, que pocos aprecian, que todos olvidan. Y el hijo crece, de adolescente se hace hombre, saca voz de Neruda, y llega el momento en que el mundo lo escucha".

Fui amigo de Allende y le consideré siempre un hombre de profundos sentimientos humanitarios, de gran lealtad y valentía. Lo apoyé en todas sus campañas. El 11 de septiembre yo estaba invitado a almorzar en La Moneda por la señora Tencha de Allende y tenía esperanzas de saludar y conversar con el Presidente. Supe la

* Se publicó en 1976.

noticia de la Insurrección temprano en la mañana y oí el comunicado anunciando la muerte de Allende por la tarde, en una trasmisión de onda corta que venía de España. Pasé días de gran angustia. Salí de Chile la tarde del 23 de septiembre. Esa noche murió Neruda en Santiago. Regresé a California y las semanas que siguieron fueron de profunda desazón y desconcierto. Supe, ya en esos momentos, que con el derrumbe de La Moneda se venían abajo mitos que creía poderosos y, en realidad, no podían ser salvados. En mi libro los testigos dan su testimonio acerca de lo que vieron morir y lo que habrá de renacer. El drama de Chile lo resolverán los chilenos dentro de Chile. En septiembre tuve la impresión de haberme integrado a una tragedia griega que iba ya en su tercer acto. Resulta extraño pensar en la obstinación fatal con que cada uno acudió a ese escenario. Allende no vaciló en partir a La Moneda y enfrentar el final metralleta en mano. Pocos saben que Almeyda el domingo antes del golpe regresaba a velocidad supersónica a Chile de la conferencia de países del Tercer Mundo y que, de Pudahuel, se fue directamente a La Moneda. Orlando Letelier, después de años de residir en EE.UU. y desempeñarse como alto funcionario del Banco Interamericano, lo dejó todo, fue Embajador en Washington y, de vuelta en Chile, Ministro de Relaciones y Ministro de Defensa. Alcanzó a pasar tres meses en Santiago antes de caer prisionero y ser recluído en la Isla Dawson. Víctor Jara, sabiendo que la rebelión había comenzado, no dejó de ir, guitarra en mano, a la cita que tenía a las once de la mañana en la Universidad Técnica del Estado. Parte de mi novela, acaso la más decisiva, consiste en una especie de diario personal escrito por un joven fotógrafo quien, después de residir algunos años en un pueblo de Virginia, decide también regresar a Chile y "empezar una nueva vida". Una madrugada de octubre del 73 este joven fue apresado por una patrulla militar en el departamento en que vivía con su padre, entusiasta partidario de la Junta. Días después, el señor éste tuvo que recoger el cadáver de su hijo en la Morgue de Santiago. El muchacho era apolítico y ferviente católico. Las autoridades explicaron el incidente como "un error". Se cumplía, entonces, un destino de víctimas y victimarios, de héroes y anti-héroes, y La Moneda perdió sus grandes puertas como un libro de piedra cuyas tapas no se volverán a abrir jamás. Siento que volveré sobre todo esto en otro libro distinto a *El paso de los gansos*. Hoy la perspectiva es otra. Mañana será totalmente distinta. Ignoro si habrá tiempo para mí.

—*En un ensayo de tu libro* Literatura y Revolución *dices: "En los EE.UU. actualmente se combate una extraña, sorda y sangrienta guerra civil. Pienso que la literatura de los patriarcas de la generación* Beat, *Kerouac y Ginsberg especialmente, así como la de los militantes negros,* Le Roy Jones *y* Eldridge Cleaver, *y la de los jóvenes chicanos como* Víctor Hernández Cruz, *expresa esta guerra civil en su problemática y racial y, confiriéndole belleza artística, es la auténtica literatura de la revolución". ¿Podrías ampliar esta aseveración?*

—Me gustaría revisar esto y hacerle algunos cambios; desde luego uno fundamental: Kerouac le puso su nombre a la autopista de una anticultura o cultura subterránea, y por ella transitan aún muchas gentes. Pero el show de los patriarcas *beat* se ha quedado vacío. Ferlinghetti vende libros y promueve su compañía llamada City Lights. Ginsberg toca las campanitas y la pandereta junto a su señor padre y parece que les va bien, quiero decir, actúan a tablero vuelto. El brother Antoninus de los años 40, quien dejó el hábito dominico durante un strip-tease público en Berkeley, anda vestido de gitana con barba, leyendo unos poemas atroces en compañía de una gorda y joven madre cow-boy. Los herederos yippies del corral de Rubin se han puesto corbata y funcionan con éxito pero sin gracia en la delicatessen llamada Kissinger. No sé qué venden, o qué anuncian. Huelen.

La literatura de esa revolución a que aludo, entonces, no puede reconocerse en esa gente que nunca abandonó realmente el *establishment* por muy bien disfrazados que anduvieran; los dejó atrás en la polvareda de Vietnam, en el ciclón rojo de Attica. No hay otra literatura revolucionaria en USA hoy que la militante negra, chicana, puertorriqueña y oriental. Es una literatura de combate y resistencia cuyo lenguaje alucinante, forjado en artes marciales y en la fría belleza del Kung Fu, está re-creando una forma de vida que es una réplica a los orfelinatos raciales de Nueva York, Chicago, Boston, Oakland, Los Angeles. A esto agrégale los libros sagrados de los yaquis, las escrituras de Castañeda y Alurista, los versos presidiarios de Raúl Salinas, y tienes una Literatura de fuego, en la línea de fuego.

1975

Primero fue *El entusiasmo*, vital, activo, elocuente. Su joven au
tor, el chileno Antonio Skármeta, encarnó en ese primer libro de
cuentos una actitud inconformista —y ligeramente nostálgica— que
lo había caracterizado durante muchos de sus escasos (entonces)
veintiocho años. Alguien lo llamó "el espectáculo más grande del
mundo", algunos lo miraban con recelo y otros con admiración.
Lo cierto es que en 1969 ganó el premio cuento de Casa de las
Américas con otro libro de cuentos, *Desnudo en el tejado*, y poco
tiempo después publicó aún otro: *Tiro libre* (1972), y una novela,
Soñé que la nieve ardía (1975), y una antología, *Novios y solitarios* (1976). Hoy Skármeta vive en Alemania, compartiendo como
muchos otros chilenos, el exilio, y trabajando en su literatura así
como en cine.

En 1969, durante una pausa del Encuentro Latinoamericano de
Escritores, conversamos por primera vez con destino a la publicación. Es la primera de las dos entrevistas aquí recogidas. Pasó el
tiempo, volvimos a vernos en La Habana en 1970, en Santiago en
1972 y en Buenos Aires en 1975. A esta última fecha, y durante
una tarde de nerviosismo porque Cecilia y sus hijos estaban en ese
momento atravesando en la vieja citroneta la frontera rumbo a
Buenos Aires, retomamos el viejo diálogo de 1969, recapitulando
los años y la obra intermedia. Esa es la segunda entrevista.

Skármeta es, en mi opinión, uno de los narradores más talentosos y de mayor futuro en la aún joven generación de escritores latinoamericanos. La fruición de su escritura, la habilidad del narrador, la creciente madurez de sus temas, así lo están confirmando.

I. Vivir lleno de dioses

—*¿Podrías sintetizar en pocas palabras tu vida y tus andanzas?*
—De lo que importa, creo que ya puedo reconocer algunas etapas. La primera va de los diecisiete a los veintidós años, y es la más
despelotada. Por dentro y por fuera. Quiero decir que la confusión
de la cabeza fue también confusión de las acciones. En esa época
me metí en todas las cosas: en teatro dirigí y actué, estudié filosofía en la universidad y emprendí sucesivos viajes a dedo por
América y los Estados Unidos llevando una vida noctámbula más
o menos caótica. Alrededor de los veintitrés años comienza un proceso que pudiera llamarse de afianzamiento, que gira más o menos
en torno al matrimonio, y en el cual las acciones físicas no corresponden al desajuste interior. A la felicidad del hogar se le vienen
encima responsabilidades que no quisiera tolerar: la multiplicidad
de trabajos, por ejemplo, y una vaga nostalgia del paraíso perdido.

De estas dos etapas la consecuencia es que escribo mejor. Quiero decir, que las cosas que escribo ahora son las que quería escribir a los veintidós años.

—¿Y lo que quieres escribir ahora?

—Bueno creo que a los treinta y cinco años podré alcanzar lo que quiero escribir ahora. Como ves, estoy atrasado como siete años a mi visión del mundo.

—¿Cuál fue tu existencia de viajero?

—Estuve becado en los Estados Unidos: Nueva York. Nueva York es importante, pues precisamente ahí hay una vanguardia muy activa, no meramente literaria sino en todos los sentidos. Esa ciudad obró en mí como una liberación. Encontré la fantasía. Porque allí toda la gente está imaginando. No había temor a ser personal.

—¿No sucedía lo mismo en Chile?

—No. Aquí era casi lo contrario. Buscar la libertad resultaba una empresa un poquito descabellada y excéntrica. En Chile tenemos un gran respeto por el término medio. En literatura, quiérase que no, los escritores han vivido venerando a sus tíos y a sus padres. Así como en las postas se pasan el bastón, aquí se pasa el tono medio. Y eso, a mi modo de ver, en mi comienzo literario me presionaba y me tenía cauteloso. Incluso la crítica a mi primer libro fue buena —apabullantemente— porque saludaba una quiebra en la narrativa. Al mismo tiempo, sin embargo, se hacían observaciones sobre el género cuento —se discutía si eran cuento o no—, o se movían aceptando la vitalidad pero manejando criterios tradicionales para enjuiciarla.

—¿Cuáles fueron tus comienzos literarios? ¿Cómo te acercaste a la literatura?

—Ahora entiendo, recién ahora, lo que me sucedió durante la secundaria. No lo entendía entonces. A los quince años estaba embromadísimo con la educación fría y descoyuntada que nos daban. Mucho trato con boludos en esa época, pero muy pocos amigos. Entonces en la literatura vi gente que me interesaba como ejemplos vitales. Llegado el momento no hacía diferencia entre un compañero como Raúl Sotomayor y, ponte tú, Samuel Benet, el protagonista de Con distinta piel. La relación era el diálogo con ambos. Ahora bien, ¿cómo escribir entonces? y además: ¿para qué escribir? Por el deseo de poblar el mundo de héroes, supongo. Hacer lo mismo que hacían otros. Y, en el fondo, la compensación del espanto de no tener más que un solo cuerpo. Deseo de amarlo todo, de padecerlo todo.

—¿Quiénes fueron entonces tus padres literarios? ¿Y cuáles son los actuales?

—Voy a partir con una contradeclaración. Mi amor excesivo por los autores que te voy a mostrar viene de un desamor excesivo por lo que nos obligaban a leer. Vale decir, la literatura española e hispanoamericana (de la última, la anterior al cincuenta). Para expresarlo con una frase que aprendí en Buenos Aires: "Aquí no pasaba nada". Reyles, Rómulo Gallegos, Quiroga, Alcides Arguedas, todo eso NO. ¿Qué era entonces lo que yo buscaba? Buscaba contemporaneidad y cosmopolitismo. Agrégale fantasía. Por lo tanto, mis ídolos fueron los siguientes: el primer impacto fuerte, Hemingway. Allí había una aventura en dos niveles: física e íntima. O sea, era un hombre capaz de crear hombres. Capaz también de descargar de énfasis la trascendencia. Eso yo lo adoro en él ¿entiendes tú? Otra experiencia fuerte es Saroyan —que es la cara opuesta de Hemingway— porque se atrevía a ser tierno y honesto hasta el empalago. Lo que admiraba en él era la grandeza de quien no se propone hacer una literatura grande. Y luego me gustaban sus personajes libres, desarraigados, capaces de bastarse a sí mismos. La literatura que me obligaban a leer era puro gimoteo, lloronas, maricones. En cambio esta literatura era muy viril. Otro padre grande, ya en otra línea, fue Kafka. A esa altura ya sabía que la vida —para usar un clisé— no tenía mayor sentido. Eso lo admitía yo a los quince años con total comodidad. Ahora bien, lo que no me vino con eso fue el patatús sartreano. Más bien tenía una conciencia patafísica del asunto. Déjame ahora decirte por qué me interesaba Kafka, aparte de la fantasía: era que cuando Sartre hablaba sobre el hombre, Kafka había inventado el hombre. Otros padres: el lenguaje de mi primer libro es un poquito nerudiano —Neruda fue siempre un sine qua non. También Steinbeck, lo más superficial de Saint-John Perse, y luego las incorporaciones posteriores: Salinger, Kerouac, Mailer, Parra, Beckett (el de *Esperando a Godot*, no el novelista), Ionesco, Pinter. Y claro, también el asunto latinoamericano.

—¿*Y de la literatura chilena?*

—No identifico un lenguaje real en la literatura chilena. Con eso quiero decir un lenguaje efectivo. En poesía, cierto, está Parra; para mí, Parra es el poeta de la segunda parte del siglo veinte en América. Porque el que aprende a hablar de otro modo es el que aprende a decir.

—¿*Qué escritores chilenos apuntan, en tu opinión?*

—Por el lado de la lírica van a saltar liebres. Entre los jóvenes, Waldo Rojas, Hernán Lavín Cerda, Manuel Silva. Y en narrativa creo que hay alguien: Carlos Olivárez, aunque hasta ahora no ha publicado. Pero en la narrativa no son mayores los valores, puesto que hay literatura grande o nada. O literatura que va en camino a ser grande. O que fracasa en camino a serlo. Que vaya a lo personal, aunque fracase.

—¿*Donoso y Edwards?*

—Donoso arranca de un tipo de literatura burguesa, reflexiva y "estilística", donde el decir bien importa. Su mundo, por lo tanto, lo constituyen los residuos de su clase, de su tipo de vida. Es un regodeo estético en torno a una carroña. Sé que es un narrador dotado, pero su mundo novelesco me parece una isla, no un mundo estrictamente dialogante, contemporáneo. Hay sí una cosa admirable de Donoso: las partes en cursiva de *Este domingo*. Por el otro lado, Edwards tiene un registro temático más amplio. El saber ser frío, puede estarse derrumbando la casa y no levantar una ceja. Esta frialdad lo llena de hallazgos y quién sabe si de ahí no le venga la limitación.

—¿*Qué te gusta de la literatura uruguaya?*

—Para empezar, una novela que me pareció el descueve. Muy emotiva. Me van a decir que es menor, que es sentimental o barata. Esa novela es *La tregua*, de Benedetti. Por ejemplo, el modo como se da la muerte de Avellaneda es inusitado, patético, increíble. Realmente me gusta. Otro autor que me gusta es Onetti, oye. Hay escritores con los que tú dialogas: tú aportas un contradictor o un amante interno. Hay un tipo de literatura liberadora, y te transformas un poquito en personaje tú también. De ahí la literatura de Onetti, cuya belleza reside en abrumar. El edificio te aplasta y tú te quedas ahí mudo. Esa es la sensación que tengo. También leí *Cualquiercosario*, de Jorge Onetti y de ahí me gustó un relato: "Las mojcas". El resto me pareció una literatura en un alto punto de cocción experimental. Creo que son las próximas obras suyas las que decidan. Aunque aclaro que aún no leí *Contramutis*.

—¿*Qué ha sucedido de tu primer libro al segundo?*

—Mis ilusiones —y mi vanidad y petulancia—, son las siguientes: que el lenguaje se ha liberado de un lirismo un poco accesorio que había en el primer libro y que, en el segundo se ha interiorizado en la narración. Lo que, a mi modo de ver, ha dado como resultado cuentos más dramáticos. La otra cosa es la libertad de experimentar —más diversificada aquí— que en el primer libro estaba en una sola onda. Ahora hay cuentos que salen de lo que podría llamar mi estilo habitual.

—*La pregunta con la que debí empezar: ¿qué es para ti, el "entusiasmo"? ¿Una sensación vital?*

—Entusiasmo no significa ni alegría ni positividad. Es un estado de tensión amatoria. La calificación que se le dé, no corresponderá a lo que la palabra menta. Se puede ser entusiasta de una pasión malsana, como quise hacer ver en uno de mis cuentos. En sentido etimológico, *entusiasmo* significa estar lleno de dioses, embriagado, como se decían los borrachos en las fiestas griegas. Por eso, los tipos que admiro son los que llevan su modo de vida a máxima tensión, sean guerrilleros, intelectuales, pianistas, bandoleros. Yo lo hice. Viví a todo fuelle. Ahora estoy en una etapa de componenda, de receso. Una vacación de lo que necesito. Ahora es cuando toda esa vivencia se ha hecho una etapa de narración. Pero al mismo tiempo, como lentamente este país —y el tuyo también, creo yo— tiende a convertirnos a todos en funcionarios de la cultura —es decir, en profesores, críticos, periodistas—, la cosa comienza a pesarme en el estómago. Por eso creo que estoy otra vez aproximándome a una ruptura.

II. Del entusiasmo en adelante

—*En 1969 conversamos por primera vez y entonces te dije cuánto me había entusiasmado tu primer libro de cuentos*, El entusiasmo. *Volvamos entonces al comienzo: ¿de dónde surgió, de dónde salió aquel libro y aquel título?*

—*El entusiasmo* salió de una actitud vital. El significado del título, que en el 69 te di a ti ("vivir lleno de dioses") me lo había dado Borges posteriormente a la publicación del libro. Cuando estuvo en Chile me preguntó qué había escrito. Cuando le contesté que un libro llamado *El entusiasmo*, entonces me dijo: "¿Sabe lo que significa eso? Vivir con los dioses dentro, en-Zeus, haberse interiorizado de los dioses". De modo que ese título tan literario proviene también de una veta literaria.

—*Pero el libro provenía de una actitud vital. ¿Cómo era esa actitud y cómo la ves ahora?*

—Bueno, ése es un libro que esporádicamente, cada tanto tiempo, alguien me invita a reeditarlo. Entre ellos recuerdo alguna ofensiva tuya hace un par de años. Siempre hay alguien que me habla de ese libro, y cada vez que sucede y me dicen de reeditarlo, vuelvo a leerlo para convencerme de que no. He pensado siempre que el libro tiene una mitad rescatable y otra mitad que ya no lo es. ¿Cómo lo veo desde lejos? Son unos seis o siete años...

—*¿Seis o siete años de haberlo publicado y lo mismo de haberlo escrito?*

—Sí, sí, más o menos el mismo tiempo.

—*¿Qué te impide volver a darlo a conocer, con los quites que consideraras necesarios? ¿Te sientes cambiado, ya ese libro no refleja lo que piensas o haces?*

—No, no creo que haya una diferencia sustancial en la actitud ante la vida. Pienso sí que esta actitud se ha ampliado y enriquecido y dramatizado en el transcurso que va desde ese libro hasta el último. Simplemente por un asunto de madurez, por haber ido acumulando vida, día tras día, cuantitativamente. No hablo de algo cualitativo: digo simplemente cantidad de vida y de experiencia. Pienso que no ha cambiado el tono. O sea la disposición narrativa, entendiendo la narración como un acto de afirmación personal. En los últimos libros este acto de afirmación personal es también un acto de afirmación colectiva, producto de las distintas experiencias que hemos vivido en Latinoamérica. Ahora ese libro, *El entusiasmo*, mirándolo de lejos veo que es el libro de un adolescente ahogado en un mundo extremadamente formal y falso. Lo que pretende rescatar para la experiencia propia, de una manera casi confesional, son las *ganas* de vivir. No recuerdo si hablamos de esto en aquel primer diálogo. Me daba la impresión de estar viviendo —cuando salió aquel libro— una vida demasiado burguesa, formal, desabrida, en el más rotundo de los sentidos. Al mismo tiempo, toda la gente que provenía del campo intelectual andaba agitando algo así como las campanas negras del existencialismo. Lo cual es una actitud que a mí siempre me pareció falsa en quienes tenían lecturas amargas y tendencias felices. Esa contradicción siempre me llamó la atención: de qué modo un determinado producto cultural, como eran los resabios del existencialismo en la década del sesenta en Chile, podía aún influir de una manera tan decisiva en circunstancias en que se jugaban cosas bastante importantes en el país, social y personalmente. De modo que ese libro yo creo que fue escrito en primer término como un acto de auto fe. Estoy en este mundo, en esta sociedad, la acepto, la tomo y en ella me meto, luchando con ella, estando con ella. Y luego un descubrimiento de lo animal en mí: afirmar la animalidad ante una cultura que me parecía opresiva, aburguesada. También desde esta perspectiva hacia los años pasados, otra cosa que noto en *El entusiasmo* es el abierto individualismo. El mundo pasa por la figura de un narrador extremadamente lírico, solitario, capaz, amable pero en última instancia solo.

—*Dices que la actitud en esa época es la de una afirmación de la vida, la expresión del deseo de vivir. Recuerdo, sin embargo, los personajes vagabundos, chilenos en Estados Unidos, que apenas sobreviven y hasta venden su sangre para subsistir.*

—Eso es en el segundo libro, *Desnudo en el tejado.* Te refieres al cuento "En las arenas".

—*Cierto. Pero de todos modos recuerdo "La Sirena de San Francisco" o "Nupcias", que narran circunstancias parecidas. Tus dos primeros libros me dejaron la sensación de la fuga permanente, la huída de los personajes y la atracción por el modo de vida beat, que también es existencialista.*

—En general el tono del existencialismo europeo y el tono del vitalismo *beat* difieren considerablemente. Creo que las raíces del existencialismo europeo son filosóficas, en cambio las raíces del movimiento *beat* son religiosas. Esto, para determinar una diferencia global. Pero quiero referirme al aspecto "huída". La huída no fue sólo hacia Estados Unidos. Anduve mucho por Perú, por Bolivia, por Brasil, en las mismas condiciones en que viajé a Estados Unidos. Ahora tienes que comprender lo siguiente: lo que hay es la experiencia frente a un mundo que para mí era bastante vacío. Ese fue el mundo de la escuela secundaria, en Chile, que llegó a ser verdaderamente insufrible. Comienzas a buscarte otro tipo de amistades, y este tipo de amistades que tú buscas es lo de un adolescente con alguna sensibilidad que empieza a leer también literatura de una manera vital, que pone los personajes ficticios en un rango semejante al vital suyo, hasta que comienza a adquirir modalidades de existencia que provienen de los libros mismos. A este respecto, creo que leyendo a autores norteamericanos uno aprende el sentido de la aventura y comienza a tratar de buscar ese sentido. Siempre leí la literatura norteamericana como eso, como una literatura de aventura, con gentes que se desplazan, tienen experiencias y estas experiencias los modifican. Gente que se entrega a la experiencia con una capacidad que tiene su correlato estilístico en la potencia de la prosa, una potencia que no apareció en América Latina durante mucho tiempo. Algunos de estos elementos tal vez son los que justifican el viaje, ya no diría a Estados Unidos específicamente, sino el irse moviendo continuamente.

—*Ahora sigues moviéndote, esta vez forzado.*

—What do you mean, exactly?

—*Me refiero a tu desplazamiento a Argentina, tu viaje a Alemania, el regreso a Buenos Aires y el proyecto de un año de trabajo en Bonn. "Forzado" digo porque no podrías regresar por ahora a Chile.*

—Sí, bueno, es muy claro. Antes me fui de Chile por motivos individuales, ahora lo hago por motivos colectivos. Una cosa era cuando adolescente quería una sociedad más *intensa*, y otra ahora el querer una sociedad más *justa*, y el haber vivido una democracia y ahora estar sobrellevando una dictadura. Pero hablaremos de esto luego.

—*Entre* El entusiasmo *y* Desnudo en el tejado *hay una novela inédita, que llegó a componerse aunque tú detuviste su impresión. ¿Fue esa novela anterior o paralela a* Desnudo en el tejado?

—Paralela.

—*¿Por qué no se publicó?*

—Porque ya estaba hastiado de la ingenuidad. La ingenuidad que me gustó y que en *El entusiasmo* rinde en alguna medida fruto literario. En la novela que escribí esa pasión ingenua se me transformó en "manía", en amaneramiento. Y me hastió ver que lo que estaba creando eran *beautiful people*, nada más. O sea, seres con una dimensión muy expansiva e ilimitada, casi demasiado heroica. Esto no era para mí un problema literario sino un problema vital. Como ente completo y entusiasta, yo había entrado ya en una crisis de otro tipo y me llenaba de contradicciones. Lo que me pareció interesante en mis posibilidades de narrador era justamente expresar las contradicciones de esa primera actitud ingenua con la segunda actitud en que las nuevas tendencias que había en mí hacían corto-circuitos internos y externos.

—*Me llama la atención que* Desnudo en el tejado *y la novela se escribieron simultáneamente pero sólo publicaras el primero. ¿Cuál era la diferencia fundamental, por qué precisamente en la novela la "pasión ingenua" se transformó en "manía"?*

—La novela estaba sostenida a base del verbo. Entonces descubrí que estaba cayendo en un mal en que ya había caído casi toda la literatura latinoamericana, que era sostener novelas con páginas de una cierta actitud que llamo cordialmente liricista, por no llamarla lírica. Una tendencia a poetizar que para mí es una especie de retorno al modernismo. La misma tramoya modernista, con el tamiz de la ironía, que en algún sentido es el mundo del verbo. Y no sé, a mí se me ocurre que en esa novela ya se estaba dando un divorcio entre lenguaje y realidad. Estaba sosteniendo una realidad que era muy débil, bastante superficial, con un lenguaje exaltado, po-é-ti-co, como te digo. Y la novela me resultaba tan aburrida como me han resultado aburridas tantas novelas latinoamericanas antes y después. Pensé que no valía la pena. Que cuando yo publicara algo por lo menos tenía que entretenerme leerlo una vez.

—*¿Entonces*, Desnudo en el tejado. . .?

—*Desnudo en el tejado* es un libro que yo defiendo con dientes y muelas.

—*La novela se titulaba, si no recuerdo mal,* La muela del juicio *pero no la defiendes de igual modo. ¿Por qué sí* Desnudo en el tejado?

—Porque creo que ahí hay una concepción del relato que en la práctica se prueba eficaz. Es decir, la resolución de una tendencia creadora en el lenguaje que se inserta bien en la estructura narrativa. Me dan la impresión de ser cuentos logrados, en el sentido de haber alcanzado una temperatura poética que permite ir más allá del esquema de la simple narración, sin abandonar al mismo tiempo los cánones que hacen de un cuento *un cuento*.

—¿De qué modos superabas el liricismo?

—No sé. En ese momento creo que podía dominar la técnica del cuento. O sea que a mí se me daban mis intenciones como formas breves. Podía abordar un cuento y no así una novela. En el cuento el mundo te surge en concentraciones dramáticas, y la novela tiende a la expansión. Sin conocer el modo como la novela se concentra, se arma, se estructura, sin haber fracasado en novelas anteriores, yo creo que es imposible llegar a meterse. . . Pero tú ya estás pensando en el caso de niños prodigios y precoces, para abrumarme.

—No. Me interesa tu propio proceso. Entonces te sentías más dominador de una estructura breve, el cuento. ¿Te asustó tener que mantener ese entusiasmo, ese impulso, por trechos más largos y empalmarlos en un núcleo mayor, la novela?

—Siempre he tenido una auto-imagen, que no sé si será real o no, pero es la siguiente: la de ser una persona anti-literaria. Es un sueño que después me he convencido que tienen todos los escritores, pero te cuento que yo lo viví de una manera muy intensa, ya me daba cierto fastidio encontrar que la novela era un género vanidoso, verdaderamente, al cual podía sentarme a leerlo en una actitud de humildad pero que fabricarlo ya me parecía un exceso. Entonces me estaba moviendo en un campo llamémosle así, entre compadres, "modesto".

—De los cuentos de Desnudo en el tejado, ¿cuáles consideras más logrados, más hechos? O al contrario: ¿cuáles desecharías?

—Bueno, te diría que no tengo simpatía por la segunda mitad de "Una vuelta en el aire", porque no siento que esté ahí mi intención. Mi intención era rescatar la poesía, al poeta, frente a la burguesía. Es decir, a los jóvenes outsiders, que eran el comienzo del hippismo en los Estados Unidos, los poetas de las pensiones pobres chilenas. . . Oponer el mundo del arte al mundo de la burguesía. Pero ahí utilicé algunos símbolos, como la bandera, que después descubrí que eran símbolos manoseables desde todo punto de vista. No encontré un símbolo claro para expresar lo que en ese momento quería: la solidaridad, la solidaridad que no se expresa en símbolos patrióticos o nacionales, sino en otra raíz. La raíz, digamos, colectiva. Ese cuento me disgusta, los otros me gustan parejo.

—Comenzamos refiriéndonos al significado de El entusiasmo, significado que se siente, diría yo, pero te quiero preguntar por el otro título: Desnudo en el tejado, que es también el título del último cuento del volumen.

—Maestro: usted me ha hecho la misma pregunta que me han hecho. . . todas las adolescentes. Y es que no entiendo la pregunta: ¿es acaso el único cuento que han leído?

—Por lo pronto es el más fácil de leer: tiene dos líneas.

—Entonces está contestada su pregunta.

—A la manera del oráculo. Entonces vayamos a otro aspecto: después de ese libro pasaron cuatro años antes de que publicaras el siguiente. ¿Qué pasó en esos cuatro años?

—¿Cómo puedo recapturar en realidad todo lo que me pasó? Piensa todo lo que hay entre medio. Todo un rango muy amplio, que va desde viajes y experiencias hasta el asunto chileno.

—*A esto último quería referirme, ya que en el proceso chileno te insertaste no sólo como escritor.*

—Bueno, eso fue una explosión muy grande de humanidad. El proceso que desencadenó la Unidad Popular saca al pueblo hacia adelante, te muestra que hay otro tipo de vida por la cual vale la pena trabajar. La mejor gente que hay en el país, la más honesta, la más *buena*, la más explotada, accede a otra posibilidad de vida. Y esa vida que allí empieza a apuntar y se asoma, requiere una participación. No creo que mi trabajo o mi participación dentro de lo que fue ese Chile haya sido cualitativamente distinta a la de mucha gente. Simplemente colaboré en el desarrollo de la primera democracia de Chile.

—*Háblame de la película en que trabajaste como guionista.*

—Esa es una experiencia de cine que hicimos en Chile con un director alemán, Peter Lilienthal, que dicho sea de paso vivió mucho tiempo en tu país. Se llama *La victoria*, y es bastante interesante porque creo que es uno de los documentos en imágenes que va a quedar de lo que fue el espíritu de la Unidad Popular. Y desde el punto de vista fílmico, tal vez el único, porque hubo otras películas pero dieron enfoques muy específicos del proceso. En cambio ésta es bastante general. Se trata de un tema que a mí me obsesiona y que aparece también en mi literatura. Es el tránsito de un personaje de provincia —en este caso una muchacha— que tiene un proyecto pequeño burgués de existencia. Digamos que ha buscado los canales habituales en un mundo por lo general machista y burgués y en el lugar que ese mundo les depara a las muchachas. Esta muchachita se recibió de dactilógrafa, y antes del 73 viaja a Santiago para buscar empleo. Lo que aspira es a ser secretaria, y comienza a ir de trabajo en trabajo, viviendo el mundo rutinario de las oficinas públicas y privadas, lo cual significa un peregrinaje por los distintos estratos de la población. Paralelamente, con estas incidencias, se va incorporando al trabajo electoral (la película transcurre en marzo del 73 cuando hay elecciones parlamentarias en Chile) de una candidata de izquierda, mujer. La va acompañando en esta campaña y a medida que trabaja en ella empieza a conocer otra realidad, la realidad del proletariado. Y se va incorporando de tal manera que finalmente el proyecto de existencia que ella trae queda aniquilado y descubre una nueva perspectiva de existencia, la de la solidaridad. Es la conversión de un ser-cifra, de un ser-máquina, en un ser notablemente enriquecido por la experiencia de una comunión con su pueblo.

—*Recuerdo que se empezó a discutir en Chile la posición del escritor en el proceso, esa discusión tan frecuente en América Latina, y tan complicada por el tránsito de la formación liberal que traemos a lo que exigen las nuevas estructuras de un país a medida que se consolida el cambio.*

—Mira: yo trabajaba en la Universidad de Chile, en la Universidad Católica, en la Editorial Quimantú, escribía mis propias cosas, hacía el guión para cine, y te podría decir que esa discusión nunca me afectó: para mí era absolutamente prístino cual tenía que ser la actitud. Y la actitud tenía que ser de apoyo a la inmensa mayoría democrática que estaba cambiando al país. Esto es como decir que los problemas específicos de relaciones del escritor con el Estado no podían concebirse ni discutirse en la situación chilena. Era una situación de absoluta libertad, de libertad maravillosa. Hacía impracticable el problema, lo hacía teórico.

—*Un ejemplo concreto: con pocas excepciones —una o dos novelas, algunos escasos cuentos, entre ellos varios tuyos— casi no hubo narrativa que se atreviera con la realidad, que rindiera esa nueva realidad colectiva.*

—Mira: ese asunto sí se investigó. La revista en que yo trabajaba trató de investigar acerca de eso. Lo que ahí sucede es que los narradores abiertos a la gama de contradicciones enormes que iba produciendo el avance democrático, estaban muy entregados a distintos tipos de tareas. Ya sea la renovación de la universidad, los intentos de crear una prensa distinta, de modificar los medios de comunicación de masas para ponerlos al servicio de las nuevas mayorías, etc. De modo que lo que podríamos llamar la actividad creadora privada fue bastante limitada. Al mismo tiempo, la mayoría de los escritores confesaban en verdad haber sentido que la eclosión los había sorprendido, al extremo de no saber en qué perspectiva situarse. Imagínate: contradicciones violentas, día a día, de izquierda a derecha, contradicciones en la misma izquierda, inicio, desarrollo y culminación de la escalada fascista. Era un vértigo. Y daba la impresión de que los escritores decidían tomar distancia, perspectiva, y para ello necesitaban tiempo. En cambio la respuesta fue bastante contundente en la canción popular, en los juglares callejeros, como si esa herramienta fuera más rápida. Pero pienso que ahora, en esta situación, todos los narradores van a revelar precisamente lo que fue ese periodo.

—*Da la impresión, entonces, de que ahora pueden hacerlo porque lo piensan un periodo clausurado.*

—Pero no, no es un periodo clausurado.

—*Un proceso no clausurado, pero un periodo sí.*

—Diríamos, mejor, que tuvo en su comienzo un grave accidente. Y basta.

—*Temo una cosa: que esa literatura que tú vaticinas o señalas vaya a tener una coloración particular, un aspecto emotivo. Quiero decir, la coloración que le dé el exilio, el sentimiento del exilio.*

—Sí, en ese sentido tienes razón... Pero volviendo atrás, agregaría que también se produjeron obras, y muchas de ellas que no llegaron a publicarse. Hubo concursos organizados por los cordones industriales, en los sindicatos... Obras que no llegaron a ver la publicación y se quedaron en forma germinal. Los escritores "consagrados" o profesionales fueron poco "trabajadores" en su producción por los motivos que ya vimos.

—*Ayúdame a recordar algunos títulos que sí aparecieron. Por ejemplo la novela de Jerez.*

—Sí, ésa es una. *El miedo es el negocio*, de Fernando Jerez, sobre el pánico financiero cuando Allende gana las elecciones, en esos meses cruciales antes de asumir el poder. También hay una novela de Guillermo Atías, que se llama *Y corría el billete*, sobre un obrero de una empresa estatizada a quien los ex-dueños de esa empresa tratan de comprar para hacer sabotaje. Más adelante salió otra novela, la de Ariel Dorfman, *Moros en la costa*.

—*Tú escribiste varios cuentos sobre personajes y problemas de Chile. ¿Cómo lograste hacerlo, cómo lograste adquirir la perspectiva?*

—Bueno, me situé en una perspectiva bastante humilde. La de un tipo solidario con ese proceso, que descubre dentro del mismo a algunos personajes en experiencias de diferente índole, de brechas familiares. Entonces simplemente me limité a expresar estas experiencias y estas contradicciones. Los personajes que fui tomando eran jóvenes de familia burguesa cuyo padre está implicado ya en la escalada fascista, y que sufren las contradicciones de toda índole, desde las que van a las relaciones sexuales hasta las políticas. Otra cosa que me interesaba mucho ver era cómo un personaje se movilizaba de una clase a otra. Como sucedió con la pequeña burguesía chilena, los personajes eran meros instrumentos de la derecha golpista. ¿Qué sucedía con ellos? Tienes por ejemplo un cuento sobre un tipo que viene ya no de un estrato llamado pequeño burgués sino simplemente del proletariado, y que es comprado como grupo de choque de la derecha ("El cigarrillo"). Otro cuento, "Balada para un gordo", quiere expresar algunas contradicciones dentro de la izquierda. Es la historia de dos amigos que se educan juntos en el liceo, antes de la Unidad Popular, y luego terminan en posiciones divergentes respecto a cuál debe ser el rumbo para el proceso. El cuento no pretende adoptar una posición específica respecto a este problema, sino expresar de una manera dramática, comunicativa en lo posible, los vericuetos de la polémica. Y, bueno, después estaban los jóvenes que no se resignan a un nuevo estado de cosas, al surgimiento de una clase que ellos sienten que les limitará sus posibilidades de éxito burgués, y que abandonan el país. Los tránsfugas, es decir aquellos que sueñan con vivir la vida de las sociedades de consumo.

—*Te refieres al cuento "Primera preparatoria".*

—Sí. Es la historia de una familia que adhiere ideológicamente al proceso y que advierte que uno de los hijos es insensible a esta realidad riquísima e inicia la fuga. Si tú te fijas, en todos estos cuentos los personajes son adolescentes, jóvenes, y es un mundo que a mí me interesaba mucho. En la mayoría de mis relatos los personajes han sido siempre jóvenes. Pero aquí a los problemas de la edad, a los conflictos de los jóvenes, que se resolvían afirmativamente cualquiera fuera el drama que sobreviniera, se agrega un contexto social más rico, más fuerte. En *Tiro libre* hay historias de éxitos y de caídas, y sí, lo que hice en este libro fue recoger la tradición narrativa mía y someter esa tradición a una experiencia social y por lo tanto de mayor riqueza. Esa es la perspectiva.

—*En tu narrativa prestas notoria atención al lenguaje, y en Desnudo en el tejado te inclinas a experimentaciones formales desusadas. Creo sin embargo que nunca vas a la experimentación por la experimentación misma, sino que en ella buscas cosas aún no halladas.*

—Para mí, la experimentación por sí misma es una actitud ego-céntrica de los escritores, en que se confunde el mundo con el *modo* narrativo. Y eso es lo que te llamaba antes la actitud liricista o liricoide. Vale decir, el desprendimiento de los cauces dramáti-cos narrativos en función de un predominio del verbo. Y todo en función de la *"creación"* de nuevas realidades. Pero a mí lo que me interesa es esta realidad que por comodidad llamamos realidad.

—*Pero en ti veo cambios muy bruscos. De la total claridad esti-lística de* El entusiasmo *pasas, en algunos textos de* Desnudo *y de* Tiro libre, *a una oscuridad que peligra convertirse en escritura críptica.*

—Bueno, papi, eso es una contradicción que yo admito y que es justificable. Pero creo que jamás sucumbiría a una fusión de pla-nos, que es la confusión entre el mundo de lo real y el mundo de lo irreal. Real e irreal con comillas y toda la cosa. . . Frente a la li-teratura tengo en algún sentido una preocupación ética, una voca-ción ética. Y me parece que la fusión y confusión de planos satis-face determinadas necesidades míticas, que cuentan en esos mo-mentos en América Latina con una aprobación generacional. Ahora, en esta generación yo estoy, digamos voy a caballo, estoy en ella, así que no puedo escaparme de esa tendencia que me pa-rece una tendencia al irrealismo desbocado. Siento que tengo que satisfacer esta tendencia, y de ahí la diversidad de posibilidades que hay en los relatos, como tú señalas. Incluso ya en el último li-bro los cuentos vienen separados en tres secciones, y esto para mí es un modo de ordenamiento. Yo quiero inmiscuirme en lo irreal como irreal y jugar jugando, y en lo real realizar, pero me resulta catastrófico ver en muchos narradores la fusión de estos elemen-tos. Sólo en obras muy contadas, muy geniales, el asunto resulta.

—*Cuando leo tus cuentos observo el uso del lenguaje y te veo incursionar en formas nuevas, entendiendo que esto responde a un proceso personal, a una búsqueda. Pero en su connotación genera-cional me parece reconocer la sombra protectora de un papá: Cor-tázar.*

—Voy a ser absolutamente generoso, primero, con Cortázar; voy a decir que no lo acepto como papá, lo acepto como hermano. Y esto no para *subirme yo* sino para expresar lo que siento frente a ese tipo de literatura. Yo creo que Cortázar culmina felizmente una contradicción generacional: la que intenta llevar a la obra tan-to la vida como la cultura. Y esta contradicción alimenta toda su obra. Ahora, yo pienso que en la generación a la que pertenecemos este problema no se plantea como tal. La actitud de desbroce, de apertura en la maleza, que significa la literatura de Cortázar, es evidentemente un movimiento liberador que deja abierto un cami-no. Y ese movimiento, ¿con qué se enfrenta? Se enfrenta con la literatura formal, se enfrenta con las últimas secuelas del modernis-mo y del realismo trasnochado, por decirlo así. La literatura de Cortázar, siendo una literatura anti-cultural, es una literatura culta. Sabe reírse pero al mismo tiempo que se ríe hace la cosa en serio. Te quiero decir, está alimentado por una preocupación gene-racional. . . .

—*En este último sentido lo llamé papá.*

—Pero a los papás tú les llevas corbatas para el cumpleaños. Y esta es una literatura convivible, y creo que el mérito de Cortázar es saber mantener esa cualidad. Si tú destacas a un papi sobre otro, olvidas al resto de la "familia".

—*Es que Cortázar lo refiero a ti. Creo que tiene o tuvo en algún momento importancia para ti en tanto escritor, no lector.*

—Bueno, ya que hablas en ese sentido, yo veo como paternidad la de Borges. El modo, la estructura, de los relatos de Borges me parecen *la* suavidad misma, la dinamización de los elementos del relato, con una textura de un orden vibrátil, por decirlo así, de un orden móvil. Ahí sí todos han aprendido, para todos es el padre. ¿Y por qué no mencionas mis huellas más claras, que vienen de la narrativa norteamericana?

—*Kerouac.*

—Kerouac me interesa bastante poco. Me interesa como aventurero más que como escritor. Pero me gustan mucho algunos de la vieja guardia, como William Saroyan, los viejos poetas. . .

—*Eres traductor de Scott Fitzgerald.*

—Sí, pero tampoco me interesa. Es un escritor elegante, muy distinguido, con preocupaciones por la clase aristocrática. Por el contrario, me interesan todos esos escritores de la inmigración, que tienen las raíces tambaleantes, y que por lo mismo no se dedican a describir cómo funciona su sociedad o su clase, sino a expresar los asombros provocados por el contraste entre un modo de vida que ellos aportan desde su tradición y la tradición misma del mundo americano. Los prefiero tal vez porque provengo de una familia de inmigrantes yugoeslavos y soy de una segunda generación en América Latina. Saroyan y Malamud, entonces, para no decirte "los de antes", como Mark Twain. Una literatura que no ha pasado por la universidad, y que ahora tengo revuelta en mí, junto con cierta tristeza que vengo cargando y que esta conversación sin duda no refleja.

—*Quería volver a ese tema: Skármeta hoy, en una situación colectiva. Skarmeta como parte de un país "ocupado", que lleva una parte de su país a cuestas. Quería preguntarte por algo que dijiste antes: lo que sucede en Chile hoy es un accidente.*

—Para empezar con una obviedad gigantesca: digamos que los procesos sociales no son gratuitos. Obedecen a determinadas fuerzas que adquieren determinadas capas sociales en momentos de su historia, y me parece que lo que se venía gestando en Chile desde muchísimos años antes de la Unidad Popular, no es fácilmente borrable. El hecho de que se haya perdido para el avance social del pueblo chileno una capa dirigente, así como muchos trabajadores, no clausura la aspiración democrática del pueblo. Vive en estos momentos, claro, las circunstancias más difíciles de su vida pero significan a la vez un caudal enorme de experiencia en la lucha social. Además, piensa tú que el actual gobierno chileno es absolutamente ajeno a toda tradición política nacional, y piensa también que una amplia capa de la población, que no fue partícipe de la Unidad Popular, sufre ahora los rigores de una política social y económica que los agobia. Si antes no advirtieron que debían ser aliados tácitos del proyecto democrático de la Unidad Popular, paulatinamente tienen que ir cayendo en la cuenta de que sí son sus aliados naturales. Pienso que una experiencia tan violenta como la del gobierno minoritario chileno actual va a limar muchas asperezas y va a aunar a amplios espectros de la población. En este sentido, creo que el trabajo que se puede realizar, humilde o tras- cendente, consiste en sumar voluntades y fuerzas para crear un ver- dadero gobierno popular y democrático.

—*Una tarea de resistencia, entonces, basada en la confianza en la invulnerabilidad de un espíritu popular. Pero la brutalidad del régimen actual parece dirigida a cortar de cuajo todo retoño, toda posibilidad.*

—Yo creo que el pueblo chileno ha sido en los gobiernos progre- sistas —y en eso incluyo sin tapujos al gobierno de la Democracia Cristiana anterior al gobierno de Allende, más el proyecto demo- crático que significa Allende—, un pueblo absolutamente pacífico, de una gran voluntad y de una gran sabiduría proletaria. Por eso lo que me llama la atención en la forma como se instituyó este nuevo gobierno es la respuesta desmesurada, desmesurada en relación con los proyectos progresistas, de una revolución en libertad, como la que intentó Allende. Ahora, esta desproporción monstruosa yo creo que debe decantarse en un equilibrio natural. Hechos concre- tos de la resistencia se podrían citar y serían ejemplos. Pero lo que también creo palpable como estado concreto es una vocación na- tural de los chilenos democrática que en un momento de su vida sufre este terrible accidente.

1969-73

145

19. ALVARO CEPEDA SAMUDIO:
LA DERROTA DEL DESPOTISMO

"Muchos años después, el niño había de contar todavía a pesar de que los vecinos seguían creyéndolo un viejo chiflado, que José Arcadio Segundo lo levantó por encima de su cabeza, y se dejó arrastrar, casi en el aire, como flotando en el terror de la muchedumbre, hacia una calle adyacente. La posición privilegiada del niño le permitió ver que en ese momento la masa desbocada empezaba a llegar a la esquina y la fila de ametralladoras abrió fuego" Este fragmento de *Cien años de soledad* corresponde al episodio de la masacre de los peones bananeros, en una suerte de represión militar oligárquica que poco a poco iría sumergiéndose en el olvido hasta la negación misma de la historia. Este hecho sucedió realmente en Colombia, en 1928, y ya fue narrado por una novela anterior a *Cien años de soledad: La casa grande*, de Alvaro Cepeda Samudio. El reconocimiento de García Márquez a esa obra no consiste solamente en retomar un episodio sangriento de la historia colombiana, sino en hacer participar al autor en ella: en efecto, Alvaro es ese niño testigo de la muerte, así como en el final de *Cien años de soledad* será uno de los "cuatro discutidores" (Alvaro, Germán, Alfonso y Gabriel) que se reunían en la librería del sabio catalán.

Alvaro Cepeda Samudio había sido uno de los miembros más activos de aquella generación, el que introdujo en las letras de Colombia la influencia viva de la literatura norteamericana (muy visible en su primer libro, de cuentos: *Todos estábamos a la espera*, 1954) y el concepto de la aventura vital que debía seguir todo escritor para encontrarse a sí mismo. Con *La casa grande* (1962) dio su mejor ejemplo de prosa despojada, dura y martilleante, y poco antes de morir, hace algunos años, publicó su tercer libro, que ya no veía terminado, *Los cuentos de Juana* (1972), pero sólo muy irregularmente recuperó en él un nervio narrativo que pareció agotarse en *La casa grande*.

La casa grande es la historia de una grieta que comienza en un simple diálogo entre dos soldados enviados a romper una huelga, como el primer cuestionamiento de la autoridad, del militarismo y las castas del poder, para terminar con los símbolos de un derrumbamiento inevitable, del cambio total que debía advenir en ese país de la violencia que es Colombia. El pretexto anecdótico es la represión de 1928, pero resulta claro que Cepeda buscaba, como García Márquez, una "esencia mítica" donde se expresara la destrucción del poder despótico por manos del pueblo, hasta ver "derrumbarse la raza donde se apoyaron los fusiles".

Hay muchos antecedentes literarios de este tema: tras la figura del Padre, el poderoso terrateniente que lucha por la supervivencia del poder, aunque termine desmoronándose como un montón de piedras, tal vez se perciba a Pedro Páramo, así como de su asesinato colectivo y justiciero existe un arquetipo emocionante que se llamó *Fuenteovejuna*. A la novela de Rulfo debe acaso Cepeda Samudio esa adustez, ese hermetismo, fruto del dejar jugar los hechos entre los personajes, envueltos todos por una atmósfera de fatalismo trágico, así como también otros elementos menores: los diálogos anónimos entre gente de pueblo, el tema obsesivo del odio y el resentimiento.

La "Casa" no es más que el símbolo de una época de nobleza y poderío, de despotismo, de familia o genos que rige feudalmente no sólo grandes extensiones de tierras sino a muchos seres humanos. Al mismo tiempo, la novela intenta registrar a través de ese símbolo —y del símbolo que en definitiva viene a ser la huelga de 1928— la decadencia de la "Casa", la pulverización del poder por medio de la violencia y de la sangre, en un proceso que no se separa del mismo pueblo que busca reivindicar sus derechos. Al final de la novela los Hijos pueden decir, con ya claro sentido simbólico: "Cada vez pertenecemos menos a esta casa y cada nueva sangre está más lejos de la sangre del Padre. . . El tiempo no fluye aquí tranquila y descansadamente hacia la muerte: nos invade esta casa y estos corredores y estos cuartos como una creciente y nos arrastra y nos destruye. . .'. Si no hablamos ahora nos va a llenar el odio y entonces también estaremos derrotados. . . De todas maneras estamos derrotados".

La casa grande es una novela de la intensidad. Su estilo objetivo, de admirable tersura, constituído a trechos hábilmente a la manera de Hemingway (el diálogo entre el hombre, la mujer y el niño en la cantina, a la espera del tren, recuerda inequívocamente *Hills like white Elephants*), se ve cruzado por trazos diferentes y enriquecedores, por enfoques diversos que tienen sus correspondientes estilos distintos: un extenso diálogo entre dos soldados; la invocación de una narradora anónima a su Hermana; el conciso pero explícito decreto que desencadena la matanza; la rememoración melancólica de la niñez —con un matiz incestuoso en los recuerdos— del Hermano ante la muerte de la Hermana; los diálogos del pueblo en el mejor y más sabio capítulo de la novela ("El Padre"), donde una expectativa dramática cuyo final se sabe sin embargo, de antemano, se acrecienta a medida que se siente aumentar la excitación del pueblo ante el amo acorralado que ellos van a matar. Y finalmente, el diálogo entre los vástagos de una estirpe maldita, escrito en un estilo rítmico y salmodiado, como si se quisiera mostrar más expresivamente la clave de una derrota necesaria: la derrota del despotismo arrancado hasta sus raíces mismas, con que se cierra esta parábola.

1967

Como ha sido siempre habitual en la literatura hispanoamericana, la fama del colombiano Jorge Zalamea —o, más particularmente de su *Gran Burundún Burundá ha muerto*— necesitó distenderse en Europa antes de entrar en su propio continente. Traducido al francés por Francis de Miomandre, por S. Skiadaressis al griego, por Erich Arendt al alemán, por L. Civrny al checo, prologado incluso por Nikos Kazantzakis, *El Gran Burundún Burundá ha muerto* sin duda no encontró hasta el presente los lectores que merece, la audiencia a que estaba destinado. Pero antes, aún, de aquel poema satírico escrito en 1952, quedaba una zona de actividad intelectual que sería basamento de su creación más lograda. Nacido en Bogotá en 1905, muerto en 1969, la vida de Jorge Zalamea pareció calar, en efecto, en dos vertientes simultáneas que se cruzan, se penetran, se fecundan, manteniendo siempre, sin embargo, sus nítidos relieves. Por un lado la preocupación nacional y la acción política —al principio como vicecónsul en Londres (1933), Ministro de Educación en Colombia (1937), Embajador en México (1947); luego, cuando se engendra y desata la violencia colombiana con su secuela de dictaduras sangrientas, el exilio, la lucha militante, la denuncia. Por otro lado, su obra aparece, desde un comienzo, signada por el regusto de la palabra, la sensibilidad verbal y poética, que si bien llegan y pasan por el *bello estilo* heredado de los modernistas, alcanza a crear en el barroco americano una obra jugosa y rotunda, *El Gran Burundún Burundá ha muerto*, que luego influiría por ejemplo, en la narrativa de Gabriel García Márquez.

Alguna vez Zalamea se refirió a la violencia colombiana y pudo comparar su trágico sello nacional: "Por ejemplo: los checos no olvidarán nunca lo que hicieron los nazis en Lídice, ni los franceses olvidarán lo que hicieron las hordas hitlerianas en Oradour. Pero resulta que en Colombia tenemos no una sino decenas de Lídices; y no un Oradour sino una docena de Oradoures. Durante la inmunda época batistiana en Cuba perecieron veinte mil patriotas cubanos; pero bajo las cuatro dictaduras sucesivas de los genocidas colombianos murieron, según cálculos oficiales, trescientos mil patriotas colombianos". A esa violencia que se desató sobre Colombia corresponde toda una literatura de denuncia que no podía ocultar sus propios gérmenes antiliterarios en el panfleto, la diatriba y el documento, hasta que una generación de escritores como Cepeda Samudio, García Márquez, Rojas Cerazo o Alberto Sierra restituyó el estilo moderno y la destreza literaria que los justificara. Mucho antes —en 1949— Jorge Zalamea escribía *Las metamor-*

fosis de Su Excelencia, hibridando la poesía y el relato, con una escritura tensa, imaginativa, rítmica, que resolvía en su fábula el mito de la muerte interior y la putrefacción moral de los déspotas. En la historia de Su Excelencia y el "soso olor" que lo invade y. comienza a carcomerlo, de sus desesperaciones por recobrar la limpidez de la infancia, y de su final derrota en bestialidad, estaba contenido entero un símbolo —sin duda demasiado pasional, demasiado transparente, de la corrupción política. Es el mismo estilo de *El sueño de las escalinatas* y *El viento del Este*: enumeraciones, frases pareadas, alteraciones, cromatismo. Pero necesitaba apenas tres años para encontrar aún la mayor felicidad verbal de su *Gran Burundún Burundá*.

Allí la sustantividad del barroco está dada con total maravilla. No es sin duda un barroco cultista como el de Carpentier, ni el laberíntico y desproporcionado de Lezama Lima. Por el contrario, todo en él —lenguaje y motivo— tiene en sí el rigor del orden y la simetría. La escritura aparenta no revolucionar con la misma urgencia que la imaginación —nunca cede la sintaxis—, pero su mismo afán de orden, en su circunstancia satírica, está engendrando la suntuosidad, el brillo y la arrogancia que necesita el cuadro fúnebre del Gran Burundún Burundá. Años después García Márquez emplearía esa límpida elegancia barroca para su Mamá Grande, pero en la obra de Zalamea las cosas se encuentran más recargadas de sustancia, de goce imaginativo y verbal. El poema —de amplios periodos prosaicos, como hoy usa la poesía conversacional— narra las exequias del tirano, el gran desfile de la corte, e inserta en ella, paso a paso, la historia de su recreación reinal. Como el reino haitiano de Henri Christophe, la saga del Gran Burundún Burundá encierra sus propias historias de horror bajo el mando magnífico de un gran imperio. Todo allí —como también en la contextura del relato— está ordenado, y el propio desfile funciona como pretexto para descubrir una estructura social típica de las republiquetas latinoamericanas carcomidas por la tiranía. El Cuerpo de Zapadores, la Policía Urbana y Territorial, los Autoviadores, las Iglesias Unidas, los Cancilleres, el Estado Mayor, la Administración, los Humanistas, los Historiadores, los Gramáticos, los Escoliastas, entrañan sus miserias y bajo denominaciones transfiguradoras aluden a una mucho más cercana realidad: su oficio de apuntalar espuriamente un régimen. A medida que avanza la descripción grandiosa del cortejo, se interponen las anécdotas de su creación junto con el mecanismo despótico de enyugar a un pueblo. Al comienzo del poema tres epígrafes centran sus significados cardinales en juego: San Juan: "En el principio era el Verbo y el Verbo era con Dios, y el Verbo era Dios"; Shakespeare: "Ese tirano cuyo sólo nombre ampolla nuestra lengua"; Lope de Vega: "Sólo quiero que me quede una voz inarticulada, como la naturaleza concedió a los animales, con que en vez de palabras forme gemidos, y suspiros en vez de quejas".

En efecto, la fábula de *El Gran Burundún Burundá ha muerto* gira sobre la palabra, el poder tiránico, y el cercenamiento de las libertades hasta que un pueblo se bestialice, olvide su "lenguaje articulado". Los rebeldes —doblemente víctimas— son precisamente quienes no aceptan ese "vasto silencio de rumiantes"; quienes "en la miseria y en el despojo, queriéndose gobernar mejor a sí mismos, desearon apalabrar un mejor gobierno para todos". Si no se llega en el relato a la revolución —para qué la demagogia—, existe sí una feroz descripción del régimen de la dictadura, y vestidos con la alusión —la "emboscada de Cajamarca", los "empalados de Kahir ed Din"— los propios hechos de la violencia colombiana.

Como ensayista, todavía, Zalamea supo atender la creación literaria. Títulos como *La vida maravillosa de los libros* (1941) o *Minerva en la rueca* (1949) pueden atestiguarlo, antes de llegar a *La poesía ignorada y olvidada* (1965), con el que ganó el premio ensayo de Casa de las Américas. Es este libro, en rigor, una expedición por comarcas periféricas de la creación poética, si bien muchos de sus materiales, pese al título, son más presentes y conocidos de lo que debieron ser. De todos modos la obra testimonia, acaso más que el logro de un propósito, una idea original que trueca continuamente sus anacronismos, sus incongruencias y arbitrariedades (el mismo autor lo reconoce) por la innegable belleza de un florilegio mágico, lírico y épico descuajado de sus raíces y orígenes, casi intemporal. Allí también revela la inclinación por la poesía, y acaso el sentido último del trabajo estribe en una enseñanza: descubrir los valores de la poesía en sí misma, dejando de lado nombres, prestigios, o mitos tan civilizados como el de la "cultura".

Creo que es en la típica actividad literaria, en concreto su *Gran Burundún Burundá ha muerto*, donde Jorge Zalamea encuentra sus cifras mayores: por la creación de una fábula satírica de corte político y sentido latinoamericano; por su gusto marcado y poderoso en torno a la palabra; por la carnalidad barroca que casi inaugura un estilo y descubre un sendero de la literatura del continente; por la recreación, en fin, de un mundo que debe ser vigilado por la imaginación y combatido con su misma violencia.

1969

21. ENTRE EL GUETO Y LA LOCURA

No puede entenderse cabalmente la actitud creativa de los escritores puertorriqueños ni gran parte de su temática, si no es insertando esa literatura en el contexto político más directo. 1898 es el espinazo del siglo: Puerto Rico deja de pertenecer a España y pasa a manos de los Estados Unidos, un imperio decadente entrega un país a otro igualmente extraño y adverso. Así es como las consecuencias no se dejan esperar: la lengua de los vencedores comienza un proceso de colonización hasta hacerse necesaria u obligatoria; los puertorriqueños, con "iguales" derechos, en el papel, que los ciudadanos de la metrópoli, pasan a convertirse en carne de cañón en guerras que no les pertenecen; los Estados Unidos, durante mucho tiempo, acogen una inmensa emigración que destinan a los guetos neoyorquinos. Esta es la "situación" —con muchas variantes a lo largo del siglo pero manteniéndose inalterable en lo esencial— que los escritores recogen en cuanto ellos son conciencia de la sociedad. No se podrán leer, sin duda, muchos relatos puertorriqueños sin encontrar algunos de estos temas conflictivos, ya sea el del soldado que combate y muere defendiendo intereses ajenos, ya el del emigrante que padece todas las humillaciones posibles en una Nueva York menos ideal de lo que se supuso. En todo caso, es siempre la dialéctica de la asimilación imposible de dos culturas. En la chispa que engendra ese choque se enciende el fuego de toda una literatura.

De ahí la preocupación social de los escritores reunidos en la designada generación del 40, donde hay que reconocer a René Marqués, a Abelardo Díaz Alfaro, a Pedro Juan Soto, a José Luis Vivas Maldonado y, entre varios más, a dos notables narradores que en 1972 coincidieron en publicar sendos libros fuera de Puerto Rico: me refiero a José Luis González, quien en *La galería* y *En Nueva York y otras desgracias* hace razón de inventario de una producción que se detuvo veinte años atrás, y a Emilio Díaz Valcárcel, con sus *Figuraciones en el mes de marzo*, novela finalista en el concurso Biblioteca Breve de 1971. Preciso es considerar *La galería* como lo que es: un libro escrito a lo largo de la década que va de 1944 a 1955, signada por las concepciones estéticas del periodo, mientras *Figuraciones* no puede ser otra cosa que un producto moderno, donde el collage, la técnica dispersiva, el lenguaje abierto, muestran ante todo a un escritor atento a la búsqueda de nuevos medios, más eficaces cada vez, de hacer literatura.

La obra de José Luis González (nacido en 1926) resultó muy precoz cuando advino al género de la narración breve. A los diecisiete años publica su primer libro, *En la sombra*, demostrando a la vez que una acerada preocupación social, el intuitivo dominio de la forma cuentística más allá —o más acá— de inevitables y lógicas flaquezas. Un año después aparece su segundo libro, *Cinco cuentos de sangre*, del cual por lo menos dos textos son muy buenos ("Cangrejeros", "Contrabandistas") y uno excelente ("La mujer"). Apenas tiene más de veinte años cuando publica el tercer libro, *El hombre en la calle* (1948), buscando desde su mismo título una variación temática: sus personajes, antes reclutados en las zonas campesinas, serán ahora gente de ciudad, de una ciudad igualmente devoradora y conflictiva que la vida de campo y aldea. Ya en este libro hay otras pequeñas joyas narrativas como "El vencedor", e incursiones estremecedoras en la vida del puertorriqueño en Nueva York. Seis años después aparece en versión definitiva un nuevo libro, *En este lado*, y en 1955 una novela corta *Paisa* (escrita en 1949), con la que prácticamente diría adiós a la literatura y a Puerto Rico durante más de dos décadas. (Un nuevo ciclo se ha abierto, ahora, con sus recientes cuentos recogidos en *Mambrú se fue a la guerra*.)

A su vez, Emilio Díaz Valcárcel (1929) se ha volcado en una obra bastante mas caudalosa buscando paulatinamente la madurez, a la vez que desarrolla una vida de sieteoficios y viaja por el mundo. En sus libros se trasluce precisamente la experiencia personal, así la del soldado que combate en Corea *(Proceso en diciembre*, 1963), u otros conflictos, bélicos o no, en que encuentra motivos para un diseño de lo horrible, de lo corrupto, de las situaciones límites *(El asedio*, 1958; *El hombre que trabajó el lunes*, 1966). La obra de Díaz Valcárcel no se interrumpe, antes bien llega a un par de libros en 1971: *Napalm y Panorama*, antes de acceder al plano internacional con *Figuraciones en el mes de marzo*.

Volvamos por el momento al primero, a los cuentos de José Luis González. A propósito de su primer libro, decía hace treinta años Juan Bosch, usando una terminología que hoy suena arcaica pero tenía mucho sentido en su momento: "¿Es acaso necesario haber visto lo que José Luis González escribe para sentir que dice la verdad? No; porque está dicho con tan simple lealtad a la verdad y con tal economía de efectos, que lo descrito resulta universalizado. Y sólo los verdaderos escritores saben ser universales". La universalidad, la validación general a que alude Bosch rescatando la literatura del estricto contorno nacional, es cierta por cuanto José Luis González, frente a sus propios temas nacionales, ha sabido adelgazarlos, despojarlos, esencializar lenguaje, estructuras y visión del mundo, como para dotar a sus historias de una particular intensidad a la vez que rehuía fáciles esquematismos ideológicos. Tal vez caiga, algunas veces, en los parámetros del realismo social, particularmente en la novelita *Paisa*. Seguramente la urgencia de dar cuenta de algunas situaciones sociales se sobreimprime en varias historias restándoles frescura y espontaneidad expresivas. Lo que resiente a *Paisa*, por ejemplo, es la necesidad de demostrarles a los puertorriqueños cuán falsamente idílico es el sueño americano, demostrarles que allí sufrirán y morirán aherrojados en el submundo del lumpen, de la miseria y la delincuencia. Porque la violencia social engendra violencia física. *Paisa* se convierte, así, en una de esas novelas en que el lector ya sabe, desde las primeras líneas, cuántas desgracias deberá sufrir el personaje. El "final feliz" de la literatura rosa no hace más que trasmutarse en "final amargo" de la literatura negra. En cambio otros relatos son mucho más hábiles en mostrar la trama de ese bordado social; lo hacen, sí, pero a través de la neta validación literaria.

No en vano uno de los mejores cuentos, "En el fondo del caño hay un negrito", se juega entero en una imagen sencilla y a la vez estremecedora: el texto está narrado desde la perspectiva del negrito Mediodía y el amigo (él mismo, reflejado) que encuentra en un hueco, en un pozo, de su casucha de arrabal. La miseria, la soledad, la humillación no son explícitas; al contrario, están dadas a la vez en un solo símbolo que es la huída, oscuramente suicida, al encuentro con ése, su único amigo. En otros cuentos, como "La mujer" o "Breve historia de un hacha" la dura realidad campesina abreva en el *ethos* de los grandes héroes de la literatura aunque sin el empaque retórico que éstos han tenido: la mujer —de rara estirpe faulkneriana— vengando en su padre (a su vez vengador) la muerte del hombre que la violara y le engendrara un hijo, alude a la presencia de leyes más hondas e instintivas que las de la convención social, pongamos por ejemplo las del "honor mancillado" y la necesidad de "reparación".

Es que en los cuentos de González hay siempre conflictos de valores en distintos niveles: originados por el choque con la cultura dominante (el *marine* que seduce a la nativa por la fuerza o por el prestigio del amo, la caja sellada que trae de guerras lejanas al hijo muerto, la constante referencia a la época en que vinieron los "yanques", etcétera), o sencillamente por el choque con la realidad (un presunto cobarde se sobrepone a su carácter y se transforma en el único héroe de una comunidad; el boxeador en decadencia triunfa sin embargo, aunque a costa de un bárbaro castigo). Lo que le importa a González en este ciclo de sus cuentos es mostrar la enorme capacidad de recuperación que tiene el ser humano, sacando fuerzas insospechables de la máxima flaqueza. Y ello aunque la recuperación sea siempre lenta y dolorosa, y deba luchar contra todos los estigmas de un país alienado.

Otra alienación —vivencial, no tanto social o política— es la que aqueja al personaje masculino en la novela de Díaz Valcárcel, y sin embargo no podría decirse que su preocupación consiste en describir un caso humano fuera de la sociedad en que vive. La sutileza de Díaz Valcárcel está en la imbricación lograda entre el todo y las partes: si la propia técnica collagística alude de alguna manera a la conciencia disociada de Eddy Leiseca, esta conciencia y los menores hechos en la vida del personaje también aluden a su entorno, a su circunstancia, a su sociedad. La estructura de la novela —basada en cartas de amigas y amigos, recortes periodísticos, monólogos o narración directa— le ·otorga a la obra ágil andadura pero fundamentalmente sirve para mostrar desde distintas perspectivas diversas zonas de la vida puertorriqueña. Eduardo y su mujer Yolanda se han trasladado a España, y ése es el motivo por el cual la correspondencia hace las formas del diálogo social y de la convivencia. Claro está que *Figuraciones en el mes de marzo* viene a participar de la novela moderna por la brecha que dejara abierta *Rayuela* y que otras obras —menores— han ampliado aun más: por ejemplo, *La traición de Rita Hayworth*. Es la literatura móvil, oscilante, nunca fijada a un decurso novelesco o al diseño tradicional del "personaje". Lo que puede reprochársele es precisamente que sin abjurar de la novela de personaje, lo desplace a éste por medio de una objetivación a veces pobremente significativa, como si en un juego de naipes comenzaran a aparecer cartas que no le pertenecen, diversificando la atención y sin enriquecer el conjunto.

El doble ejemplo de la narrativa de José Luis González y Emilio Díaz Valcárcel no se propone como oposición, antes bien, en ambos escritores la literatura está signada por la preocupación dramática ante la identidad. Sólo que en González es más abierta y palpable: los hombres buscan encontrarse a sí mismos a través de actos esforzados, para superar su desencuentro social y en Díaz Valcárcel el naufragio es más hondo y peligroso, y el personaje —herido en su propia mente—, tiene perspectivas mucho más sombrías de alcanzar la orilla y salvarse definitivamente.

1973

22. SERVIDUMBRE DE LA MATERIA: LOS CUENTOS DE GARMENDIA

En el *Manuscrito encontrado en Zaragoza*, de Jan Potocki, la mujer deviene carroña en pleno acto de posesión; antes, incluso, Baudelaire le recordaba a su amada, en el poema titulado "Une charogne", la visión hórrida de un desecho consumido por los gusanos anunciándole que ella también, algún día, sería un desperdicio, *"quand vous irez sous l'herbe et les floraisons grasses/Moisir parmi les ossements"*. En los cuentos y novelas del venezolano Salvador Garmendia la realidad constantemente se transforma en carroña y el escritor intuye que este mundo órganico con tanta riqueza detectado por los sentidos se convertirá, se está convirtiendo a cada momento, en detrito, acabamiento. Pienso que a partir de esta imagen, y aunque ella no esté siempre presente, es que se genera la narrativa de Garmendia. A partir de una sensación sufriente, y pudorosamente callada, de la podredumbre ínsita en la carne, los huesos, la sangre, todo aquello pasible de derrumbe y condenado fatalmente a derrumbarse. De ahí en adelante surgen los motivos y las formas conocidas de esta obra tan original que en el término de poco más de una década ha logrado dar el salto inesperado, en la literatura venezolana, a una expresión literaria muy moderna y audaz.

Después de siete años durante los cuales ese mundo narrativo se desenvuelve en novelas —*Los pequeños seres* (1959); *Los habitantes* (1961); *Día de ceniza* (1964)—, Garmendia acomete el género cuento y la prosa breve con deliberada experimentación. Primero son los doce relatos de *Doble fondo* (1966), y luego, casi inmediatos uno del otro, *Difuntos, extraños y volátiles* (1970) y *Los escondites* (1972), así como la novela *La mala vida*. Los libros de cuentos señalan suficientemente el derrotero de esa literatura e incluso sus evoluciones más recientes: concentran y depuran su temática, y son también vehículos de acción más rápida y certera para expresar con barroca escatología las consistencias, las texturas de lo real. Se ha insistido muchas veces en el aspecto descriptivista de sus cuentos como una consecuencia de la escuela francesa "de la mirada", y en cierta medida Garmendia coincide con el objetivismo (no constituye una mera "influencia" sobre él) porque así se lo impone necesariamente su mundo obsesivo, sus extrañas relaciones con la realidad. La misión creativa que en un primer momento el autor se ha dictado, parece ser el inventario de esa realidad exterior, de ese mundo de apariencias, superficies, olores y sabores, y es a ello que dedica íntegramente sus tres libros tanto el periodo más descriptivo (I: *Doble fondo*), como el más ingrávido y surrealista (II: *Difuntos, extraños y volátiles*), y el más actual, donde incorpora tonos y preocupaciones diferentes (III: *Los escondites*). De todas maneras, no puede confundirse la narrativa de Garmendia con el objetivismo a la francesa, con un sistema de descripción neutralizado y muerto. Por el contrario, sus reglas implican una perversa intencionalidad, una densa y sobrecogedora voluntad de ruptura y explosión del sistema de valores que no comparte —y combate— y que encarnan en la ofensa y la humillación a toda una sensibilidad educada y tiranizada por el "orden", como respuesta acaso al ascenso de las capas medias y la alta burguesía venezolana, al despertar de las ciudades a la sombra del petróleo, a la instalación consecuente de una sociedad de consumo. El narrador de *"El peatón melancólico"* (II) señala precisamente la ausencia de la neutralidad: "Hoy soy capaz de asegurar, con pleno conocimiento de causa, que existe alguna inadvertida ponzoña en el ojo humano, cuyo poder de contaminación penetra sutilmente en el objeto observado". El exacerbamiento, la sensualidad, la demasía imaginativa, tienen que ver sin duda con un centro muy precisable de nutrición en Garmendia: así, los sueños pesadillescos, el tortuoso y torturante onirismo sin duda proveen imágenes y procedimientos (la desconexión tiempo-espacio). Pero también hay un proceso típicamente literario: el forcejeo, la lucha con la escritura, para hacerla expresar mucho más que lo habitual en el uso cotidiano. El propio autor se ha mostrado capaz de señalar este hecho al decir: "Como justamente trato siempre de reforzar el clímax, de remarcarlo mucho por medio de una especie de retoque inacabable, de reiteración maniática del gesto, del detalle, como un intento de detener en el tiempo aquello que por su naturaleza fugaz y endeble tiende a perderse, a disiparse, es posible que de allí parta esa especie de forzada tensión del lenguaje".

La originalidad de Garmendia no está tanto en los temas como en la formulación literaria de esos temas; no tanto en la índole de sus preocupaciones como en la forma que esas preocupaciones adoptan en sus cuentos y novelas para componer una diferente visión de la realidad. Se sabe que Garmendia expresa la alienación del hombre contemporáneo en la gran ciudad, pero lo novedoso es la manera indirecta en que ésta es servida. El personaje de *"Estar solo"* (II) pierde su identidad cuando comienza a ver su propia cabeza "calzada sobre hombros y cuellos diferentes". En *"Sábado por la noche"* (II) un grupo de amigos habla de mujeres, prepara su aventura: su propia mujer. El alcohol, en *"¡Tran!"* (II), libera al contabilista de la "Importadora Warren y Cía", lo lleva a provocar al señor Warren y finalmente a abatirlo de un golpe como postergada compensación de sus frustraciones laborales. Los oficinistas de *"Un claro día de junio"* (II) conversan mientras el agua ha inundado todo el edificio. *"Horas de esparcimiento"* (II) describe la actividad de un restaurante con el absurdo de una película muda hasta que los parroquianos se devoran los unos a los otros.

La alienación urbana, la sociedad de consumo, los hábitos hipócritas, son apenas aspectos componentes de la realidad en sus más latos términos. Pero ellos forman parte de un proceso aun mayor y abarcador, que es el de la conflictiva temporalidad humana. Como pocos escritores, Garmendia ha sabido reflejar esta sensación sin elevarla a una metafísica pretensiosa, al contrario, manteniéndola en la vivencia material y común. La realidad que tan ávidamente persigue es una realidad hecha de materia corrompible por el tiempo, por la fugacidad; de ahí que radique su insistencia en el detalle como un intento de "detener" lo que por naturaleza propia está sometido al cambio constante, al proceso cíclico de nacimiento, muerte y podredumbre. A su vez, el lenguaje con que evoca la consistencia material de esa realidad debe ser particularísimo, y esto no sólo porque su misión es crear una tensión sintáctica pareja a la tensión con que está sufriendo la experiencia, sino también porque su modo de aprehensión pasa por el meridiano de los sentidos despiertos. "Todo el callejón era en verdad un buen escenario de novela; tenía lo que me agradaba poner en palabras; palabras con sabor, con tacto, con emanaciones y asperezas" (*"Personaje"*, II). Si la más clara apariencia de lo corruptible es la materia deforme o envejecida, ambas se encontrarán mostradas a fondo en la narrativa de Garmendia, así en *"Ancianas"* (II) o en la historia de *"El peatón melancólico"* (II), que busca una víctima —y la asesina— en una mujer de edad. Lo deforme o lo horrible aparecen también paradigmáticamente en esa feria de horrores descrita con minucia en un relato de *Doble fondo: "Noche, 9:30"* o en las tendencias coprófagas, confesadas reiteradamente (*"Maniquíes"*, I) y en el regodeo ante el detrito y la materia excrementicia. Podría fácilmente hacerse un catálogo del empleo exacerbado de los sentidos en la narrativa de Garmendia, mostrando cómo todos o casi todos tienden a una oscura satisfacción sexual, pero olfato, tacto, oído, vista, gusto, están al servicio de una materia corruptible que inunda el mundo como un vasto basural.

Esa ofensiva insistencia de la materia sobre los sentidos no es otra cosa que la prueba de su existencia. Y sin embargo, entre los primeros libros y *Difuntos, extraños y volátiles* se realiza un curioso proceso que Angel Rama ya advirtiera ("El universo ancestral de Salvador Garmendia", 1971) aunque sin insistir en él: "Si recorremos la obra de Garmendia desde *Los pequeños seres* hasta estos *Difuntos, extraños y volátiles* comprobamos una evolución que lo lleva de un fijismo inicial casi paralítico (regodeándose morosamente en las situaciones, empozándose en los estados de ánimo, deteniéndose parsimonioso en el lento discurrir de las cosas) a una pasmosa velocidad y armonía para la transición (sostenido por una impune libertad) como la que en el primer cuento de DEV le permite atravesar puertas, volverse invisible, deslizarse por una cuerda, caer en el vacío, flotar, por último aterrizar en el paraíso y pasar la hoja del libro mayor". En efecto, de la pesada materialidad, los motivos de su narrativa pasan a la levedad, la ligereza del desplazamiento aéreo, la liviandad fantástica. Es que así se establece de un modo claro la dialéctica entre lo material y lo inmaterial, entre la materia corruptible y el pensamiento. No solamente el título de su segundo libro alude a este término de la ecuación (inhallable antes), sino que también se encuentra impregnado en el propio lenguaje, en el tono —menos opresivo, más desenvuelto, más grácil y humorístico— de la narración. Ejemplos concretos son *"El viaje"*, *"Difuntos y volátiles"*, *"Vuelos y colisiones"* y *"Ensayo de vuelo"*, todos del segundo libro, y la explicación del proceso la hace el narrador mismo, en el cuarto de esos textos: "Mis ideas en este punto puedo resumirlas sin dificultad: la carne es fétida, viciosa y corruptible en exceso. Pertenece por herencia al dominio de las especies zoológicas más burdas y desprestigiadas de la creación, como los paquidermos, que son vegetales, estúpidos y domesticables hasta el asco".

Ese segundo libro es el más ágil y feliz de los tres volúmenes consagrados a la prosa breve. Ha ganado lo que no tiene el primero, desenfado de expresión, libertad imaginativa. Los cuentos de *Doble fondo* comienzan por proponer ásperamente ese universo cerrado y desagradable, que el narrador sólo acosa describiéndolo hasta la saciedad, y explicando, *sub facies personae*, su particular y mórbida visión. *Difuntos, extraños y volátiles* cumple en cambio un papel artísticamente autónomo e independiente, al margen de los fecundos y originales hallazgos de cada cuento —a veces viñetas, escorzos, escenas—, como si en él accediera a una madurez tanteada ya en el primer libro pero sólo conseguida gracias a un ejercicio de más amplio aliento: la novela. En tercer término, creo que *Los escondites*, si bien Garmendia busca allí no reiterarse, añadiendo un nuevo tono, intentando estructuras aun más breves —cada vez más breves—, no es tan afortunado en la suma de hallazgos como los cuentos de *Difuntos, extraños y volátiles*. Así, el nuevo tono impuesto es el del "humor negro" de efecto final, y en él sin duda pierde calidades. Humor negro hay en *"La bella y el tobogán"*, donde se narran los juegos de la "bella" y el hombre en el parque de diversiones, juegos cada vez más ansiosos hasta que la vuelta de tuerca final lo muestra sencillamente en su cama, copulando con su mujer. En *"Un claro día de junio"* dos oficinistas conversan normalmente: lo que no se cuenta sino en la última línea es la situación fantástica de estar trabajando en un cuarto —tal vez un mundo— inundado. Los padres de *"Una jornada fatigosa"* contemplan casi sin pestañear el monstruoso crecimiento de su bebé. Antes de cerrar el cuento se conoce, sin embargo, que el padre tiene una "cola cubierta de abundante lana", y por lo tanto, lo monstruoso debe aceptarse como normal. Este recurso del humor negro —y también la fábula, muy obvia, que narra *"La muerte y el titiritero"*, parece a todas luces una variante poco inspirada de su mundo narrativo, o por lo menos no tan creativamente rigurosa como la que le permitió pasar del fijismo de los primeros textos a la dinámica de *Difuntos, extraños y volátiles*.

De todas maneras, la narrativa de Garmendia ha demostrado una riqueza de inventiva y una capacidad de recuperación imaginativa como en escasos escritores contemporáneos, tras haber compuesto en apenas tres libros de cuentos piezas asombrosamente perfectas y sugestivas de las que ya no podrá prescindirse. Haciendo un rápido recorrido por esos sesenta cuentos es posible extraer del conjunto una decena de textos brillantes, de lo mejor, sin duda, que haya producido la narrativa venezolana en lo que va del siglo. A modo de palmaria prueba, ellos son *"Noche, 9:30"*, *"Muñecas de placer"* (ambos de *Doble fondo)*; *"El peatón melancólico"*, *"Ensayo de vuelo"*, *"La Diablesa de Armiño"* (que parece un *fait divers* y es en cambio un homenaje al encantamiento sexual), *"Alusiones domésticas"* (los cuatro, de *Difuntos, extraños y volátiles)*, *"Houdini el joven"*, *"Infierno a la broaster"*, *"Los escondites"* y *"Cosas de la muerte"* (de *Los escondites).* En ellos Garmendia saca el mejor partido a las servidumbres de la materialidad.

1972

23. HAROLDO CONTI: LAS TRAGEDIAS COTIDIANAS

Un argentino —Haroldo Conti— ganó este año el premio "Barral de novela" instituido en Barcelona cuando se escindió el sello Seix Barral y los jurados del famoso "Biblioteca breve" emigraron en masa apoyando a Carlos Barral. En efecto, Félix de Azúa, José María Castellet, Salvador Clotas, Juan García Hortelano, Gabriel García Márquez, Mario Vargas Llosa y el propio Barral acaban de elegir, entre las 102 novelas presentadas al concurso (dos uruguayas, entre ellas) *En vida*, un extenso opus con el cual Conti parece culminar la nítidas líneas de su narrativa abiertas en 1962 con otro concurso, con otro premio, con otra novela: *Sudeste*.

El ingreso de Haroldo Conti a las letras argentinas ha sido lento, pausado, con un ritmo seguro y sin desmayos, ostentando una fidelidad de escritura y de visión del mundo, a veces a contrapelo de las más estridentes y actuales corrientes literarias. En 1960 se hizo acreedor de una mención en el concurso "Life" con un cuento, "La causa". Dos años después apareció su novela más trabajada *Sudeste*, un libro de cuentos, *Todos los veranos* (1964), otra novela, *Alrededor de la jaula* (1966, Premio Universidad Veracruzana), y otro libro de cuentos *Con otra gente* (1967). Un tono deliberadamente menor, asordinado, que emplea para narrar sus relatos, la elección de personajes humildes, marginales, sin historia, y una monotonía un poco pavesiana en la invención de sus temas, acercaron a Conti casi insensiblemente hasta las orillas de esa generación conocida como del 55, que encabezan como figuras más visibles David Viñas y Beatriz Guido.

No hay en Conti el staccato propio de una narrativa que a la caída del peronismo comenzó a arrasar con el periodo histórico clausurado, a inventariar sus fracasos y traiciones, como parecía propio en un grupo de escritores despiertos a un nuevo presente. Pertenece más al reflujo de esa marea, no sólo porque comienza a publicar un lustro más tarde que casi todos ellos, sino porque su literatura accede como visión de un costado menos vistoso, más neutro, de la misma realidad. En *Sudeste*, los personajes de Conti son precisamente solitarios (al modo de Quiroga), habitantes taciturnos de las islas, fronterizos entre la obsesiva vida robinsoniana del *homo faber* y la alianza con la mala vida del Delta, con el hampa del río. Algo de este mundo subsistirá en *Todos los veranos* y en *Con otra gente*, sus dos libros de cuentos, pero sin despreciar otra vida igualmente marginada y real del Buenos Aires moderno: un semilumpen de barriada, un paisaje portuario en el que se funden conflictivamente la pureza adolescente con la frustración social, el ansia de "volar", de irse lejos, con la condena al arraigo de un sector social desheredado *(Alrededor de la jaula)*. Ahora la nueva novela de Conti, *En vida*, parece resumir todos esos elementos de su mundo en una creación más enjundiosa que los breves volúmenes hasta hoy publicados. Así describe el jurado, en sus notas de lectura, esta novela: "Un color gris, matizado por una subterránea escala cromática, ilumina los lentos atardeceres, las noches imposibles y enajenadas de unos seres que reparten su tiempo entre la monotonía alienante de un Buenos Aires insufriblemente cotidiano y los evasivos fines de semana en las playas próximas a la ciudad. De todos los personajes, Orestes, con una tenacidad de abúlico, llevará a sus últimas consecuencias la huida de la corrosión y de las costumbres. Un movimiento de estructuras narrativas, sostenido por un lenguaje taladrador, mezcla las castradoras experiencias del presente, el sueño que fue la infancia y los fantasmas de una sensibilidad inerme y absorta".

En el trasfondo de estos relatos hay un elemento que aparentemente avala la autenticidad de su literatura, le confiere verdad: es la vida del propio novelista, a la que poco le falta para que pueda definírsela también de novelesca. Nacido en Chacabuco hacia 1925, Conti es un hombre en el que se conjugan la formación intelectual y el vitalismo (habría que recordar nuevamente a Quiroga): estudios completos de filosofía, una fragmentaria carrera docente, largos años de seminarista sellados por conflictos de fe y luego por el abandono de la misma, no parecen obstar para que conduzca una existencia entre aventurera y vagabunda, con estadas en las islas del Tigre, con vuelos como piloto civil, con actividad de empresario y camionero, de marino, constructor de barcos y hasta náufrago (esto último frente al Cabo de Santa María, Uruguay, en 1965), al margen, incluso, de una persistente actividad como guionista y asistente de dirección cinematográfica y como autor teatral.

La vida en el Delta y su minucioso conocimiento del entorno se palpa en *Sudeste*. Es la primera novela y se sienten por eso tal vez ciertas indecisiones de quien busca su voz a través de los maestros. La concisión y la desnudez descriptiva aprendidas de Hemingway revelan a veces su deuda, pero declaran también la asunción de un ritmo narrativo que se sostiene de punta a punta, y la voluntad de una sobriedad realmente valiosa en los medios de expresión. Es casi toda ella una novela de personaje y ambiente: construida alrededor de un personaje masculino —el Boga—, sigue a éste desde su aparición inadvertida, de ayudante, hasta la morosa existencia vagabunda en el río, sus encuentros con una banda de contrabandistas, y la previsible muerte inútil que impone su final. La segunda novela puso pies en la ciudad, aunque el mar está allí cerca, y están sus tentadores barcos con destinos lejanos. Aquí cuenta los años adolescentes de Milo y el pasaje de su dependencia a Silvestre, su padre artificial, el viejo que lo recogiera, a una libertad que se afronta en primer lugar como riesgo, y en segundo como derrota. En ambas novelas, más allá de un aparente realismo enunciativo, Conti edifica hábilmente un universo simbólico cuajado de significados. En *Sudeste* el mito central es un barco abandonado (el "Aleluya") que simboliza lo fijo, lo inerte, la "señal" mortal en el vagabundeo azaroso de su personaje. En *Alrededor de la jaula* es la amistad del niño con una mangosta enjaulada en el zoológico, sus visitas semanales y la liberación postrera, que quieren (con demasiada trasparencia) representar sus conflictos adolescentes, antes del fracaso, antes del choque contra una sociedad hostil.

Si la obra de Conti se enmarca en la generación del 55, no es tanto por su identificación temática como por una común nutrición filosófica, por lo menos en un sector destacado. El existencialismo, el descubrimiento de la temporalidad, la veta literaria que luego entronca con la tradición norteamericana a través de la "generación perdida" y más modernamente de los *beatniks* y su profeta Kerouac, ha sido asimilada por Conti hasta diseñar con autonomía creativa su concepción de la vida. Sus personajes son vagabundos aunque no tan explícitos como ese personaje del cuento "El último", que empieza a narrar: "Un buen día me hice un vago. Así como lo oyen. No sé cuándo empezó pero aquí me tienen, tumbado a un costado del camino esperando que pase un camión y me lleve a cualquier parte". Aquí Conti hace el estereotipo, hunde demasiado el lápiz y destaca con una deliberación frustránea la silueta de su personaje. Pero basta recorrer los otros cuentos y novelas para captar una subterránea concepción que va otorgándole un sentido al universo edificado.

El barco de *Sudeste* está allí, abandonado al deterioro o a la reconstrucción, es decir, a una suerte que no proviene de él mismo. Vive el ritmo de la naturaleza, se pudre y pasa como pasa el río. También el personaje llega a sentirse parte de esa naturaleza, un ser temporal y en camino a la madurez y a la muerte. "Poco a poco, esta vida lo hizo a la idea de que él marchaba y vivía con el verano y el río, de acuerdo con ellos por entero, verano y río él mismo". Para el Milo de *Alrededor de la jaula* la conciencia del tiempo adviene también temprana: "El que había cambiado era él porque ahora se le antojaba que estaba viendo todo aquello desde cierta distancia, precisamente como una estaca clavada en el tiempo, inmóvil y fija en la corriente de las cosas". Lito, el semilumpen de las villas miserias del cuento "Como un león", no tiene, no puede tener opción vital; como muchos, sabe que "tarde o temprano la vida se me pondrá por delante y saltaré al camino". En "El último", el símbolo está buscado y por eso la expresión resulta casi tan clara como la luz. Allí está todo Conti cuando dice: "Cada uno es una flecha lanzada en una dirección y no hay como dejarse llevar para acertar en el blanco, cualquiera que sea".

Es en la unión de estos nódulos donde se percibe su coherencia y su fidelidad. Pero Conti está del mismo modo atrapado en estas claras coordenadas con que construyó sus relatos. A veces aparecen, como en *Alrededor de la jaula*, superpuestas a los hechos mismos, condicionándolos a un diseño previsible. De ahí la interesante coyuntura en que se encuentra su narrativa, antes de *En vida:* una escritura sobria que ha alcanzado en algunos tramos una rica modulación expresiva, más una espartana configuración de límites, que realiza con vigor y empecinamiento como con voluntad de horadar la densa realidad antes de pasar más allá, a otras regiones, han despertado la atención sobre su obra conocida, han señalado la presencia de un escritor de franco oficio, y por encima de un estilo adelgazado, depurado, que en momentos lo acerca al hallazgo como a la trivialidad, han permitido hacer una firme apuesta sobre su futuro. *En vida* tiene el papel de confirmarlo.

1971

24. JORGE ONETTI: VENDRA EL TIEMPO DEL HOMBRE MACANUDO

A comienzos de 1965 un pequeño libro —apenas siete cuentos, ninguno de los cuales muy extenso— ganaba el premio cuento de Casa de las Américas. Su título: *Cualquiercosario*. Desde el umbral mismo de este primer libro, su autor mostraba una displicencia engañosa, evitando los grandes temas, o caer en el sensacionalismo que asombra al burgués, con un estilo cuidado y terso sin alardes ni estridencias. De todos modos, en la profundidad de sus cuestionamientos, para quienes traspasaran esos hechos cotidianos casi sin importancia pero de mucho ingenio, que parecían nutrir anecdóticamente sus relatos, podía encontrarse una verdadera intención de sembrar el desorden en las familias. Desde 1958 Jorge Onetti había comenzado a publicar: una tarea esporádica, lenta, sin apresuramiento —algún cuento en *Narradores argentinos contemporáneos*, o en revistas hoy olvidadas—, mientras iba madurando un estilo que sería fundamentalmente una manera de ser. De ambiente y raíz argentina, *Cualquiercosario* montó su juego sobre algunas máculas del viejo orden burgués, pero en su parsimonia estaba dando, asimismo, un paso inicial hacia la comprensión de un mundo desbordante y complejo que debía embretar en pocas líneas, en pocos significados. El peronismo, la lucha gremial, los pequeños burócratas, el PC argentino, podrían rastrearse como germen o materia física de su narrativa aunque nunca hicieran depender de su presencia subyacente, la eficacia de sus cuentos. Lo original sin duda está ya allí: en esa actitud del narrador que transforma los elementos sociales y políticos en un fundamento invisible del relato, en una opción, en definitiva, de la lectura. Funciona así como un iceberg, en que toda su existencia flotante, su presencia en un espacio visible, están basados en un equilibrio con su zona inmersa.

Algunos datos pautan, más que ninguna intención simbólica, el sentido de los cuentos: es el polvo, la tierra depositada sobre las cosas, lo que prefigura, por ejemplo, un orden viejo y acabado que aún existe y es necesario sustituir. En *"El amor es un bicho"*, el "laberinto de estanterías tupidas de legajos, atoradas de pelusa y polvorientas", o incluso la descripción de los seres humanos, como esa Matilde de "tobillos hinchados" y "rostro velado por resignación y hastío". Desde dentro de sus criaturas y del espacio vital en que se desenvuelven, Onetti está indicando los gérmenes de la descomposición que caracterizan a un mundo ya vacío de significados, de contenidos humanos, y hasta en el mínimo juego de ingenio verbal ("Matilde, ¿no fue acaso una cosita? ¿No es ahora una cosa?'') revela la conciencia de un desgastamiento del tiempo que destruye sin enriquecer, del tiempo que se desploma en pelusa y polvo. En *"Té para dos"* asoma el tema social de la lucha de clases y la reivindicación obrera y el símbolo —hasta personal, humano— de su personaje Mitzi, es el crepúsculo. En *"El gargajero"* hay toda una sátira del orden, en especial del orden militar, pero su propio personaje, desde el mismo nombre —Marcial Focilón— es quien muestra la semblanza caduca y vieja que lo define. En *"Tiempos viejos"* no sólo se reitera la presencia de ese aire "límpido y quieto como una suspensión química que hubiera decantado insectos y pelusa sobre los escaparates y el piso", sino que incluso se predice un tiempo nuevo: "Los tiempos viejos que hoy corren. ¡Oh pecador! Serán triturados por un futuro incierto". Bastaría recorrer estos pocos cuentos, como también *"Las mojcas"* (uno de los mejores) o *"Pedagogía"* y *"Las palabras huelgan"* (de una nueva sección agregada al libro: *Otras cositas)** para advertir ya, anejos a la eficacia autónoma de cada relato, una voluntad coherente que los recorre, los acaricia, los moldea y va conformando a la vez que un estilo, una concepción del mundo.

Es esa concepción de apertura, de renuevo, la que aparece como nervio de su reciente novela, *Contramutis* (Barcelona, 1969). Escrita a lo largo de varios años, *Contramutis* recrea, con la misma suerte de contención, de no estridencia, de ironía sorda y recurrente, los aspectos esenciales de un mundo, y constituye, en sí, un breve y eficiente retrato de ese orbe. Es importante señalar su tipo de crecimiento, de ahondamiento en lo real. Porque si en ella no hay nada de épico, de majestuoso, ni el ritmo galopante típico de las novelas totalizadoras, funciona como un barreno, calando a profundidad, mostrando las diferentes napas, como si en un periplo interior afloraran todos los seres y cosas que constituyen en definitiva su experiencia del mundo, su conocimiento de las cosas. Es que así mismo está estructurada: como una ensoñación, un revivir invaginado en que los personajes se sueñan recíprocamente (al final de la novela, el ensoñado parece haber sido el ensoñador), sin transar por cierto con el gratuito juego borgiano. A Sitiecito, un pueblo de provincia, llega un día Roberto Lupo. El lugar de la infancia es motivo para revisar su vida entera, como un álbum de familia, página a página. Pero no está en sus manos hacerlo, sino en la de dos jóvenes provincianos que en la derrota de Lupo podrán encontrar la posibilidad de otro triunfo. Las situaciones se suceden desde entonces novelescamente pero, en un estilo caro a Jorge Onetti, por interpósito personaje. Roberto Lupo contrata su propio entierro en la funeraria que regentean dos muchachos —Hilda y Peloquieto—, visita su vieja casa como una aparición fantasmal, y acaba suicidándose. Ya los muchachos no podrán salirse del juego instaurado, y esos dos últimos eslabones de la vida de Roberto Lupo se verán precisados a inventar (recrear) su existencia. Noche tras noche, posesionados de sus papeles —él, Roberto Lupo; ella, Julia— Hilda y Peloquieto reconstruyen casi mediúmnicamente su biografía.

* En la edición uruguaya (Arca, 1967).

Dentro de esa estructura trascurren años, vida. Una infancia en la que ya está implícito el carácter lateral, prescindente de Lupo: "Su único mérito estaba en ser un buen espectador y un buen cronista de las hazañas. Por eso los héroes le dieron un puesto de mascota, de campana, de encubridor o pretexto ante la madre. Aunque lo consideraran mascota, trataban de evitarlo porque notaban que era diferente, que observaba demasiado y que no participaba". Luego es la juventud y el deseo de vivir antes que de hacer literatura de la vida: "Me asqueaban esas ratas que se rellenan de información como aperitivo y después ya no pueden sentarse a la mesa". Paulatinamente su paso por los años va marcando, a cada lado, una actitud personal, un juicio siempre alerta sobre seres y cosas. Una actitud antintelectualista recorre la novela y se ensaña, apenas tiene oportunidad, con esos círculos que comentan los "cánones horacianos" en Faulkner, u otras "cosas sorprendentes y, aún, profundas". La misma ironía sin piedad para los amigos del café que él siempre interrumpe cuando ya están por "derrocar al gobierno" e "instaurar el estado obrero", o que van a consultar al astrólogo Márquez sobre el futuro de la política nacional.

En otro nivel de la novela, Onetti cala estratos diferentes de este enjuiciamiento del mundo. Dos —opuestos— son significativos. El viaje interplanetario a Insuperable, donde viven los pargatas (esos seres increíblemente lejanos, parece decir el autor, que habitan las villas miserias, los pueblos de ratas o simple, sencillamente, el campo) le da la oportunidad de volcar su simpatía sin olvidar el ingenio y la fantasía del estilo, pero limando toda posibilidad de ironía. Por el contrario, una necesidad de concientización, de revelación muda y angustiosa, determina las pocas palabras que entrañan el mensaje del episodio: "Ustedes no pueden esperar que alguien de otro planeta vaya a ocuparse de sus asuntos. Tienen que hacer las cosas por su propia cuenta. Allá hay gente que no sabe ni siquiera que ustedes existen, y, los que lo saben, dudan que se trate de seres humanos". El otro episodio es la visita a la casa de la hermana de Lupo. Como en "Pedagogía", el personaje central sólo accede a penetrar una realidad diferente, dejando que las palabras y reacciones de su interlocutor muestren, revelen por sí solos, la vida derrotada. La hermana de Roberto Lupo representa aquí su típica clase media, aferrada al ansia burguesa de la propiedad que se va transformando en necesidad vital y asfixiante. Toda ella vive sólo para mantener en secreto una valiosa, camuflada pertenencia, y su terror estriba en el despojo, aunque en rigor las riquezas pasivas sólo potenciales, son otra forma —ésta irreparable— de la miseria.

Desde un punto de vista literario uno de los mayores valores de la novela consiste en este doble juego: por una parte el relato —mezcla de comic, de parodia cinematográfica, de ciencia ficción, de sátira política, de materiales pop, dicen los editores, no muy lejos de la realidad—, que se desliza en una constante renovación y desafío, en un estilo brillante sin pausas, creando así un desarrollo casi episódico de su trama. Por otra, un caudal de implícitos políticos, de alusiones a la propia realidad vivida. Por cierto allí corren los años del peronismo y el general en el poder se llama Focilón; su mujer, idolatrada por el pueblo, la Señora, la diosa, Elbita; pero las épocas se mezclan y permanecen sólo sus fuerzas, sus corrientes, sus vectores. Porque se menciona más de una vez a Parx y simultáneamente puede hablarse de Vergara "el comandante guerrillero muerto en pleno combate por sus ideas", y aludirse al más reciente, cursi e indignante tráfico con sus imágenes, sus fotos, que explotan la sensiblería e incluso el mayor fervor ("Mandé hacer miles de estampitas. Quedó que ni un santo, che"). Todo este aspecto es chisporroteante en sus implicancias más agudas, que van de lo textual a la recreación de la fantasía. En su capacidad literaria Onetti trabaja sobre materiales de la propia realidad, y sus alquimia consiste en utilizar las correspondencias, ese arte que, más allá de la metáfora, empleara la poesía moderna, de Baudelaire a Rimbaud y Mallarmé, y que descubre, merced a nuevas y desconcertantes aproximaciones, los sentidos ocultos o limados por la costumbre. En ello, si hay juego, se apela al lector para una complicidad, para ese otro entendimiento de las medias palabras, del guiño que se fundamenta en la convivencia en un mismo mundo, de cara a una misma realidad.

Así la historia de Roberto Lupo es también la historia de una generación. Una generación que no pudo llegar. La novela se propone como un ejemplo —el retrato de sus frustraciones—, a través del cual pueda lograrse una liberación, o al menos las señas del camino para hacerlo. Es, por lo pronto, la de los dos muchachos que sienten la necesidad (vital, dice en alguna parte el autor) de enso-ñar o recrear la vida de Lupo, pues así maduran los errores sin tener que vivirlos, pasan el tamiz de una experiencia y se genera una más fructífera visión de las cosas. Ese mismo aire de apertura hacia un mundo nuevo y hacia un hombre nuevo —que sostiene en definitiva la novela y que la convierte junto con su calidad de escritura en una de las mejores de estos últimos años— posee tras de sí su mejor fuente. Sin altavoces, como un nuevo sentido implícito, el mensaje del Che Guevara se siente como presencia en sus frases: "No sé si estaré entre ellos —dice Roberto Lupo— pero otros hombres se aprestarán a entonar los cantos luctuosos con tableteo de ametralladoras y nuevos gritos de guerra y de victoria". O en ese cierre de la novela, que es todo un símbolo en suspenso: "por duros sufrimientos no está gratis la cosa vendrá el tiempo del hombre macanudo".

1969

1. *Cazabandido* (1970)

Miliciano y militante de la Juventud Comunista desde los 17 años, Norberto Fuentes estudió artes plásticas y periodismo. Ya en 1961 colaboraba en la revista "Mella" y desde 1964 en "Cuba", donde publicó más de sesenta reportajes. También en el 64 era periodista en el órgano del Partido "Hoy", y en 1965, cuando "Hoy" se fundió con "Revolución" para dar origen a "Granma", Fuentes escribió en este último, dando allí a conocer las crónicas hoy reunidas en *Cazabandido*. En 1968 un jurado integrado por Rodolfo Walsh, E.A. Westphalen, Jorge Edwards, C. Couffon y Federico Alvarez lo distinguía con el premio Casa de las Américas por *Condenados de Condado*. El mismo libro lo publicó Feltrinelli en edición italiana, con prólogo de Italo Calvino. Hoy Fuentes tiene 27 años y *Cazabandido* es el segundo libro que publica.

Todos conocemos los relatos de Isaac Babel, su concentración y brevedad estilística, su ironía y distanciamiento, su admirable fuerza narrativa y la verosimilitud que arranca de esa mirada franca, algo picaresca, vuelta aquí y allá sobre amigos y enemigos sin contemplaciones ni mentiras. Acaso la mejor manera de acercarse a la obra del cubano Norberto Fuentes sea recordando a ese maestro, a quien Fuentes recuerda y menciona en uno de sus cuentos de *Condenados de Condado*. La edición italiana de este libro lo presenta como un *"giovane Babel"*; Italo Calvino señala: "El éxito de Norberto Fuentes se debe, además de su rico humor, al haber sabido encontrar el modelo justo del género: *Caballería roja*". Y el mismo autor declaró en una entrevista a Mario Benedetti: "Es difícil, si se ha leído a Babel, escapar a esa influencia". La óptica babeliana da un nuevo modo —resuelto, novedoso y audaz— de contemplar lo real y transformarlo, de espejear la realidad viva y naturalmente contradictoria de la Revolución Rusa en sus comienzos. Una óptica que luego se proscribiría al entronizarse por canon el realismo socialista y sus mitos reaccionarios —por burgueses— del heroísmo romántico. En Fuentes hay una búsqueda asimismo directa y fecunda del nuevo lenguaje narrativo con el que se han de captar nuevas realidades, aunque en tantas cosas difiera de Babel —en época y cultura, por ejemplo, en diferentes circunstancias revolucionarias— y también haya que comenzar, al mismo tiempo que se reconoce su presencia, por derribar ese paralelo demasiado fácil con el escritor ruso.

En lo que coinciden —además de una forma particular, breve y rotunda, de los cuentos— es en la ausencia de demagogia. Para Babel los cosacos de su ejército, vistos con auto-ironía, eran "bribones de la vida"; Fuentes nunca define a los revolucionarios en términos semejantes ni aproximados, ni los muestra con sorna en situaciones o actitudes picarescas, pero equipara la debilidad y la valentía de carácter de unos y otros, ejército y enemigos, los soldados con los hombres que éstos están destinados a matar. Por eso hay como una mirada amplia y alta, como una mitificación de la situación humana (el arte tiene la función de *sintetizar* la vida, según Fuentes) en que cada hombre asume el papel ineluctable, ya sea de "cazador" o de "bandido", de "revolucionario" como de "contrarrevolucionario". Lo que hará Fuentes en sus libros —en *Condenados de Condado* (1968) y ahora en *Cazabandido* (1970)— es relatar con todo el calibre humano de sus protagonistas, esa aventura ya cerrada por la historia: el exterminio de las bandas "alzadas" por parte del ejército revolucionario. A ambos lados de la ·metafórica frontera están los unos y los otros. La sustancia de los relatos será las múltiples variantes del mito básico del cazador y la presa: la astucia del cazador —sus trampas, sus métodos, su propia violencia— y la habilidad de la presa —pasar inadvertida, contraatacar, hostigar y esconderse. Y la misma relación dialéctica de esa situación pesadillesca que es el juego mortal: en el fondo, cazador y presa están representando, en su sentido mítico, la persecución del hombre por la muerte.

Esto es lo que no se ha visto en el primer libro de Fuentes, más ansiosos por destacar la anécdota, la relación de sus personajes con los hombres de la realidad. Como a los oficiales cosacos no les agradó demasiado la forma en que Babel los representaba, se comprende que para muchos ese libro de Fuentes sea áspero, polémico, si no en los hechos —nunca desmentidos—, sí en la visión realista y desnuda de quienes los encarnaron. Inevitable escozor en un libro que absorbe su propio alimento de la realidad presente o cercana, de los hombres que han hecho y continúan haciendo una auténtica revolución. Pero hasta en este mismo aspecto delicado y resbaladizo, hay un rasgo nítido, pocas veces justipreciado, que ahora distingue *Condenados de Condado* de *Cazabandido*, como distingue ambos géneros, el cuentístico y el testimonial, y hay que volver otra vez a Babel para advertirlo con toda claridad.

Leyendo los cuentos de guerra de este último, Lionel Trilling anotaba: "Los relatos, en los que abunda la violencia más extremada, están compuestos con sorprendente elegancia y objetiva precisión, así como con cierto tipo de alegría lírica, de tal manera que, al principio, el lector no puede saber de qué modo el autor reacciona ante las brutalidades que relata, si las juzga buenas o malas, si las justifica o no". Palabra por palabra todo esto puede decirse de *Condenados de Condado*. No hay explicitez de parte del autor, no hay un juicio paralelo al relato; de ese modo la elipsis de un mensaje político y la desacostumbrada actitud de presentar a los hombres tal como son, sin afeites idealistas, justifican una primera sorpresa, un desconcierto provisorio ante el sentido último de toda la violencia. Hay que pasar más allá de los relatos independientes, ir a la visión de conjunto, para captar un innegable "significado" moral del que cada gesto, cada acto, está embebido, y un concepto de heroísmo —ese hombre "con cojones" que se porta entero tanto en la batalla como en el palo de fusilamiento— en que subyace entera su concepción del mundo. Bastaría repasar la serie de bandidos y cazadores, de contrarrevolucionarios y de revolucionarios que provee el libro, para advertir qué pareja, qué paralela sinceridad narrativa vuelca sobre ellos, indistintamente, el autor. No hay en su actitud maniqueísmo, buenos y malos señalados a priori, sino políticamente equivocados o no. Lo que no se discute, lo que no se pone en tela de juicio, son los hechos mismos que configuran el libro, es decir el exterminio de los bandidos por las fuerzas revolucionarias, ni la justicia y la razón populares que hay detrás de esos hechos.

Si esto sucede implícitamente en *Condenados de Condado*, en cambio *Cazabandido* goza de un documentalismo completo, de una información cercana y veraz que desde el comienzo, sin sutilezas, hace al lector dueño de todas sus certidumbres. Una introducción explicativa, un pliego de fotos, un fichero final de todos los datos sobre la campaña de Lucha contra Bandidos. Sucede que este libro es la matriz de los relatos que formaron, en 1968, *Condenados de Condado*, y a medio camino entre el reportaje sin más y el relato de ficción, completa, enriqueciéndolo, el panorama abierto por su volumen de cuentos. En 1963, mientras escribía y dibujaba en la revista "Mella" y formaba parte de la Juventud Comunista, Fuentes participó como periodista en la lucha contra los focos terroristas, un episodio de la Revolución Cubana que se extendió desde 1959 a lo largo de seis años. Organizados y apoyados por la CIA para crear una situación interna propicia a la invasión —después frustrada en Playa Girón—, los alzados subsistieron, hostigando a la revolución, cometiendo depredaciones y crímenes, con el aliento de "dirigentes contrarrevolucionarios, agricultores ricos y sectas religiosas". Esos seis años en que la violencia de los alzados sembró muertes inútiles y mártires, fue también un período de gestación socialista: la lucha para terminar los pequeños focos tenía un sentido histórico y marcó poderosamente a toda una generación hoy más madura y consciente de su papel revolucionario. En 1963 Fuentes tenía veinte años; no había participado en la Sierra Maestra, pero sí tuvo la oportunidad de vivir los años difíciles del cerco total, de la agresión directa de Estados Unidos, de la defensa de la patria, del peligro inminente de la invasión. Por eso él podría llamarse —y toda su generación con él— un "hijo de la revolución". Contrastando con la mayoría de los escritores modernos, que no se embarcan con el tema de la revolución, que continúan hasta demoradamente ajustando cuentas con la época prerrevolucionaria, estos escritores (hay que mencionar a emergentes como Heras León, cuyo libro de cuentos *Los pasos en la hierba* toma el mismo periodo de la lucha contra los bandidos, vivida asimismo por él, o Víctor Casaus, con su testimonial *Girón en la memoria)* saltean épocas, hasta queman edades y ya no sólo escriben con toda pureza y valentía sobre su tiempo vital, sino que sienten nostalgias de la época revolucionaria de esos años todavía cercanos pero que ya se ven tan lejos a medida que se consolida una sociedad y una nación.

"Les hablo de la mejor época. La que se añora. La que Mongo Treto y yo guardamos para los nietos. Y prenderemos un tabaco, asentando la lengua, porque seremos soldados retirados, sin otra cosa que hacer. Sólo cuentos. Y mataremos bandidos que mataron otros. Y confundiremos nombre, fecha y lugar. Pero no importa. Que los nietos se fastidien, y oigan del almuerzo servido al lado de los cadáveres, y de los fusiles disparados para cualquier sombra, y de los convoyes inflamando de polvo la llanura, y de los cercos de cien días, y de los peines proletarios y de los oficiales que se presentaban como Cristo diciendo: "Aquí está el bandolero. Aquí lo partimos". Así comienza *Cazabandido*. Pero la tónica que lo anima no es la de la pura nostalgia, sino la de la acción y la aventura. Tres mil alzados perseguidos y·acosados hasta su destrucción a lo largo de seis años, forzosamente debían dar materia suficiente para más de un libro de relatos sobre historias de combate o de actitudes. Fuentes volvió, en 1966, a retomar sus notas del 63, y autorizado por el Ministerio del Interior entrevistó en la prisión a cabecillas contrarrevolucionarios y recogió toda la información posible en seis provincias de Cuba. El resultado está a la vista: un libro vital y hermoso, un libro de fuego en el que todo está captado con la misma fuerza que le da el sentido. De ahí que lo más llamativo sean sus nutridos episodios y personajes singulares, que se recortan en el relato del mismo modo que después en la memoria. Hombres como el Capital Descalzo o Caballo de Mayaguara se alzan casi como figuras míticas que ninguna fotografía revela en todo su encanto, como ninguna fotografía es capaz de reflejar el valor, el coraje. Episodios como la caza de Tartabull por su hermano, la increíble e ingeniosa huída de Pineo de la emboscada, rasgos como el de Abad que a cada salto contra los bandidos gritaba "Por Mario Jorge" en recuerdo de su compañero caído. Las historias de los bandidos aún proveen mayor jugo anecdótico: Gilberto Rodríguez, Tomasito San Gil, Mario Bravo son nombres que se destacan de la masa anónima de contrarrevolucionarios; pero también se destaca Ana Belkis por ser la bandolera de Matanzas, o su marido el leñador, que en la cárcel, antes de ser ajusticiado, le pide a su compañero "le hiciera el favor por la espalda". Tondike, a quien fusilan "por sus veinticinco crímenes de guerra". O simples soldados que antes de su fusilamiento piden como último favor, "permiso para orinar".

Hay capítulos del libro que consisten sólo en los diarios y cartas de los bandidos. Allí la amenidad que campea en el volumen se resiente y deja paso a la documentación, urgido el autor por disparar sus *flashes* desde todo ángulo posible. Pero otras —los tres capítulos en torno a Pity Hernández— revelan en Fuentes una habilidad para la orquestación novelística, para la trama, cuando cuenta un episodio desde varias perspectivas haciéndolo progresar en cada una de ellas. Al admirable oído que le lleva a escribir páginas con un lenguaje y un ritmo de increíble eficacia y belleza, a la pericia para abrir y cerrar sus cuentos y elaborarlos como un golpe, como obras cerradas pero también en suspenso, a esa velocidad estilística que le permite describir situaciones de violencia con la misma inmediatez que ellas tienen, se suma sin duda esa aptitud y esa ambición de sintetizar en estructuras mayores la rica experiencia que emana de la Revolución Cubana. Por eso creo que *Cazabandido* es un libro importante, que cierra un ciclo temático pero abre nuevos horizontes de óptica y escritura narrativas. Por eso creo también que ya pueden esperarse los futuros libros de Norberto Fuentes, que junto con éstos, le harán lugar entre los mejores escritores de este continente.

2. *Condenados de Condado* (1968)

"Durante siete años, de 1960 a 1966, grupos de guerrilleros contrarrevolucionarios se movieron y operaron en la Sierra de Escambray, región central de Cuba. Al pie del Escambray, si se mira desde la costa sur, está el pueblo de Condado; mil habitantes, medio kilómetro de calle central, un cementerio y un campamento militar". Con este epígrafe el joven narrador cubano Norberto Fuentes inicia su *Condenados de Condado* (1968), relatos de la "limpia de Escambray", que él presenció como periodista, que él estructuró como narrador. Ya ahí está todo su estilo, despuntando los rasgos más significativos, reconocibles luego frase a frase: un despojamiento del juicio omnisciente, una enumeración escueta y mítica de la realidad. Poco, es cierto, se necesita para señalarla y trazar su imagen, para despertar su reflejo fiel, y en esto la lección de Rulfo y de Babel —dos magisterios reconocidos y evidentes— aparece aprendida en el manejo característico de los datos reales, aunque señalen por superposición —si es necesario— la carencia de otros rasgos que una narrativa novísima, aun inicial, no puede dar: cierta mayor densidad y cierta penetración de vida.

La promoción a que pertenece Fuentes ya había ofrecido *Los años duros*, de Jesús Díaz, y precisamente *Condenados de Condado* logra emparentarse a éste por la visión directa de los años revolucionarios, de un presente que desde el comienzo es necesario señalar. Proyectándolos sobre los esquemas generacionales, se advierte la sucesión de estos escritores a aquéllos que, en 1959, al advenir la Revolución —como alguna vez señalo Cabrera Infante—, ya estaban formados. Ellos, por el contrario, son sus hijos, al calor de su fuego se han moldeado y, en consecuencia, es natural esa dedicación radical a enfrentar, a desnudar, a ver el periodo y la gesta del periodo como el sentido último de su acción. Después de los relatos extraños y sinuosos de Calvert Casey, de la precisión estilística de Cabrera Infante, volcada al juego malabar de las palabras, o de la melancolía memoriosa de Humberto Arenal —tres excelentes escritores, tres formas sin duda diferentes y conflictuales de sincronizar la cosmovisión burguesa con las nuevas estructuras de la sociedad—, esta nueva narrativa aparece pujante y realista, con mucho de seguridad inexperiente, con mucho de simplificación (sin desvirtuar los hechos conviene recordar que la función de la literatura, para Norberto Fuentes, es 'sintetizar la vida'), pero con una honradez intelectual que los obliga a aceptar los desafíos más riesgosos y bucear, con su visión literaria, con sus propios instrumentos, en los informes terrenos de la narrativa actual.

La asimilación del mundo fresco, inventivo, de Babel ha determinado por lo pronto la preocupación por reflejar la realidad aceptando —para comprender— sus contradicciones más tenaces. Los héroes de *Condenados* son seres humanos antes que figuras fácilmente míticas, y el personaje central —hilo conductor muchas veces— que es el comandante Bunder Pacheco, está visto con una innegable simpatía, pero al mismo tiempo con la dosis de realismo que haga ver en él a un hombre con sus gestos generosos y abiertos y sus pequeñas actitudes irónicas. Cuestionada la admiración por los "bandidos", se reconocen sin embargo, cuando necesarios, cuando se desprenden de los hechos, sus actos de valor, y el narrador de *"Paredón"* puede rememorar a "Cornelio Pérez, el que pidió un tabaco por última voluntad y los del pelotón esperaban que la candela se fuera acercando a la boca y de pronto él mismo gritó fuego y las balas lo trozaron y el tabaco se quedó echando humo mientras él cabeceaba". Babel está presente. No es sólo el homenaje de *"Visita"* (qué otra razón explicaría su inclusión en el volumen) sino la presencia de Bombillo y su connivencia con los bandidos. Aquí también, Bombillo y los hombres que como él figuran en las filas de la revolución, son, como los cosacos de Babel, "bribones de la vida".

Desde ahí, sin embargo, puede advertirse tal vez lo más valioso del libro y su intención perdurable: la voluntad por establecer una ética que se deduzca de los hombres en el estricto contexto de la revolución. Es la ética que en las relaciones humanas tiene como consecuencia muchos actos de remordimiento y autocastigo: el soldado homosexual que se suicida, en *"La yegua"*; o *"Melo"*, quien elige asimismo el suicidio como acto de contricción para lograr en su agonía, como recompensa inesperada, la reconciliación con sus compañeros ofendidos. Lección, en *"El honor limpiado"*, es la historia del soldado que posee una carta enviada por su novia a un bandido, carta ingenua y apenas reveladora de simpatía y sin embargo razón suficiente para una ruptura honda, dolorida. Lección moral, y de moral revolucionaria, la *"Orden número 13"* del comandante Bunder Pacheco, texto admirable donde su expresión toma, en contraste con su contenido real, la silueta humorística: prohíbe a sus soldados "matar accidentalmente reses de propiedad privada o estatal" y ordena devolver las aves robadas con que sus hombres han llenado los corrales. Sin estridencias, casi desapercibido, como es típico en todo el libro por la objetividad del narrador, el sentido involuntario de esos actos encuentra su símbolo tras la firma: "Año de la educación". Moral es también la actitud del comandante Pacheco ante el viejo que quiere salvar, en *"Guantanamera"*, a sus nueve hijos alzados. Y finalmente lección la que recibe en *"Al palo"* el soldado que no tenía muertos que *contar* y quería entrar en un pelotón de fusilamiento. Allí comienza a conformarse una nueva sabiduría humana, y las máximas no son fórmulas retóricas sino contenidos que cumplir: "al bandido hay que matarlo en combate"; "Nadie se gradúa de macho matando un bandido amarrado en el palo".

En este sentido el libro muestra su calibre humano y la dirección ejemplar que ha tomado, al margen de su sabroso sentido del lenguaje, de una habilidad ya consumada para el diálogo con sus vivaces giros coloquiales, de un rigor cuentístico con que dejar de lado todo material adventicio de la palabra o de la imaginación, para hacer de *Condenados* un preciso breviario de una literatura que aún mejor que los textos de historia, refleja desde adentro a la revolución.

1971

Dentro de la llamada "nueva narrativa hispanoamericana", un fenómeno muy particular ha venido conformándose en el área cultural de México. Este fenómeno asoma en otras literaturas del continente pero es en México donde adquiere características propias y acentuadas. Se trata de la creación de una narrativa dirigida a un público específico, ya sea por la elección de sus temas como por el uso de un lenguaje privativo. Perfilada en la década del sesenta, y realizada por escritores jóvenes, echa a andar sus temas alrededor del mismo mundo juvenil de sus autores y compañeros generacionales, y se ofrece a un lector que es su más estricto contemporáneo. Para realizar el conjunto de la propuesta dada en esta proyección, la nueva narrativa mexicana oblitera el lenguaje tradicional, elabora una dicción propia (el lenguaje de la "onda") y, en definitiva, transforma el hecho literario en lenguaje, en mensaje y en código a la vez.

Ya ha señalado Prieto (1) los rasgos definidores de la *comunicación:* la organización del acto sémico como emisión de señales que transmiten el mensaje, a su vez henchido de significación, y el hecho fundamental de que el hombre conciba el mundo precisamente a través de las señales y de sus significaciones. Trasladado este esquema lingüístico a la literatura y comprendido al ejemplo de la nueva narrativa mexicana, puede advertirse que el proceso de comunicación se establece elaborando pautas restrictivas de acuerdo a la voluntad del narrador. Aquí la producción de un código especial denota la intención de restringir la comunicación orientándola hacia un público elegido: ellos mismos, sus iguales, los jóvenes, el mundo adolescente.

La narrativa adolescente, denominada también "onda" en homenaje a su propio código, se engloba en un proceso mayor: el descubrimiento de la naturaleza verbal de la literatura. En 1969 Carlos Fuentes lo advertía con estas precisas palabras: "Durante los sesentas, los novelistas y sus lectores descubrieron que la novela es, ante todo, una estructura verbal. Nada más y nada menos". (2). Resulta claro que la novela *es* una estructura verbal —no podría ser menos— pero también que está impregnada de una significación que trasciende esa mera estructura verbal y es más que ella. En efecto, esta doble articulación fue la descubierta y utilizada por narradores como Gustavo Sáinz y José Agustín al iniciar la nueva actitud y convertirse en sus figuras principales.

Ese periodo no se explica sin la incidencia del contexto (3) en la propia producción literaria, sin el cambio en las actitudes generacionales, mostrado por la misma literatura que ese cambio estimula y crea. Y en relación con los contextos culturales es preciso destacar uno de los mayores que atañen a la literatura: el contexto propiciado por las influencias de los modelos extranjeros en los diferentes circuitos de la cultura hispanoamericana. Si atrás habían quedado Marx y Freud como influencias directas, y después Proust, Joyce y Kafka, y si la primera post-guerra había dado a la también lejana "generación perdida", en cambio el existencialismo francés se encuentra más cerca de estas coordenadas y viene a agregarse, como un mentor mayor, a la inmediata "beat generation" norteamericana.

El elemento peculiar de los años sesenta en México es la negación de los influjos nacionales y la apetencia, por el contrario, de la corriente existencialista que había encarnado en la nueva literatura y música estadounidense: Kerouac, el rock. México ya venía despojándose de la tradición narrativa de la "Revolución Mexicana", aún presente en Rulfo y que entonces encontraba en Carlos Fuentes a la figura de transición, donde el influjo (actuante en *La muerte de Artemio Cruz*, 1962) ofrecía mezclarse con la visión moderna de la vida en las grandes ciudades, en su caso la ciudad de México. Los nuevos narradores van más lejos (o se quedan más cerca) que Fuentes pues niegan —por desconocimiento y por omisión— la existencia o la perduración misma de la Revolución Mexicana. Sus temas son estrictamente actuales al momento, contemporáneos de su escritura: es una literatura de inmediata reacción a la realidad circundante. Por eso, para producirla necesitaban un nuevo lenguaje, un lenguaje diferente ya que eran diferentes la circunstancia y la época.

Muy temprano, en 1964, Angel Rama escribía sobre la "Generación hispanoamericana del medio siglo" (4) señalando que "la imitación beatnik" había "sido menor de la prevista" y que se concentraba en México, Buenos Aires y Caracas. Ese mismo año José Agustín publicó su primera novela, *La tumba*, que afianzada por la segunda dos años más tarde, *De perfil*, mostraría la irrupción de la señalada influencia norteamericana. Sin embargo, la "onda" mexicana no se debe a Kerouac en una primera instancia sino a la aparición de un nuevo *tipo* juvenil en el cine norteamericano de mediados de la década del cincuenta. Ese tipo lo impuso —primero a su propia cultura *teenager*— Marlon Brando en "The Wild One", de 1953. La figura del rebelde, en ruptura radical e irracional con la sociedad, sin respetar las normas sociales, al contrario, violándolas reiteradamente para así dar muestras de su libertad y de su irresponsabilidad, fue pronto adoptada en México. Con el ejemplo de Marlon Brando y de James Dean, Parménides García Saldaña anota en su libro *En la ruta de la onda* dos rasgos del nuevo lenguaje: el origen mimético, y la frecuente procedencia de una traslación idiomática que va del anglicismo al registro directo del modismo norteamericano:

"Como el héroe habla inglés habrá que amoldarle un lenguaje que traducido respete su lugar de procedencia. De prisa, los imitadores de Marlon Brando buscan ese lenguaje equivalente, ese modo parecido de hablar, prohibido y subversivo, que atente contra las buenas costumbres. El único que tiene las palabras que más se acercan a la imagen del héroe y su modo de hablar es el habitante de los barrios bajos de México. Allí está el lenguaje: grasiento, espeso". (5).

"Antes de la llegada del rock a México, James Dean había infiltrado cierto lenguaje extraño a nuestra idiosincracia en los adolescentes de la clase media acomodada. Estos primeros sirvientes del colonialismo mental del adolescente mexicano no decían, por ejemplo, no seas culero, sino no seas gallina, gracias a los subtítulos en español de los diálogos de la película *Rebelde sin causa*, protagonizada por James Dean. Y decían no seas gallina, en el mismo tono en que le decían a James Dean: *You're a chicken*". (6)

La tumba de José Agustín se amolda a esta fórmula última: sus personajes pertenecen a una clase media alta y el modo de vida los ubica en una suerte de "rebeldía sin causa" tanto por sus actos como por su lenguaje. En el nivel de las acciones, el ejemplo paradigmático ocurre en un episodio en que el personaje y su prima visitan la casa de un senador y después de ponerlo en ridículo con sus preguntas, comienzan a realizar actos de la imagen arquetípica del *niño terrible:* "En el jardín, abrimos las jaulas de los pájaros para dejarlos escapar. También echamos tierra en la alberca. Rompimos dos floreros. En el baño tiramos la pasta de dientes en la tina, mojamos todos los jabones, limpiamos nuestros zapatos con las toallas y yo oriné en el lavabo, tapándolo previamente". (7). Este pasaje de la novela es significativo en sí mismo pero también lo es por lo que presenta. Allí se concentra, en pocas pero efectivas acciones "terroristas", todo el rechazo del mundo juvenil y adolescente por el mundo adulto; allí se muestra no sólo una convicción sino una acción disolvente, orientada a herir ese mundo-otro y a destruirlo en la medida de sus posibilidades.

La operación del autor es diferente, de todos modos, de la nítida operación de los personajes. Existe una distancia entre la realidad y la escritura que José Agustín no recorre con la misma audacia que sus personajes, sino hasta *Se está haciendo tarde (final en laguna),* su novela más reciente, de 1973. Quiero decir: los personajes son rebeldes, son inadaptados, rechazan todas las pautas adultas, y entre ellas las del lenguaje; mientras esto sucede, el autor no actúa estrictamente igual, sino que empieza por aceptar ciertas estructuras literarias tradicionales, que si a veces parecen someterse a la arbitrariedad del narrador-personaje, es precisamente responsabilizando a éste (en tanto narrador) por las rupturas de la narración. Las mayores desviaciones de la norma lingüística no se dan en el plano narrativo sino en el plano del diálogo. Y en el diálogo, como sabemos, hablan "los demás" y el escritor solamente registra. (8).

Las mayores alteraciones se acumulan, como acabo de señalar, en la representación verbal del personaje. Allí sucede una serie de fenómenos cuya significación es ante todo irreverencia, la anti-solemnidad, la desmitificación de los valores estatuídos, a través de varios procedimientos en los que campea predominantemente la sátira o la simple chanza. Un ejemplo caro de esto tiene que ver con los *nombres de los adultos*. Para los personajes de José Agustín, un ataque feroz y apropiado al mundo adulto consiste en el empleo de los apelativos plásticos y gráficos con intención satírica. En *La tumba*, a los pocos mayores que adquieren el honor de ser atendidos por la "mirada" joven, se los llama "el señor Obesodioso", "el señor Acalorado", "el señor Ascohumano", y lo mismo sucede en la segunda novela, *De perfil*: "Supercachete", "Cachetotes", "Grasiento Cachete". Si esto ocurre con los extraños al personaje, sin embargo un procedimiento similar (o de parecida intención de alejamiento) se advierte en la referencia a los padres. Aquí sí emplea los *nombres* (Humberto: "es mi padre"; Violeta: "es mi madre"), objetivándolos, impersonalizándolos cuando se espera tradicionalmente lo contrario.

La utilización de epítetos (o del "nombre" cuando se refiere a los padres) es un indicador significativo de la observación crítica del adolescente. Aún más claro resulta esto cuando en *La Tumba* el personaje se refiere a un hombre como "El señor Noimportasunombre". Este es indicio de las motivaciones del despojo semántico, pues con ese procedimiento de lenguaje el narrador-personaje despoja al adulto (al mundo adulto) de sus señas de identidad. La burguesía se ha apoyado siempre en la propiedad mágica e irracional del "nombre", así como la alta burguesía se ha apoyado en el valor artificial del "apellido". La negación del nombre por parte del adolescente significa por ende una negación y una afirmación a la vez. Negación y rechazo porque en la escala de valores juveniles la "posesión" del nombre carece de importancia y en su código constituye apenas un dato de relación. Por eso el aferramiento al nombre indica la contraria actitud: pérdida del valor inmediato de la comunicación humana, necesidad de esconder la naturaleza bajo un elemento artificial.

Complementaria de esta actitud ante los nombres adultos, hay también en los personajes de José Agustín una similar actitud ante el nombre de sus compañeros, incluso de la pareja. En *La tumba* una muchacha se llama, para el narrador, "Germaine Noentendí" o "Germaine Etcétera". En *De perfil* el hecho se reitera: "Fanny Nosequé", "Fanny Etcétera". Y en un relato del tercer libro narrativo, *Inventando que sueño* (1968) titulado "Cuál es la onda", la inquisición de un personaje por el nombre de otro aparece disminuida y deformada por una serie de juegos verbales:

"Bueno, como te llamas, niña.

"Niña tu abuela, contestó Requelle, ya estoy grandecita y tengo buena pierna, de lo contrario no me propondrías un hotel-quinientos pesos.

"De acuervo, accedió Oliveira, pero cómo te apelas.

"Yo no pelo *nada*.

"Cómo te haces llamar.

"Requelle."

"¿Requejo?"

"No: Requelle, viejo.

"Viejos los cerros."

"Y todavía dan matas, suspiró Requelle" (9). Etc.

Hay muchos otros sistemas de rompimiento con el orden lingüístico y atienden todos a la subversión del canon, por desprecio al mundo que ha instaurado esas reglas. Lo conceptualmente respetable es dinamitado con la palabra. El ejemplo más curioso lo confiere la *literatura*, y es un caso de autofagia ya que la literatura se ataca a sí misma, o por lo menos ataca algunos de sus hábitos metatextuales. En *La tumba* la reverencia ante un hombre como Hegel o Kafka se trueca por una suerte de alusión familiarizadora y de falsa confianza: Kafka es transformado en "Herr Kafka" o en "Paco Kafka", Hegel en "Herr Hegel", y el narrador, acusado injustamente por su maestro de haber plagiado a Anton Chejov en un trabajo escrito, comienza a ser llamado "Chejovín", "Chejovito". Estas transformaciones satirizantes buscan des-sacralizar ese ámbito de la cultura llamado "Bellas Letras", o simplemente Cultura con mayúsculas, y en tal sentido las alusiones en la literatura de José Agustín (predominantemente en los dos primeros libros) son innumerables.

Otro ejemplo de la misma índole, muy claro en sus intenciones y aunque culmina con una chanza fácil y obvia, se da también en *La tumba*. Cuenta el narrador: "En el camino sintonicé música selecta. Bastaron tan sólo unas cuantas notas para que Elsa precisara que ése era el concierto Tal, opus Tal, del autor Tal, con la sinfónica Tal —conducida por Tal— y el solista Tal. Por lo que supe que era una perfecta connaisseur musital" (10). A través de estos casos referidos a la literatura o a la música, José Agustín acorta la señalada distancia entre realidad y escritura y se identifica con sus personajes, puesto que el modelo de cultura que sus personajes no siguen ni respetan en la ficción son los que tampoco sigue él ni respeta en buena parte de su obra. De ese modo puede decirse que sus novelas son irreverentes, espontaneístas, no sujetas a las pautas de la seriedad literaria y de la solemnidad literarias (11).

Este último aspecto está mostrado por muchas vías del lenguaje novelístico. Señalo algunas:

1. El empleo de "frases hechas" en inglés: "Bailé varias veces con mi tía al american way of dance" (*La tumba*, p. 43); "Al preguntarle por el origen de su kissin'way, sólo dijo…"(*La tumba*, p. 37).

2. Expresiones en diferentes idiomas: "Después, la noia" *La tumba*, p. 47); "Mira, chérie, ésa es una pregunta vulgar" *La tumba*, p. 47).

3. Juegos de palabras: "Broco emboco y coloco porquentoco" (*La tumba*, p. 51).

4. Uso de epítetos al modo clásico: "Hacedor de Cháchara", "Hacedor de Bemboreces", "Hacedor Didioteces", "Hacedor Sandécico" *De perfil*, passim); "Gran Francine la Indómita" (*Se está haciendo tarde*, p. 90).

5. Los paréntesis, que destacan un "aparte", son muy frecuentes en *De perfil, Inventando que sueño* y *Se está haciendo tarde*. Ejemplos de esos tres libros: "se me acercó (no mucho)"; "la puerta (cerrada)"; "un baño pequeño (pero con regadera)"; "Apagó

(violentamente)"; "golpeó (con Todas sus Fuerzas)"; "necesitaba (a gritos)"; "mujeres (¡todas altas!)"; "plantas de cannabis (¿sativa?)", etc.

La propuesta que José Agustín busca realizar a través del lenguaje de sus personajes se corresponde cada vez más con el nivel significativo de la narración, ya que la conducta lingüística de esos personajes es un indicador sensible de la actitud generacional subyacente en los asuntos novelísticos. La publicación de *La tumba* en 1964 marcó la aparición de un nuevo tipo de narrativa, dada su temática adolescente, como al siguiente año sucedería también con *Gazapo* de Gustavo Sáinz. José Agustín volvió al esquema narrativo de *La tumba* en *De perfil* y ese esquema se hizo aún más evidente: es el relato de un narrador-personaje, adolescente, sobre las propias vicisitudes de su edad. La vida estudiantil, la vida amorosa, la vida de amistades, la fiesta juvenil y la iconoclastia ante la realidad (para afianzarse en ella, para demostrar su llegada al mundo), confieren sentido a sus dos primeros libros, y éstos se estructuran en un modelo de neopicaresca, por la mera sucesión de pequeñas aventuras sin afán de trascendencia.

Poco después, *Inventando que sueño* (1968) recogió seis relatos de variada extensión y registros de estilo, pero principalmente uno de ellos, "Cuál es la onda", acude a sumarse a la línea temática del mundo juvenil (cada vez menos "adolescente"), mientras la sátira social se da casi en estado puro en el último relato del libro, "Amor del bueno". El siguiente volumen, *Abolición de la propiedad* (1969), fue por su parte experimento de hibridación: narrativa y teatro se funden con el empleo de varias técnicas formalistas para presentar el proceso dialéctico de dos personajes opuestos, una pareja joven.

Cuatro años más tarde, José Agustín publica el más extenso y ambicioso de sus libros: *Se está haciendo tarde (final en laguna)*, coincidiendo con el cierre de una década de producción literaria. En esta novela, si bien los personajes carecen asimismo de la autoconciencia y del respeto acartonado del mundo adulto, el propósito y la dirección de sus actos se han desviado considerablemente. No son adolescentes en rebeldía contra un orden estatuído, son jóvenes en un proceso de destrucción de sí mismos. Agustín reune aquí a cinco personajes (dos mujeres, tres hombres) y los embarca en un viaje en automóvil, a lo largo del cual ingerirán cuanta droga y marihuana puedan. La estructura de la novela es el "viaje" (un personaje se llama Virgilio, y es también el guía amén de traficante de la droga) como directa correspondencia con la jerga de los alucinógenos. Durante ese periplo, lenguaje y asunto se mezclan y el autor recorre ahora sí la distancia entre la realidad (de sus personajes) y el estilo (su escritura), identificando uno con el otro y produciendo una narración sugestiva que constantemente denota y connota la verdad y la gravedad de su mensaje. Todos o casi todos los procedimientos de lenguaje —de ruptura con las preceptivas— vuelven a darse aquí, pero ya no solamente en los diálogos sino también en la narración descriptiva, logrando al fin una verdadera escritura de la "onda".

Se está haciendo tarde (final en laguna) presenta una instancia nueva diferente en la producción literaria de José Agustín, y es por cierto una salida para la literatura limitada de adolescencia (12): aquí por lo pronto el mundo juvenil importa menos que la significación existencial atestiguada y descrita por el narrador, que se desprende de la aventura de los personajes en viaje hacia una nebulosa, hacia un absurdo surrealista, en este caso finalmente suspendido en la quietud del agua inmóvil, en la laguna simbólica y real del título. Lo que no ha cambiado en el pasaje de un ciclo a otro es la función rebelde del lenguaje, la función privativa y codificadora de una experiencia en particular. Como si el código juvenil de los primeros libros simplemente se hubiese ampliado a un código que involucra la droga, la disipación de la consciencia, la violación de los límites y también la tortura que la droga lleva consigo. El código de todos modos sigue existiendo.

"La onda son los excesos", señala García Saldaña. "Vivir la vida en exceso", y *Se está haciendo tarde (final en laguna)* viene precisamente a ilustrar aún más esa definición. "Los excesos pueden estar en la diversión que incluye risas, lágrimas y amor, entre alcohol, cocaína, morfina, heroína, mota, ácido; según los tiempos" (13). Este concepto de "onda" atribuida a una edad, a un ciclo vital, justifica o aclara la existencia de un lenguaje apropiado (o propio) de esa edad y esa experiencia. Al comienzo el personaje se colocaba al margen del mundo adulto y burgués simplemente viviendo la espontaneidad de su adolescencia. Ahí estaba su rebeldía. Ahora, las sucesivas clases de drogadicción han terminado por crear formas privativas de una *cultura* juvenil cada vez más cerrada por efecto de su cada vez mayor marginalidad. En tal sentido, su lenguaje se transforma en "cifra, jeroglífico, señal" (14) que impone una valla al ingreso de la mirada ajena, y es ese doble juego entre un texto y un contexto el que genera finalmente la forma literaria. El contexto (la exigencia de privacidad) impone un texto (un código), y ese código a su vez defiende la privacidad.

La narrativa de José Agustín se ha abierto de este modo a la conciencia de un fenómeno moderno que no debe entenderse ingenuamente como la típica diferencia generacional. En los primeros libros se advierte cómo el personaje rechaza simplemente el mundo adulto, ahora vemos cómo se prepara para entrar en él. El horror y la destrucción de la edad adulta —percibida en un plano secundario, a lo lejos, despectivamente— tiene su réplica menor, su epítome, en el mitificado mundo adolescente, como si éste fuera una etapa de preparación, de apronte de armas, de "ensayo y error", antes de ingresar en el propio campo de batalla que es nuestro conocido mundo cotidiano (15).

1975

NOTAS

(1) Luis J. Prieto: *Mensajes y señales.* Barcelona, Seix Barral, 1966.

(2) Carlos Fuentes: "Muerte y resurrección de la novela". *Diorama de la cultura, Excélsior,* México, 7 de diciembre de 1969, pp. 2-3.

(3) Cf. Análisis de los contextos en Tatiana Slama-Cazacu: *Lenguaje y contexto*. Barcelona, Grijalbo, 1970.

(4) Angel Rama: "La generación hispanoamericana del Medio Siglo". Montevideo, *Marcha*, 7 de agosto de 1974, 2a. Sec., p. 2.

(5) Parménides García Saldaña: *En la ruta de la Onda*. México, Diógenes, 1972, p. 55.

(6) Id., ibid., p. 63.

(7) José Agustín: *La tumba*. México, Novaro, 1970 (4a. ed.), p. 56.

(8) Cf. John Brushwood: "Tradición y rebeldía en las novelas de José Agustín". México, *Etcaetera*, Año IV, No. 14, marzo-abril 1969. Desde el título de su ensayo, Brushwood señala una doble vertiente en la narrativa de José Agustín por cuanto ésta se rebela, dice el crítico, pero "dentro de la estructura existente" (p.9). "No deja de emplear lo tradicional cuando le parece auténtico" (p. 13). Sin embargo habría que distinguir el empleo a veces deliberado de la noción de "tradicionalidad", incluso irónico, en la obra de Agustín. Su libro sobre música rock se titula precisamente *La nueva música clásica* (1968).

(9) José Agustín: *Inventando que sueño*. México, J. Mortiz, 1970 (2a. ed.), p. 60.

(10) José Agustín: *La tumba*, ed. cit., p. 71.

(11) Rasgos de la "onda" según la clasificación de Margo Glantz para separarla de la "escritura": *Onda y escritura en México*. México, Siglo XXI, 1971.

(12) La búsqueda de salidas se ha hecho más clara en un libro posterior: *La mirada en el centro* (México, J. Mortiz, 1977).

(13) García Saldaña, op. cit., p. 14.

(14) Id. ibid., p. 49.

(15) En un artículo titulado precisamente "Cuál es la Onda" (*Diálogos*, Vol. 10, No. 1, México, enero-febrero 1974) Agustín señala la cualidad cambiante de la *onda*: cómo parece haber muerto en algunos aspectos y cómo se transforma, se amplía y pervive en un más amplio espectro social.

27. SAINZ Y AGUSTIN EN SU CONTEXTO

I

En 1964 y 1965 aparecieron respectivamente *La tumba*, de José Agustín (n. 1944), y *Gazapo*, de Gustavo Sainz (n. 1940), dos novelas mexicanas inaugurales de lo que no mucho después se llamaría "narrativa de la Onda", con fuerza tal que de inmediato el entusiasmo por el *frisson nouveau* palpado en ellas convocó la emulación novelística en varios nuevos escritores. Actualmente esa marea ha descendido y la novela del fenómeno de una literatura *juvenil* aparece ya desgastada; sin embargo, la década transcurrida ha servido para asentar como valores perdurables, desde un punto de vista literario, a los dos autores mencionados así como, parcialmente, a otros que advinieron más tarde.

La eclosión de esta nueva narrativa se vio de inmediato inscripta en su contexto social, surgía coincidiendo con un modo de vida propio de la década del cincuenta, al calor de una clase media acomodada, urbana, cuyos hijos se separaban violentamente del mundo adulto para constituir su propio código de valores y hábitos culturales. Por ello, la Onda es casi privativa de la ciudad de México —una de las más populosas del mundo—, y en ese ámbito se desenvuelve, así como en el balneario típico del sector social aludido: Acapulco.

Tanto *La tumba* como *Gazapo* asumen el discurso narrativo como eminentemente autobiográfico: el narrador cuenta episodios inmediatos de su vida adolescente, algunos de los cuales se corresponden también con los del autor. Pero la novedad inicial consiste en el tono elegido del relato: se opta por el "discurso intrascendente", esto es, se lo desnuda de todo ademán literario, se lo "desprestigia" para adoptar el coloquialismo, se lo aproxima al discurso ordinario de la comunicación, y sin embargo su empleo sirve (como se ve especialmente en *Gazapo*) para innovar las estructuras narrativas; esa innovación incluye una técnica cuasi collagística con la participación de cartas, grabaciones, diálogos, diarios personales, etc., manteniéndoles su cualidad metaliteraria.

En *La tumba* ese "discurso autobiográfico intrascendente" surge desde la apertura de la novela: "Miré hacia el techo: un color liso, azul claro. Mi cuerpo se revolvía bajo las sábanas. Lindo modo de despertar, pensé, viendo un techo azul. Ya me gritaban que despertase y yo aún sentía la soñolencia acuartelada en mis piernas". (1) Aunque el relato por sí solo no esté invitando a otro nivel de lectura, éste puede darse: *La tumba* es metafóricamente (y pese al significado primario del título), la historia de un "despertar" adolescente a la vida de los sentidos, de la imaginación y del sentimiento, en contraste con el orden burgués. Y el azul del techo remite a una sustitución del azul natural del cielo, es decir, a la alienación del joven ciudadano cuya nostalgia ideológica de un orden "natural" y paradisíaco sólo se dará en niveles secundarios de lectura. No es un dato desechable, entonces, que el joven personaje de la Onda viva en la ciudad, en interiores (de casas, restaurantes o automóviles) y tenga en su conciencia el no haber conocido el medio rural. En una entrevista, Sainz le dice a Martha Paley Francescato: "Yo era un niño urbano que no conocía el campo, que a los 18 años nunca había visto una vaca, y a quien los problemas de la Revolución no lo tocaban". (2)

A partir del comienzo citado de *La tumba*, Gabriel Guía, el narrador, se resume a contar su vida cotidiana, las aventuras del colegio y los varios encuentros amorosos con muchachas de su edad. El relato encuentra dos nudos en este decurso incesante: por una parte, el hecho irónico de que su maestro lo acuse de plagio por la redacción de un cuento —afirmando que éste pertenece a Chéjov— crea una doble situación narrativa: Gabriel es el autor del cuento referido pero, en otro nivel, también es el narrador de *La tumba*, de tal suerte que su función de narrador —en el plano del testimonio autobiográfico y en el de la escritura de ese testimonio —queda asentada de manera rotunda y definitoria.

El segundo nudo se ata y desata continuamente y tiene que ver con el erotismo sin fijación del adolescente: los amores son en realidad amoríos, y el narrador-personaje pasa de uno a otro sin encontrar una relación que lo sitúe en el mundo, que lo enriquezca, una relación a la que él le dé verdadera importancia. Ya señaló acertadamente Margo Glantz (3) que la actitud viril del personaje de la Onda se reduce a un patrón machista: *la* adolescente es un elemento más de su mundo, desacralizada, vista sin el respeto y la simpatía dedicados a los amigos. Esta actitud aparece en *La tumba* y en *De perfil* (1966) de Agustín, y sin embargo el tema sexual crecerá en importancia dentro de su obra hasta hacerse clave en *El Rey se acerca a su templo* (1977), mientras que Sainz lleva dicha concepción a sus extremos cuando diseña el retrato de una mujer, notablemente paródico, en *La princesa del Palacio de Hierro* (1974).

Gazapo no difiere sensiblemente de *La tumba* en el tono narrativo pero presta una atención mucho mayor a las técnicas del relato, que provienen en gran medida de una lectura bien atenta de la nueva novela europea. También se inicia de una manera buscadamente insustancial: "Vulbo me cuenta que estuvieron en Sanborns de Lafragua hasta las tres de la mañana. Llegaron a las diez de la noche y en todo ese tiempo Fidel no se quitó los lentes oscuros; Balmori no terminó de tomarse el jugo de frutas que pidió al llegar y Jacobo, por su parte, no cesó de mirar un vaso". (4) Y como el libro mismo señala —y tantas veces lo ha dicho la crítica— la novela es la historia del abandono de la casa (5) y de una seducción, ambas aventuras encarnadas en el personaje central (Menelao), que es al mismo tiempo el narrador. Novela más abierta en su registro a rendir la experiencia de un grupo de adolescentes, *Gazapo* es también coloquial, de un lenguaje libre de ataduras prestigiosas, impuro por la proliferación de extranjerismos y juego de palabras. No es difícil reconocer tanto en *La tumba* como en *Gazapo* el intento por expresar parte de la vida de la ciudad de México, que en el sector al que pertenecen sus autores no había tenido hasta entonces su "cronista" o su "juglar". Por ello, la Onda reconoció en estos dos libros la representación de sus valores y cosmovisión.

La tumba y *Gazapo* se presentan como una literatura irreverente. Con respecto al mundo adulto, suponen un reto de rebeldía, y su lenguaje y contenido ideológico un acto de parricidio camuflado. Monsiváis señala que "la Onda es el primer movimiento social del México contemporáneo que se rehúsa *desde posiciones no políticas* a las concepciones institucionales y nos revela, por la dinámica de su conducta, la extinción inminente de una imagen del país. Tal imagen (. . .) se surte, en términos generales, en la visión institucional de la Revolución Mexicana y se concreta en el impulso nacionalista". (6) Aunque la Onda no ha tenido voceros teóricos (con excepción de Parménides García Saldaña: *En la ruta de la Onda*, 1972) (7) su propia praxis permite colegir direcciones ideológicas e interpretar la orientación y el sentido de su movimiento como lo hace Monsiváis en el texto citado. En efecto, la Onda no ataca teóricamente los bastiones de la cultura mexicana dominante en la década del sesenta, y menos aún establece una plataforma política, pero actúa a su margen contradiciéndole de hecho: barre con lo institucional en las costumbres, en la práctica literaria, en su idea del país, en vez de asumir el nacionalismo imperante, se hace cosmopolita. Así señala Sainz la significación de su novela *Gazapo*: "marca el nacimiento de una novela adolescente, urbana, cosmopolita, una suerte de picaresca de los sesentas". (8) La Onda se ubica, frente a la tradición literaria, descreyendo de la misma (se pone de espaldas a la prestigiada "novela de la Revolución") o apropiándose del entorno, de la novela de ambientación (la novela de la ciudad de México, que se iniciara un lustro antes con Fuentes, Spota y Solana), pero rompe al mismo tiempo con las dos líneas generando, en contraste con ambas, una narrativa *de* jóvenes, *para* jóvenes y *sobre* el mundo de los jóvenes. La temática y el lenguaje se cierran al registro de sus valores y nada fuera de ellos les importa o merece su consideración.

La actitud de rebeldía prescindente responde a una situación sociopolítica concreta: en la década del sesenta el país no permitía la participación juvenil y los amplios sectores de clase media personificados en la Onda sólo tenían una opción: esperar a que el sistema los integrase, acomodándose ellos a una realidad dada, o negarse y elaborar sus propios códigos, sistemas de valores, costumbres y ardides para eludir la censura (la paternal y la del Estado). En el plano económico la Onda no tiene que ver con las clases humildes, aunque de ellas recoge en gran medida las estructuras de su lenguaje, la jerga ondera; es clase media y oscila de la posesión sin límites (posesión de coches último modelo, discos nuevos, ropa, posibilidad de viajes, marihuana y droga) a la crónica escasez de dinero para comprar marihuana (como sucede en los cuentos y novelas de Agustín) dado que ese dinero proviene de los padres. Pero si los personajes de la Onda surgen de una clase media sin problemas económicos, viven conflictos, sin embargo, a nivel sicológico y familiar: es significativo que tanto Menelao *(Gazapo)* como Gabriel *(La tumba)* sean hijos de familias disueltas y que en sus relatos gravite inequívocamente el divorcio de los padres y la inestabilidad de su propia relación con el mundo adulto. El vínculo conyugal en el proceso de disolverse está visto por el personaje en *De perfil* (1966) y es uno de los pocos problemas que vinculan a padres e hijos en la segunda novela de Agustín.

Desde una perspectiva política, como señalamos antes, los jóvenes de la década del sesenta se contemplan ante una realidad cerrada a cal y canto, realidad que se hará agresiva en uno de los episodios mayores de la represión: Tlatelolco en 1968. Pero incluso sin llegar todavía al año 68, vemos que no hay opciones políticas para una actitud progresista o de izquierda en todo lo que lleva la década y desde antes también. Revisando la historia política del país desde la Revolución, Gabriel Careaga llega a la conclusión de que "en 1964, como en 1970, el panorama es negro desde el punto de vista de la izquierda, porque sólo tiene membretes, pero no fuerza real; porque sólo tiene nombres revolucionarios, pero no se apoya en masas revolucionarias; porque no hay una sola publicación de la izquierda que esté formando opinión política, crítica. Ante este panorama los intelectuales se replegaron en su trabajo individual, en puestos administrativos, en sus investigaciones, en sus novelas, pero (. . .) como grupo, abandonaron la participación política" (9) Y agregaríamos, considerando a los escritores de la Onda, que también se dedicaron a una actitud anárquica en lo que se refiere a las costumbres y al instrumento artístico. (10)

A sociedad cerrada se corresponde aquí una literatura cerrada, a institucionalización, anarquía. Dadas las coordenadas en que se origina la narrativa de la Onda, la especificidad de su inscripción estética traerá consigo los rasgos de su situación sociopolítica. Así, ya que no existe en la década del sesenta una democratización que implique la participación popular, la participación de todos en los diferentes ámbitos (cultural, político, social), la Onda crea una literatura de grupo y esto tiene consecuencia en el sistema mismo de expresión. Sainz da el toque final a su *Autobiografía* (1966) con una cita de Stevenson a la cual se adscribe: "Todo libro es, en sentido íntimo, una carta circular a los amigos de quien lo escribe. Sólo ellos perciben su sentido; encuentran mensajes privados, afirmaciones de amor y expresiones de gratitud desparramadas por todos los rincones. El público no es más que un mecenas generoso que paga el correo". (11)

En lo que atañe al lenguaje y a las técnicas narrativas, la Onda se maneja con libertad respecto a la tradición, y así frente al nacionalismo idiomático opone el uso de modismos, frases hechas o simplemente palabras en inglés (y en francés e italiano: véase *La tumba)* que se introducen a su lenguaje subrepticiamente a través de las letras del *rock*. (12) Si, por una parte, dicha actitud indica un saludable desentumecimiento de la lengua, un abrir ventanas a otras áreas lingüísticas, por otra señala la dependencia frente a la cultura norteamericana, con el añadido de un contrabando ideológico que inscribe valores impropios o artificialmente "apropiados" (por ser ajenos) en el universo lingüístico mexicano. El fenómeno va, claro está, más allá de la Onda, va a la dependencia colonialista tantas veces señalada fuera de la literatura y hasta en su mismo ejercicio. Valga como ejemplo un notable poema de José Emilio Pacheco que dice: "Traduzco un artículo de *Esquire*/ sobre una hoja de Kimberly Clark Corp./ en una antigua máquina Remington./ Corregiré con un bolígrafo Esterbrook./ Lo que me paguen aumentará en unos cuantos pesos las arcas/ de Carnation, General Foods, Heinz,/ Colgate-Palmolive, Gillete/ y California Packing Corporation". (13) Este poema no exige comentario: lo dice todo.

II

Los sucesos de 1968 (y de 1971) cambiaron dramáticamente la imagen del país, y aunque la nueva situación no dio, específicamente, nuevos narradores, pareció decretar una rápida vejez sobre la actitud prescindente, sobre la anarquía sin futuro, característicos de la Onda. Si la intuición de la Onda sobre el fin de una imagen del país llegó a confirmarse en esa fecha clave, real y simbólica —2 de octubre—, necesitó de todas maneras una intuición semejante y una gran vitalidad de renovación para encararse al futuro. Pero en ese duelo sordo con el sistema, podría decirse, el sistema ganó. Monsiváis señala agudamente: "Las múltiples tendencias dentro de la Onda no quisieron o no pudieron advertir una fatalidad: su carácter derivativo los iba asimilando (como excéntricos y no como heterodoxos) al sistema del que pretendían desertar". (14) La situación provocó una sacudida en las conciencias y definió una coyuntura: de ahí las transformaciones que se advierten en la narrativa de Sainz y de Agustín junto con la búsqueda diversa y personal, en cada uno, de un camino para la literatura que estaban escribiendo.

La mayor diferencia entre Sainz y Agustín, en la etapa reciente de su producción literaria, estriba en que el primero se incorpora al curso tradicional de la cultura asumiendo una de las funciones modernas del intelectual, ser una conciencia crítica, en tanto Agustín transita senderos más individualistas y en la búsqueda de la identidad y el encuentro del sexo asume otro tipo de conciencia: la conciencia iluminada.

Poco se ha escrito sobre la segunda novela de Sainz, *Obsesivos días circulares* (1969), no obstante ser un libro de lectura incitante y claramente superior al primero. *Obsesivos días circulares* recorre un espacio intermedio entre el espíritu de la Onda encarnado en *Gazapo* y metas más complejas y maduras que se avizoran en su propio cuerpo textual. En la novela, el discurso naturalista (en el sentido en que Edmund Wilson lo reconocía en Joyce) se aviene a la empresa narrativa de la Onda que es la de narrar la experiencia cotidiana con un registro poético, no mecanicista, de sensaciones, asociaciones de ideas, en fin: de la conciencia en su encuentro *con* la realidad. La novela misma es un discurso intertextual pues a todo su largo se entreteje, con los acontecimientos, la lectura que su personaje narrador hace del *Ulysses* de Joyce, invirtiendo el fenómeno del "narrador" por antonomasia ya señalado en *La tumba* de Agustín: aquí el *narrador* de *Obsesivos días circulares* es un *lector*, un decodificador de otros textos y, ampliamente, de lo real.

La realidad que viven los personajes de *Obsesivos días circulares* tiene algunos nexos con la de los personajes de *Gazapo*, pero es claro también que Sainz corta amarras con su mundo anterior: por lo menos se acaban los adolescentes, y sus nuevos personajes, aunque, insatisfechos, no integrados, sin clara conciencia de su futuro —ni siquiera de su presente—, deben encararse con una realidad inclemente en que la nota de perversidad y violencia se hace cotidiana, y en que la relación de la pareja sufre las vicisitudes y los deterioros consustanciales a la vida en común. Esta experiencia se vuelca más ordenadamente, pese a su discurso de apariencia inconexa, torrencial, en *La princesa del Palacio de Hierro* (1974), novela en que la referencia intertextual a Joyce es toda ella, el largo discurso de una mujer que charla, platica (más que contar), su propia vida. En *La princesa del Palacio de Hierro* el narrador-personaje ya no es un "lector" como en *Obsesivos días circulares*, es un platicador, y la novela entera no es otra cosa que esa conversación. (15)

Si existieran dudas de que a Sainz le interesa primordialmente la técnica narrativa, no habría más que observar la variedad de recursos —manejados siempre con precoz maestría— de que se vale para escribir, sin reiterarse de libro a libro. Pero ésa no es una técnica vacía, al contrario, sirve para recalcar la realidad y la verosimilitud de sus personajes y sus historias. De ahí que el discurso incesante de la protagonista-narradora de *La princesa del Palacio de Hierro* sea la mejor manera de insertarse en un tipo de pensamiento femenino y al mismo tiempo perfectamente ubicado en el abanico de las clases sociales, ya que pertenece a la clase media capitalina inmersa en la cultura del consumo. La protagonista misma ilustra el sueño femenino de las clases medias con su ascenso de empleada de ventas a modelo. Que Sainz imprima en el personaje una dosis cierta de parodia deliberada y de sarcasmo, no le quita objetividad al retrato. Después de todo, se trata de un personaje ficticio tan rico y tan contradictorio —no menos— que una muchacha de la vida real.

El retrato de este personaje femenino hubiese quedado en la mera parodia de no mediar finalmente una insatisfacción y una cierta angustia que adviene por el ejercicio de la reflexión. En una primera instancia, la "princesa" del Palacio de Hierro podría antojarse un personaje incapaz de racionalizar su propia experiencia o de advertir cuánto sin sentido lleva su vida de incesante futilidad, delirio y mediocridad. Sin embargo, el autor nos reserva para los últimos capítulos el reflejo de esa "conciencia desdichada" que se examina a sí misma, aquilata lo que posee, se sabe libre de problemas económicos, privilegiada incluso, y sin embargo se pregunta "¿Por qué no soy feliz? ¿Por qué no?" (p. 305) y poco después, más drástica: "Ya me aburrí, ya no quiero estar, ahora sí que paren el mundo, quiero bajarme, ya acabé de estar, ya me colmaron . . . "(p. 308).

En Agustín, desde *De perfil* (1966) hasta *El rey se acerca a su templo* (1977), no es la búsqueda del ser social sino del ser individual la que rige su universo narrativo, y esto queda casi demostrado, a falta de otras pruebas, en *La mirada en el centro* (1977). (16) Con mucho más apego que Sainz a los valores de la Onda, Agustín había narrado en los cuentos de *Inventando que sueño* (1968) y en la novela *Se está haciendo tarde (final en laguna)* (1973), las vicisitudes y dilemas del joven bohemio que intenta salir de la realidad común para encontrar una realidad más "auténtica" y halla esta última, paradójicamente, en lo que Baudelaire llamaba los "paraísos artificiales". En su literatura hay un continuo tránsito, y el famoso "viaje" de la droga, viaje del yo hacia el interior del yo, viaje en persecución de una Verdad escurridiza, tiene su correlato físico en los constantes desplazamientos de los personajes. En *Se está haciendo tarde* dicho viaje posee un guía de antigua prosapia literaria: Virgilio. Este personaje acompaña a los otros a Acapulco y el viaje se convierte también en una incursión en el delirio. En esta novela por primera vez se siente una ruptura, una necesidad de transformación del sistema narrativo, y Agustín apela a estratos simbólicos de la expresión literaria y trata de poner en crisis los valores mismos de la Onda. Ese "final en laguna" no es el Nirvana, ni es la paz definitiva como acceso a la felicidad, sino la quietud destructora de la muerte. De pronto, entonces, la literatura de Agustín se hace profética y la necesidad de significación queda velada/descubierta por el hallazgo de la imagen: es de esta manera que se ejerce la conciencia iluminada, la visión.

Leyendo *La mirada en el centro* podría pensarse que Agustín no abandona todavía las instancias de la Onda pero tiene una profunda preocupación por hacerlo. De ahí la hibridez del libro, que combina (sin preguntarse si son o no combinables) viejos relatos —incluyendo la "autobiografía" de 1966 transformada en cuento— y unas prosas muy tersas e intensas, de evidente intención simbólica. *La mirada en el centro* está a horcajadas entre la Onda y "después", sólo que de ese "después" se ven apenas los comienzos.

Hay en el libro varias menciones al centro pero una muy precisa es la del epígrafe de Jung a uno de los cuentos: "La salvación no viene si uno huye o negándose a tomar parte, ni dejándose ir a la deriva. La salvación viene a través de una capitulación completa con los ojos vueltos hacia el centro" (167). Como todo epígrafe desgajado de su contexto, éste viene a iluminar la intención del volumen entero que, por otra parte, está dividido según los cuatro puntos cardinales. A falta de Virgilio, del guía, estos puntos quieren orientar al individuo extraviado, ayudarle a encontrar su sendero aunque éste sea el de la "capitulación". "La ruina yace dentro de uno", señala en el cuento titulado "La mirada en el centro", "y por más que uno se desplace de lugar el resultado es el mismo". ¿Conclusión amarga y decepcionada de todos los viajes y desplazamientos de su anterior literatura?, podríamos preguntarnos. Lo cierto es que en este libro de Agustín, el autor quiere hacer un alto en el camino, recapitular lo andado y volver los ojos "hacia el centro". Ese es el sentido del libro y da luz también a un breve texto titulado, con reminiscencia dantesca, "La mitad del camino". Aquí el narrador se contempla y reflexiona: "El sol a las tres de la tarde. La luz, la reverberación del día, es tan intensa que incurre en el otro extremo; o al menos eso sucede en mí, que observo a la mitad del camino, sentado justo en la piedra central, miradalucinada" (101). Esa "hora terrible del paso de la mañana a la tarde" es la que *vive* el narrador y es también la hora de la "trasmutación de antiguos valores". "Estoy en la mitad del camino. . . Y en verdad lo estoy" (id.). Nunca antes se había dado en la narrativa de Agustín esta sensación estremecida de las transformaciones. Aunque es un libro irregular, de transición, *La mirada en el centro* ofrece el fascinante espectáculo de un escritor en medio de sus metamorfosis.

De *El rey se acerca a su templo* (1977) diré solamente que continúan las preocupaciones de Agustín en derredor de sus personajes típicos: sólo que ese acercamiento al Templo es una aproximación a la Verdad iluminada de los sentidos, de la sexualidad, donde, claro está, cada uno llega al centro de sí mismo. Magníficamente escrito, intenso, sostenido, se divide en dos mitades perfectamente ensamblables, equivalentes, y llega a expresar la dicotomía que rige nuestras vidas: la esperanza y la desesperanza, el placer y el dolor, el sufrimiento y la alegría, la angustia y el alivio. (17)

La fácil predicción que consistía, hace diez o doce años, en señalar que la narrativa de la Onda desaparecería en la misma medida en que sus escritores maduraran biológicamente y muriera en ellos el "adolescente", se ha cumplido, en parte por leyes histórico-sociales, por la transformación misma del país, pero la tarea artística de sus mejores exponentes consiste aún en salvar, dentro del cambio, lo mejor que trajo la Onda a la literatura mexicana: el desenfado expresivo, la amoralidad adolescente, la quiebra de valores viejos y retrógrados puestos en evidencia, un cambio súbito (un remozamiento) de los personajes literarios y sus problemáticas. En esa tarea de sostenimiento y de simultánea modificación, de rescate y de capitulaciones, aún se encuentran estos escritores.

1977

NOTAS

(1) José Agustín: *La tumba*. México, Novaro, 1970, 4a. ed., p. 11.

(2) Martha Paley Francescato: "Gustavo Sainz", *Hispamérica*, año V, No. 14, 1976, p. 64.

(3) Margo Glantz: "La Onda, diez años después: ¿epitafio o revalorización?" *Texto crítico*, año II, No. 5, 1976, pp. 88 ss.

(4) Gustavo Sainz: *Gazapo*. México, J. Mortiz, 1967, 4a. ed., p. 9.

(5) También motivo recurrente de Agustín: Cf. Ricardo, en *De perfil* (1966).

(6) Carlos Monsiváis: *Amor perdido*. Jalisco, Departamento de Bellas Artes, 1977, p. 347.

(7) Parménides García Saldaña: *En la ruta de la Onda*. México, Diógenes, 1972, 169 pp.

(8) Josefina Millán: "Gustavo Sainz: el humor o el suicidio: nuestra única alternativa", *Diorama* (Excélsior), 24 de noviembre de 1974.

(9) Gabriel Careaga: *Los intelectuales y la política en México*. México, Extemporáneos, 1974, p. 103.

(10) Agustín y Sainz son los escritores más relevantes de quienes surgieron en la Onda. Otros nombres son Margarita Dalton *(Larga sinfonía en D)* y P. García Saldaña *(Pasto verde)*, por ejemplo. La reacción contra la Onda la encarnó Manuel Farrill con su novela *Los hijos del polvo*, pero lejos de destruir los valores de la Onda, dada su filosofía conservadora, los reafirmó.

(11) Gustavo Sainz: *Autobiografía*. México, Empresas Editoriales, 1966, p. 62.

(12). Cf. especialmente el libro de García Saldaña (nota 7), capítulos "Del lenguaje de la Onda y otras ondas" y "The Rolling Stones now and again".

(13) José Emilio Pacheco: "Ya todos saben para quién trabajan", en *No me preguntes cómo pasa el tiempo*. México, J. Mortiz, 1969, p. 30.

(14) Monsiváis, op. cit., p. 351.

(15) Gustavo Sainz: *La princesa del Palacio de Hierro*. México, Joaquín Mortiz, 1974, 350 pp.

(16) José Agustín: *La mirada en el centro*. México, Joaquín Mortiz, 1977.

(17) José Agustín: *El rey se acerca a su templo*. México, Leo Mex, 1977. Nueva edición: México, Grijalbo, 1978.

La narrativa ingeniosa y casi siempre brillante del argentino Manuel Puig ha atrapado, sin duda, a los lectores, y por eso hoy Puig es lo que se llama un "escritor de éxito", un "best seller". Deslumbrando a los críticos con su versatilidad técnica y el discreto encanto de la amenidad, Puig es sin embargo un escritor lleno de paradojas. Subtitula su segunda novela (*Boquitas pintadas*, 1969) como "folletín" y por otro lado confiesa no haber leído "jamás un folletín en mi vida". Subtitula *The Buenos Aires Affair*, 1973, como "novela policial" y se confiesa limitado lector del género, detenido en la lectura de Patrick Quentin. Hay que volver atrás para encontrar respuestas a esto, volver a *La traición de Rita Hayworth* (1968), primer testimonio de su pasión cinéfila, porque allí se encuentra el cabo de la madeja: en la historia de un guionista frustrado que se "convirtió" a la novela.

Más de una vez el propio Puig ha contado sus actividades en el cine (junto a De Sica, Clément, Stanley Donen, etc., en Italia y en París) y sus esforzadas luchas con el lenguaje para sacar adelante algunos relatos que no eran otra cosa, por supuesto, que argumentos cada vez más grávidos y literarios. La pasión (no hay otra palabra) fijada sobre el cine de los años treinta que le impidió continuar aquel camino iniciado, por otro lado le dejó libre el ruedo de la narrativa, para que allí se volcase. Es así como en 1968 publica su primera novela, tan teñida de la sensibilidad melodramática que aquel cine había acabado por imprimir en el carácter de sus personajes provincianos. *Rita Hayworth*, y poco después *Boquitas*, se instalan en Coronel Vallejos (degradación de la realidad: General Villegas es el pueblo de origen), pues ningún otro puede ser mejor medio para el melodrama que ese ámbito pueblerino alejado de toda respiración moderna. En cambio *The Buenos Aires Affair* rompe con el modelo peligrosamente reiterado: no sólo sitúa en Buenos Aires el escenario, desde el título, sino que la época, 1969, quiere traer al presente aquello que ya se transformaba en sospechosa melancolía por el pasado. De todos modos la fidelidad de Puig a sus idola se reitera en esta tercera novela ya que los epígrafes de los dieciséis capítulos, aunque nada tengan que ver con el contenido de los mismos, están compuestos por fragmentos de diálogos de viejas películas con Greta Garbo, Joan Crawford, Dorothy Lamour, Marlene Dietrich, Jean Harlow, Greer Garson, Norma Shearer, Hedy Lamarr, Susan Hayward, Lana Turner, Bette Davis, Mecha Ortiz, Ginger Rogers y Rita Hayworth: constituyen el homenaje personal, y bastante complejo, a las inolvidables y sin embargo efímeras divas.

Es a través del cine, y no de la cultura literaria, que Manuel Puig accede a estas formas de la narrativa (el folletín, la novela policial, el melodrama popular) que tan exitosas le resultaron: la distinción es importante porque, en rigor ni *Boquitas pintadas* es un folletín ni *The Buenos Aires Affair* una novela policial. Su originalidad en la literatura argentina (y en la latinoamericana) consiste en haber dignificado, con recursos literarios modernos, manejados talentosamente, la vida provinciana, la misma chata y vulgar vida de pueblo olvidada para la literatura, y que ni siquiera otras formas inferiores de arte (el radio y el teleteatro, la novela rosa) rescatan, aunque sí generen, motiven y corrompan inexorablemente. Es cierto que el tango, la poesía melosa de la escuela, las novelas "del corazón" y las comedias, han enseñado a generaciones enteras y aun nos enseñan a pensar y a sentir en su bajo nivel de melodrama: el papel de Puig no es el de burlarse de esa "cultura" y de esa "sensibilidad", no es el de crear distancia para la ironía, sino ofrecer un nivel más limpio y depurado, más auténtico también, sin dejar de ser melodramático.

La literatura se ha acostumbrado a tomar, en su actual libertad para emplear todos los recursos a su alcance, estas formas tangenciales de la sub-cultura, y Puig es en este sentido un ejemplo. Sin embargo la intención de Puig no es la parodia (él mismo lo ha dicho) de esas formas: con ellas se compromete y de ellas se alimenta, su mundo es ése, el de los conflictos cursis de sus personajes. De ahí el error con que se ha leído su obra: *La traición de Rita Hayworth* nunca fue un intento de "desmitificación" de la cursilería provinciana nutrida por el cine, sino el afloramiento de esa sensibilidad, de esa zona humana, a la realidad del arte. Como *Boquitas pintadas* no pretende ser la parodia de la "educación sentimental" del tango rioplatense. Puig siente sus temas y se identifica, como cualquier escritor, con ellos. Mientras Flaubert dice 'Madame Bovary soy yo", Puig señala: "Toto *(La traición de Rita Hayworth)* soy yo". Y "Cuando escribo una carta de Nené *(Boquitas pintadas)* me identifico con ella al punto de sentir lo mismo que ella. En ese momento yo soy Nené". Precisamente la ausencia de ironía, la falta de esa distancia entre él (y por ende el lector) y sus historias o personajes constituye uno de sus rasgos y una de sus limitaciones literarias. Porque sus novelas tienden a englobarnos en aquella misma sensibilidad anacrónica, a comprometernos con ella, a transformarnos a todos en Toto y Nené, a hacernos *vivir* la peripecia, como lo exige (pues de eso depende) toda la producción lacrimógena del cine, del teatro, de la televisión y la literatura rosa.

Una conciencia literaria, formal y técnica, notablemente moderna, le impide a Puig cometer el mal paso, transformar su obra decididamente en folletín y en melodrama. Considérese: sin su endiablada habilidad para narrar cambiando los más insólitos ángulos, empleando los más curiosos expedientes, sus novelas no se diferenciarían de las de Corín Tellado. Es la técnica exacerbada hasta el virtuosismo, lo que da el cambio de calidad, lo que dignifica sus asuntos y muestra en ellos un diferente calor humano que las justifica. De esa exacerbación formal depende, pues, su eficacia literaria: de ahí que sea tan visible en sus libros y que, al mismo tiempo que su mérito, su razón de ser, constituya el mayor de sus peligros, el desafío constante del fracaso, la espada de Damocles pendiente sobre su cabeza.

Más claro que en sus dos primeras novelas, ese peligro se observa en la tercera. Aquí, en *The Buenos Aires Affair*, el asunto se concentra en sólo dos personajes —una artista y un crítico de arte, Gladys Hebe D'Onofrio, 34 años, presa de traumas sexuales, fronteriza de la locura, y Leopoldo Druscovich, 29, sicópata, asesino impotente en su vida emotiva y, en ratos libres, buen periodista y mejor crítico. Hasta ahora, Puig venía novelando las vidas grises de algunos personajes provincianos: sus historias databan de treinta o cuarenta años atrás; en *The Buenos Aires Affair* parte, por el contrario, de un presente concreto y de la ciudad que nombra en su título, y sin embargo poco cambia: su aproximación a los seres es la misma, más depurada quizá de melodrama y con ingredientes más notorios de perversidad y anomalía; es la misma indagatoria en la frustración vital de cada uno de sus seres ficticios, para tocar ese nervio sufriente y patético que los agita como marionetas. Esto estaba en *Rita Hayworth* y en *Boquitas*: vuelve a estar en *The Buenos Aires Affair*.

Si es realmente una "novela policial", díganlo los aficionados. *The Buenos Aires Affair* comienza con un hecho misterioso —la desaparición de Gladys—, pero no es el misterio lo que al autor le preocupa. De inmediato el papel del detective tradicional de las novelas policiales aparece encarnado aquí por el escritor (y sus lectores) y por la técnica misma: cada capítulo será una iluminación retrospectiva que lleve al último, el que a su vez dará el desenlace. Entre el primero y el último capítulo está, pues, todo lo que a Puig le importa: esas existencias agónicas de dos seres anormales y sin embargo tan lindantes con la normalidad, tan reconocibles en sus viajes a Europa, sus éxitos en las exposiciones, su publicidad en la vida mundana. Para contar esas dos vidas (desde el nacimiento, e incluso desde la oscura gestación, hasta este presente), Puig agota sus municiones: el relato en tercera persona, la descripción objetivista, el informe impersonal casi de notario, el monólogo interior, el estilo libre indirecto, las divagaciones propias del sillón del analista, el diálogo teatral, la entrevista imaginaria, la enumeración prolija de hechos, la descripción de sensaciones, etc. Entre todo esto, a veces Puig se da el lujo de narrar en tercera persona, de emplear al narrador omnisciente, de ser tan tradicional como los más tradicionales.

No hay duda de que Puig maneja bien todas estas cartas y juega un buen partido: logra escribir una novela amena, con excelencias varias de escritura y pasajes antológicos, creando un par de personajes también sin duda alguna redondos y grávidos. Forster distinguía entre *flat characters*, personajes de una sola dimensión, chatos, generalmente secundarios (o principales, en las malas novelas) y *round characters*, personajes logrados, vivos. A fuerza de un verdadero asedio que el autor realiza sobre sus criaturas hurgando en sus vidas, describiéndolos y narrándolos desde las perspectivas más distantes, Puig accede a esta segunda categoría, la más valiosa, aunque los tiñe con un rasgo obsesivo, frontal, hasta caracterizarlos con él: una sexualidad enfermiza que los acerca irremisiblemente, uno al crimen, el otro a la locura. Si la narrativa alguna vez fue, o sigue siendo, un medio para explorar los abismos de la persona (Dostoievski es el paradigma), Manuel Puig puede sentirse satisfecho de estar en buena compañía.

El mayor reparo que merece *The Buenos Aires Affair* está en otro plano, en la escasa justificación, en cierta gratuidad de su despliegue formalista. Sus novelas transitan continuamente un resbaloso camino que va —y viene— del arte al artificio. Es claro que Puig concede su máxima atención al *modo*, al *cómo*, a las *formas* utilizadas: y su atención genera un defecto de óptica, la técnica narrativa se le impone, crece desmesurada y desproporcionada. Así, la historia de *The Buenos Aires Affair* podía haber sido un relato de sesenta o setenta páginas, su tema no da para más que eso, y en rigor lo que importa aquí está contado sólo en esas páginas, y no en las doscientas sesenta que la entretienen. Un lector atento podría tal vez extirpar varios capítulos enteros sin que la historia se resintiese, volviendo a sus cauces toda una serie de temas no tan ricos ni exóticos, tampoco tan barrocos ni tan abismalmente profundos como para que el novelista parezca agotar, en cada una de sus novelas, toda la literatura, todos los procedimientos, toda la historia de la cultura. Y es que Puig ha terminado por elaborar su propia cárcel de oro, su trampa brillante. Tal vez el mismo cine que lo inspira —aunque no sea el de 1930— pueda ayudarlo a encontrar las salidas de esa prisión.

1973

I

Un libro puede —y debe— asombrar, provocar la admiración, generar la polémica. Pero los tres libros de Carlos Castaneda (*The Teachings of Don Juan: A Yaqui Way of Knowledge*, 1968, *A Separate Reality*, 1971, y *Journey to Ixtlan*, 1972) han terminado por sembrar el desconcierto como muy pocas obras en la historia de la cultura tuvieron la virtud de hacerlo. ¿Son un estudio antropológico o una trilogía novelesca? ¿Un genial reportaje o una invención fraudulenta? Sea cual sea la respuesta provisoria, la profesión de fe de cada lector, lo cierto es que las obras de Castaneda *existen*, cuentan el proceso de enseñanza de un brujo yaqui y la conversión de su discípulo, y en ellas coexisten los procedimientos más dúctiles de la novela con el conocimiento preciso y real de las drogas alucinógenas. Octavio Paz señala con exactitud, en el prólogo a la edición mexicana* la doble y ambigua validez de *Las enseñanzas de Don Juan:* "Si los libros de Castaneda son una obra de ficción literaria, lo son de una manera muy extraña: su tema es la derrota de la antropología y la victoria de la magia; si son obras de antropología, su tema no puede serlo menos: la venganza del "objeto" antropológico (un brujo) sobre el antropólogo hasta convertirlo en un hechicero."

En el verano de 1960, un joven estudiante de la Universidad de California en Los Angeles intentaba profundizar su conocimiento de los usos y efectos de las plantas medicinales empleadas por los indígenas, buscando también, en el camino, orientar hacia la etnobotánica su vocación antropológica. Varias veces (en los prólogos de cada uno de los libros) Castaneda ha contado el encuentro, ese verano, con el brujo Juan Matus mientras esperaba un autobús en un pueblo fronterizo de Arizona; poco después de ese encuentro comenzaron las visitas frecuentes del estudiante a una zona de México donde vivía Don Juan y comenzó también el aprendizaje de la brujería, que duraría diez años. De estudiante a aprendiz de brujo, la metamorfosis de Castaneda implicó asimismo otros tránsitos: la tesis de maestría (fue publicada por la University of California Press) se convirtió en una nueva Biblia para cientos de miles de lectores norteamericanos en busca de la "iluminación", ya que mostraba cómo y por cuántas complicadas experiencias el autor había

* Fondo de Cultura Económica, 1974, 302 pp. Traducción de Juan Tovar.

pasado de vivir la realidad cotidiana a compartir con los brujos indígenas la "realidad no ordinaria".

Sus libros son en efecto el relato de los varios ciclos de enseñanza con los cuales Don Juan intentaba destruir en su discípulo las aprendidas nociones de la realidad. Para llegar a dicho estadio Castaneda probó el peyote *(Lophophora williamsii)*, la yerba del diablo *(Datura inoxia)* y el Humito *(Psilocybe mexicana)* preparados como alucinógenos, haciendo de esas experiencias auténticos encuentros con figuras y formas inéditas que no respondían al consenso ordinario de la realidad, ese consenso que hace habitable al mundo y permite la comunicación. De estas maneras, tenaz e inexorablemente, el cartesiano que había en Castaneda (sus libros están compuestos largamente por diálogos: las preguntas para *explicarse* lógicamente las vivencias *inexplicables* de la brujería) debió transar con un orden diferente, el orden mágico. En este punto se encuentra una de las claves fundamentales y polémicas de los libros, por cuanto éstos sólo pueden aceptarse como verdad —así como entender las experiencias del propio aprendiz— si se acepta y entiende que hay reglas exclusivas de la "otra" realidad. La imposibilidad de corroborar con *nuestras* reglas lo que se rige por ellas está expuesta muy claramente por Castaneda en el *Don Juan:* "Don Juan presentaba sus enseñanzas como un sistema de pensamiento lógico (pero) el sistema sólo tenía sentido examinado a la luz de sus propias unidades estructurales; y (. . .) estaba planeado para guiar al aprendiz a un nivel de conceptualización que explicaba el orden de los fenómenos que había experimentado el propio aprendiz" (p. 45). Bien se ve en estas líneas que experiencia y explicación de la experiencia cumplen y se integran en un perfecto círculo vicioso: buscar la sombra para hallar la luz, encontrar la verdad donde ésta se pierde.

II

Existe una extensa tradición de la literatura de iniciación y de aprendizaje. En el caso de Castaneda los pasos del aprendiz van encaminados a "adquirir el poder" ("Don Juan consideraba los estados de realidad no ordinaria como única forma de aprendizaje pragmático y como único modo de adquirir el poder", p. 40); a lograr aliados que conduzcan a ese poder y enseñen a vivir ("Un aliado es un poder que un hombre puede traer a su vida para que lo ayude, lo aconseje y le dé la fuerza necesaria para ejecutar acciones, grandes o pequeñas, justas o injustas", p. 72), y convertirse así en un *hombre de conocimiento* ("Un hombre de conocimiento es alguien que ha seguido de verdad las penurias de aprender. Un hombre que, sin apuro, sin vacilación, ha ido lo más lejos que puede en desenredar los secretos del poder y el conocimiento", p. 106). En esta búsqueda implacable, en este largo viaje por mundos extraños, el aprendiz se convierte en *guerrero* ("Un hombre va al saber como a la guerra: bien despierto, con miedo, con respeto y con absoluta confianza. Ir en cualquier otra forma al saber o a la guerra es un error, y quien lo cometa vivirá para lamentar sus pasos", p. 72). El fascinante periplo narrado por Castaneda atraviesa las diversas etapas y las distintas experiencias alucinógenas —vertidas con dramático detalle y con un singular talento para la plasticidad descriptiva—, y hace de sus libros un verdadero *Bildungsroman* que tácitamente propone, a la vez, como un modelo y un ejemplo, la aspiración a vivir una vida despojada del error.

Para el primer volumen de su trilogía Castaneda seleccionó y ordenó las innumerables anotaciones de campo cubriendo el lapso de los cuatro años iniciales del aprendizaje. *Las enseñanzas de Don Juan* están divididas en dos partes: la que se titula precisamente "Las enseñanzas", y un "Análisis estructural", éste mucho más árido, poco más teórico pero igualmente interpretativo si lo comparamos a la primera. En *A Separate Reality* la narración ya lo absorbe todo; desprendido de la pretensión teorizante-conceptual, en un verdadero libro de narrativa, Castaneda cuenta también en dos partes —"The Preliminaries of Seeing" y "The Task of Seeing"— las vicisitudes del largo y arduo aprendizaje de *ver*, entendiendo que *ver* se diferencia de *mirar* como la verdad de la apariencia. La decisión narrativa de Castaneda se advierte aquí libre de todo freno academicista (que será aún más claro en *Journey to Ixtlan* donde cada capítulo está titulado como en una habitual novela de viajes o de aventuras), al grado de que es posible palpar y reconocer una estructura episódica vertebrada por distintos temas conclusos: la descripción de un mitote (cap. III), la manifestación de Don Juan sobre la falta de importancia de todo (cap. V), la voluntad (cap. X), el guerrero (cap. X), la muerte (cap. XIII), la lucha contra la bruja (cap. XIV).

¿Pero es sólo esto —un eficacísimo arte de narrar— lo que confiere el atractivo casi fascinante de sus libros? ¿Qué hay detrás de todos ellos, cuál es —si hay una— la experiencia central que muestran (o encubren)? Creo que hay una lectura posible aunque aparentemente subsidiaria, y tiene que ver con un dato escondido por tan manifiesto: el hecho de que se trata siempre de las enseñanzas depositadas por un viejo en un hombre joven, y que ese joven ha buscado el encuentro con la figura que lo encaminará hacia el Conocimiento. Reversiblemente, su tema es la *enseñanza* y el *aprendizaje* como dos caras de una misma moneda, y en una similar simetría su personaje principal es un brujo y un aprendiz de brujo, la magia y la lógica, este mundo y el otro, la verdad tras la apariencia y la apariencia tras la verdad. Es también el relato de una relación peculiar, y entre Don Juan y Carlos Castaneda se reitera otra vez, inevitablemente, la figura del padre y del hijo.

Por lo menos ése es el camino de Castaneda: llegar a ser como Don Juan un "hombre de conocimiento": un joven aprende de un hombre a ser hombre, un hijo aprende del padre a ser padre. En la extensa *cover story* que le dedicó *Time* en 1973 se lee: "(Su padre es) una oscura figura que él menciona en los libros con una mezcla de cariño y piedad ensombrecida por desprecio". La débil voluntad del padre es el revés de la "impecabilidad" de su padre adoptivo, Don Juan. Castaneda describe los esfuerzos de su padre por convertirse en escritor como una farsa de indecisión. Pero, agrega, "yo soy mi padre. Antes de encontrar a Don Juan hubiera gastado años en afilar el lápiz y después agarrarme un dolor de cabeza cada vez que me sentara a escribir. Don Juan me enseñó que eso es estúpido. Si quieres hacer algo, hazlo impecablemente y eso es todo lo que importa". Igualmente significativa del sentimiento de orfandad borrada y a la vez del terror por volver a perder al padre reconquistado, es la inquietud y la crisis que narra *A Separate Reality* en su capítulo V. Allí Don Juan afirma que *nada importa*, y el aprendiz reacciona de este modo: "Eso quiere decir que nada le importa a usted y que no se molesta por nada y por nadie. Yo, por ejemplo. ¿Quiere decir que no le importa si llego o no a ser un hombre de conocimiento, o si vivo o muero, o si hago cualquier cosa?"

III

De *Las enseñanzas de Don Juan* a *Journey to Ixtlan* no hay sólo el proceso mediante el cual un hombre accede al conocimiento —y un racionalista llega a la magia—, hay también un devenir psicológico con profundas pautas personales que parecen estar en un segundo plano y sin embargo tiñen y dan sentido al conjunto entero. Una de ellas está ya dicha: la elección de Castaneda, las motivaciones que definen la figura y, con la figura, la estructura de su experiencia mágica. Lo que valida a sus obras como literatura también fue señalado y a su vez confirmado por casi todos sus lectores: la obra de Castaneda describe las diversas instancias de la experiencia alucinógena y las narra, las revive, con fuerza. De ahí que aunque se discuta si es o no un trabajo científico, si es o no una serie de libros de antropología (obtuvo su Ph. D. con ellos) porque su descripción no pueda corroborarse científicamente (o, por ejemplo, por la escasa representatividad de Don Juan como yaqui), lo cierto es que nos propone un mundo convincente y de poderosa verosimilitud por extraño que ese mundo sea. Esa es su presencia como autor. Su verdad es la verdad del *texto*. Lo que hace a un novelista (Joyce Carol Oates) preguntarse y afirmar, enfatizando la naturaleza artística: "¿Es posible que estos libros no sean ficción? Me parecen notables obras de arte en el tema hesseniano de la iniciación de un joven en otra vía de la realidad. Tienen una hermosa construcción. El personaje de Don Juan es inolvidable. Existe un *momentum* novelístico, acción llena de suspenso y un gradual desarrollo de su tema".

El misterio de las obras de Castaneda preexiste y sobrevive aún a otro misterio: el de la vida del autor, el de su personalidad, ya que desde el inmenso éxito de *Don Juan* y sus posteriores secuelas, la notoriedad del autor fue transformada por él mismo, cuidadosa y concienzudamente, en oscuridad y bruma. Don Juan le había aconsejado borrar su pasado, y eso hace: evitar la curiosidad ajena, esconderse bajo múltiples versiones, despistar al mundo cotidiano. Por eso las preguntas se reiteran: ¿Quién es Castaneda? ¿Es peruano o brasileño, dónde vive, qué hace? A través de sus negativas a nuestro afán de certidumbre es posible sin embargo, reconocer que el aprendiz está asumiendo las enseñanzas del maestro, pues ha comenzado por hacernos dudar y cuestionar —como él lo hizo en su experiencia— y finalmente a cuestionar y dudar nuestra propia duda, nuestra propia inquisición. ¿Es que un libro debe por fuerza poseer un autor definido y visible, debe trasmitir un mensaje lógicamente comprobable? ¿No estaremos buscando la calma de nuestro desconcierto con la pesquisa del dato convencional de una identidad, para probarnos finalmente que la magia es lo mismo que la prestidigitación?

1974

II

Desde su propia familia, políticamente escindida (línea paterna rosista, materna unitaria), José Hernández vivió la desgarrada oposición civil de la historia argentina durante el siglo XIX. Su inclinación política lo llevó a militar, a intervenir incluso como combatiente, en diversos períodos de esas agitadas décadas, manteniendo siempre la coherencia de sus ideas y nutriendo con ellas el sello liberal de su ideología. Participante del reformismo, a los diecinueve años, más tarde urquicista hasta la derrota de Pavón (1836); de inmediato formando filas con López Jordán en el intento de mantener la bandera federativa contra Buenos Aires; admirador de Facundo y del "Chacho" Peñaloza (cuya *Vida* escribe en 1863, indignado todavía por el asesinato del caudillo); periodista político ("El Río de la Plata"), y decidido opositor de Sarmiento (quien puso su cabeza a precio y lo llevó a exilarse), otra vez jordanista y perseguido (hacia febrero de 1872, en Santa Ana do Livramento, cuando escribía su *Martín Fierro)*, Hernández mantuvo hasta 1872, fecha de la primera edición de su poema, ideas defendidas con pluma y espada: el federalismo (no rosista) y la oposición al intento hegemónico de Buenos Aires, así como al desprecio de los gobiernos que desde la caída de Rosas (y Rosas incluído) bañaron de sangre la vida rioplatense. *Martín Fierro* se alza como la protesta de un gaucho perseguido —del gaucho por antonomasia— ante ese estado de la campaña; su protesta encuentra en el poema resonancias inesperadas, un tono notablemente conveniente, un cuadro estremecedor, rasgos estos, entre muchos más, que han hecho de él una obra imperecedera por su defensa de valores esenciales como la libertad y la justicia.

El Rebelde

Durante su gestión parlamentaria, José Hernández mantuvo, igual que en la tarea periodística, claros principios liberales y una oposición sin fisuras al autoritarismo emanado del sistema. "Ni esbirros de déspotas, ni agentes de tiranos, ni instrumentos de flagelo, sino representantes del pueblo, defendiendo las buenas doctrinas, las buenas ideas, la libertad, las instituciones, el derecho, el progreso y el engrandecimiento de la patria". Martín Fierro, de poseer la cultura de su autor, diría esas mismas palabras, defendería similares ideales. Precisamente su vida, su historia, su parábola, demuestran, por oposición, casi como un negativo, el derecho de la rebeldía cuando nada de eso ocurre, cuando son justamente "esbirros de déspotas" e "instrumentos de flagelo" los que conducen la vida rural, las levas, la persecución del gaucho, las arbitrariedades de una justicia corrompida.

Siendo *Martín Fierro*, dentro del esquema gauchesco, heredero de la tradición rebelde que arranca de la Independencia con Hidalgo, pasa por Ascasubi y tiene un curioso contemporáneo en *Los tres gauchos orientales*, de Lussich, sin embargo varía esa línea al ampliar los márgenes de su historia, al separarla artísticamente de sus contextos —manteniéndole representatividad— para darle un valor intrínseco en que la parábola sobre los grandes temas como la libertad y la justicia superan ampliamente las particularidades que los hicieron nacer. De ahí, por un lado, que ni siquiera haya unanimidad en la visión actual de esos contextos (no se ha decidido, por ejemplo, si la "edad dorada" del gaucho, evocada en la "Ida", alude a la época rosista o a una época anterior, lo cual modificaría el sentido de su protesta), y por otro pueda mantener la estricta vigencia de sus contenidos a lo largo de toda la centuria y perviva hoy como un ejemplo actualísimo de la defensa de esos mismos ideales. En la carta a Zoilo Miguens (de la primera edición, 1872), Hernández presenta su libro destacándolo de otras obras gauchescas como el *Fausto* de Estanislao del Campo, que pese a su espléndida realización no tiene el alcance de denuncia y testimonio, ni siquiera la dimensión humana de *Martín Fierro*: "Me he esforzado, sin presumir haberlo conseguido, en presentar un tipo que personificara el carácter de nuestros gauchos (. . .) Mi objeto ha sido dibujar a grandes rasgos, aunque fielmente, sus costumbres, sus trabajos, sus hábitos de vida, su índole, sus vicios y sus virtudes; ese conjunto que constituye el cuadro de su fisonomía moral, y los accidentes de su existencia llena de peligros, de inquietudes, de inseguridad, de aventuras y de agitaciones constantes".

En esas palabras no muestra tener conciencia de haber trazado un retrato de rebeldía subversiva, donde se justifica, se impulsa, se instiga la sedición como derecho de desprenderse de una situación política determinada. Toda su experiencia (y la experiencia de sus dos hijos, de Cruz y de Picardía) está signada por la injusticia del propio orden constituido, representado por el "juez" (autoridad de incidencia amplísima y primordial de la vida rural), el mismo juez al que cínicamente, en la "Vuelta", Vizcacha recomendará interesado acatamiento. Es sombrío el cuadro que el narrador describe de las leyes, la vida en la frontera y la prepotencia policial sobre el individuo. La tortura es mostrada como moneda corriente:

"Y el lomo le hincan a golpes
y le rompen la cabeza
y luego con ligereza
ansí lastimao y todo
lo amarran codo con codo
y pa el cepo lo enderiezan".

La arbitrariedad de la justicia tiene una explicación: el orden es un orden obediente a los intereses partidistas de gobierno, y su principal enemigo está en la "oposición" política. Pertenecer a esa oposición comienza por ser un delito ("A mí el juez me tomó entre ojos / en la última votación: / me le había hecho el remolón / y no me arrimé ese día,/ y él dijo que yo servía / a los de la exposición" I. 343/8). En el poema la amargura de la protesta va adquiriendo un nítido sentido en la medida en que se toma conciencia de qué intereses espurios hay detrás de la organización política:

"Porque el gaucho en esta tierra
sólo sirve pa votar.
Para él son los calabozos,
para él las duras prisiones;
en su boca no hay razones
aunque la razón le sobre;
que son campanas de palo
las razones de los pobres.
Si uno aguanta, es gaucho bruto;
si no aguanta es gaucho malo.
¡Déle azote, déle palo,
porque es lo que él necesita!"

Se ha dicho que existe un desdén anárquico detrás del primer *Martín Fierro*, por las duras críticas al gobierno y al sistema que deja en manos del juez la impunidad de la injusticia. Lo cierto es que el poema no busca salir de una situación particular, denunciada allí como en la profusa actividad periodística y parlamentaria de su autor. En la vicisitud del "gaucho Martín Fierro" esa situación toma aspectos anecdóticos y argumentales. La huida al desierto es consecuencia precisa de la oposición al gobierno, que se opta por rechazar y no por sufrir resignadamente: "¡Quién aguanta aquel infierno! — Y eso es servir al gobierno, / a mí no me gusta el cómo", I. 430/2. Singular detalle es que esta experiencia sea total y generalizada. Sabemos que el *Martín Fierro* encarna al gaucho genérico, pero ni siquiera satisfecho con eso Hernández reitera, con sus variantes posibles, la misma situación en cada uno de sus personajes, como si no quisiera dejar una sola posibilidad abierta de recuperación para ese mundo oficial, una sola defensa basada en la excepcionalidad. No. Toda la "Ida" es un grito desgarrado de rebeldía, la elección del hombre que opta por "hacerse malo" (I, 1014) como respuesta de desafío a un orden que lo explota, lo hiere, lo humilla. Como pocas veces, la literatura gauchesca ha expresado simultáneamente, y con fuerza tal, la circunstancia individual y la condición genérica de una sociedad rural en el más crudo proceso de explotación política desde los centros urbanos, desde el puerto bonaerense en este caso. La saga del gaucho malo, rebelde, que no lo es por "inclinaciones" delictivas (si existieran) sino como consecuencia de una profunda injusticia social, aparece encarnada en el poema como su centro emocional. Y es a partir de esa pintura de injusticias y arbitrariedades que el fenómeno *Martín Fierro* adquiere su sentido social y explica el éxito popular del libro pese a ser una creación culta, ni siquiera espontánea, y sin los dones que Hernández reconocía en otras obras ajenas a él: sin el humor, por ejemplo, que da vida al *Fausto* de Estanislao del Campo y lo dirige más que a su propio público de origen, a otro, ciudadano, diferente, en el que no ha de operarse el fenómeno de la identificación. *Martín Fierro* está hecho de otra pasta, exige adhesiones emotivas e intelectuales, sondea un mundo y lo siente al nivel de la piel porque está contando la vida de un gaucho en desgracia que lucha por su propia supervivencia, claro está que sin solidaridades (su único amigo en todo el poema es Cruz), pero representando en su trayectoria particular la trayectoria de muchos otros.

Martín Fierro se ha convertido, y continúa siéndolo, en el epítome de la rebeldía, manifestación de un tipo social que la nueva organización económica había ya comenzado por arrinconar en el desierto y por exterminar lentamente mediatizándolo en peón y paisano. En cierta medida, el gaucho sigue las vías de desaparición del indio, aunque no lo advierte; al contrario, se pone del lado de sus enemigos para exterminar a quienes están preludiando su fin, como una etapa anterior y diferente, vaticinadora de su propia desaparición. Esto resulta notable en el poema y dado que constituye uno de sus mayores aspectos negativos que se mantiene vivo y contradictorio en su propio cuerpo, no es posible pasarlo por alto. Porque Martín Fierro, desheredado, símbolo de los desheredados, combate, odia y preconiza el fin de otros tan desheredados como él, que él no llega a comprender.

Contra el indio

El *Martín Fierro* ha sido leído muchas veces como cuadro de época, tales son sus verdades documentales, su vigor y precisión, ya que en buena parte lo que reproduce es un conocimiento —una experiencia— de primera mano, deliberadamente expuesta como ilustración de los tiempos de la frontera, el fortín, los malones indios, las costumbres y la crueldad "infiel". Lo que no se ha hecho con similar frecuencia es la lectura inversa, la lectura ideológica, la que establezca precisamente no cómo el poema ejemplifica los problemas de su época sino qué actitud tiene ante esos mismos temas. Así, por ejemplo, no hay duda —porque el *Martín Fierro* lo prueba reiteradamente y no en uno, sino en todos sus personajes— que la actitud de Hernández respecto al indio partió de aceptar casi irreflexivamente la noción ecuménica, de raíz europea, que hacía del "salvaje" o "incivilizado" un ser bastante menos que humano, un animal depredador pasible de exterminio. Y de alguna manera el propio poema de Hernández coadyuva al robustecimiento de ese desprecio ciego que ya había fundado en la literatura el romanticismo de Echeverría con *La cautiva*. Lo señaló Ezequiel Martínez Estrada con notable perspicacia, en términos bastante más generales que los que corresponden a estos dos escritores rioplatenses: "Este fenómeno de solidaridad de la literatura con la política y los intereses artísticos y sociológicos con los de los estancieros y jefes de tropa no tiene paralelo en ningún país de Iberoamérica. Acaso únicamente en los Estados Unidos, con su despiadada conquista del Oeste (. . .) el problema del indio ha permanecido extraño a la honradez intelectual". Históricamente, en Argentina, el equivalente de la conquista del Oeste norteamericano se llamó "conquista del desierto", culminada gracias al expeditivo Roca y sus métodos de exterminio indígena o doblegamiento servil. En cuanto al poema de José Hernández, la visión es inequívoca y explícita. No admite siquiera matices y a menudo se subraya con violencia en imágenes y descripciones que funcionan como un ritornelo incluso en la "Vuelta" cuando el problema del indio se ha canalizado en drásticas soluciones. Pero ya desde la "Ida", la presentación del indio insiste en los rasgos de natural ferocidad y absoluta carencia de misericordia:

> "Naides le pida perdones
> al indio, pues donde dentra
> roba y mata cuanto encuentra
> y quema las poblaciones.
> No salvan de su juror
> ni los pobres angelitos:
> viejos, mozos y chiquitos
> los mata del mismo modo".

La perspectiva racial y social de que parte su visión se reitera cuantas veces pueda hacerlo en todo el *Martín Fierro* hasta alcanzar culminación patética en una escena de la "Vuelta", en que se cita el testamento de una madre cautiva:

> "Que aquel salvaje tan cruel
> azotándola seguía;
> más y más enfurecía
> cuanto más la castigaba
> y la infeliz se atajaba,
> los golpes como podía
>
> Esos horrores tremendos
> no los inventa el cristiano:
> 'ese bárbaro inhumano',
> sollozando me lo dijo,
> 'me amarró luego las manos
> con las tripitas de mi hijo' ".

Innumerables ejemplos como éstos, representan al indio en el estrato de la barbarie más insólita. Por una parte, responde a la verdad (la eterna media verdad de los conquistadores), pero por otra, a un proceso de calculada "deshumanización" del personaje invocando análogos sentimientos del auditorio. El indio es un "infiel", cuando el cartabón que se utiliza es el sentimiento religioso, la conversión cristiana. Matar al indio resulta así "obra santa" (I, 610), frente a un sadismo monstruoso ("la sangre que no bebe / le gusta verla correr', II, 233/4) y sus hábitos de ladrón y de vago ("El indio pasa la vida / robando o echao de panza" II, 379/80). Todo ello estaría en la naturaleza del indio y resulta insensato siquiera pensar en inducirlo a las "virtudes" de la civilización. "Es tenaz en su barbarie / no esperen verlo cambiar / el deseo de mejorar / en su rudeza no cabe" (II, 566/70). Lo curioso es que en la búsqueda de argumentos y testimonios adversos, en el ansia de convencer (y convencerse) de que el indio es un ser inferior, indigno de la convivencia (y de la supervivencia), se llega a utilizar el supremo argumento —Dios— claro está que sin pedirle autorización: "Parece que a todos ellos/ los ha maldecido Dios" (II, 581/2). En la primera parte, Martín Fierro, hastiado de la vida infernal en el fortín, huye a territorio indio; cinco años más tarde, desilusionado también de esa experiencia, regresa; apenas pasa la frontera y olvidando cuánto había aborrecido su propio mundo, besa la tierra: "Besé esta tierra bendita / que ya no pisa el salvaje" (II, 1538). En ese momento, su propia frialdad emocional, su discriminación, honda y mayor (por inconsciente, por automática) se expresa también en la "Vuelta", cuando al oir los lamentos de una mujer y presenciar la escena del indio castigándola, confiesa con naturalidad: "Conocí que era cristiana/y esto me dio mayor pena" (II, 1007/8).

La actitud de Martín Fierro —y de otros personajes en tanto "personajes" del poema— puede considerarse un dato realista del perspectivismo novelesco. En efecto, la pugna ciudad-desierto implicaba el odio y el temor del indio, un choque de civilizaciones sin mayor contacto y con antagónicos intereses. La limitación sicológica del personaje, su inevitable partidismo por la civilización que más le debe, es un obstáculo insalvable hasta para la mínima comprensión. Hasta para advertir, por ejemplo, que su vida entre los indios habla paradojalmente bien de ellos, y que lo inverso —la vida del indio más acá de la frontera— hubiese sido a su vez inimaginable. Dicha actitud en cambio no se justifica igualmente en Hernández, el demiurgo, el autor del mundo del poema, pues como autor, testigo y actor de la historia que está contando, calla la otra mitad, la representada por el "malón blanco", la crueldad de la soldadesca y del propio sistema político, la depredación de los contingentes militares en tierra india, que sin embargo serían narrados luego por un Manuel Prado (*La conquista de la pampa*: "Quien no haya asistido a una de esas expediciones no puede darse cuenta de lo que es un ataque a las tolderías. . .") o un Zeballos (*Callvucurá*: "Algunos de los feroces alzamientos de los indios fueron la justa represalia de grandes felonías de los cristianos, que los trataban como a bestias. . ."). Por el contrario, la justificación del exterminio, la tranquilización de la conciencia histórica, también se dio en algunos extremos posteriores (léase fascistas) como es el caso de Lugones en *El imperio jesuítico:* "Si el exterminio de los indios resulta provechoso para la raza blanca, ya es bueno para ésta; y si la humanidad se beneficia con su triunfo, el acto también tiene de su parte a la justicia, cuya base está en el dominio del interés colectivo sobre el parcial". José Hernández, periodista en 1879, preconiza desde "El Río de la Plata" soluciones menos cruentas para el problema del indio, y así Pagés Larraya cita su proposición de métodos "más en consonancia con nuestros sentimientos humanitarios y cristianos" para "neutralizar el mal y hacer al salvaje mismo partícipe de los beneficios de la civilización". Lo paradójico es que siete años antes el gaucho Martín Fierro, rebelde contra el poder constituido, sensible para advertir que la "justicia" es impuesta por los poderosos para su propio beneficio, revolucionario cuando instiga el alzamiento contra esa prepotencia, haya sido ciego y haya ayudado a empedrar este camino al infierno.

Vigencia

La vigencia del poema, más acá o más allá de sus calidades literarias, descansa en estas paradójicas premisas que pueden sintetizarse en el principio de la compensación ideológica. En efecto, la rebeldía de Martín Fierro está muy relacionada con los motivos que la provocan. Fuera de ellos, y en el propio poema, la concepción paternalista del Estado parece indiscutible y el gaucho Martín Fierro es incluso explícito al desear que los que "mandan", "manden bien" (II, 2094). Tal vez radiquen en este eclecticismo raigal las razones de una rara unanimidad en el juicio sobre el poema, que integra a todos los sectores y a ninguno le ofrece inequívoca su bandera. Obvio resultaría, a esta altura, encontrar la perfección expresiva, la riqueza sicológica del poema hernandiano. De ellos partimos, con el reconocimiento, en el *Martín Fierro*, de una obra de extraordinario valor en la cultura rioplatense, que no ha perdido la frescura ni la originalidad poéticas. Pero también mucho más podría agregarse, en particular sobre el singular retorno de Martín Fierro en una segunda parte, siete años después, y luego de que en los últimos versos de la "Ida" del "cantor" rompiera su "estrumento", escamado tal vez por las famosas segunda partes, de los Avellaneda, de los Montalvo que recrean *Capítulos olvidados. . .* Ese regreso vendrá a completar algunos pocos cabos sueltos, pero también a reiterar las mismas situaciones en personajes distintos aunque con un acento puesto en el destino más que en la circunstancia histórica. Por encima de los espléndidos capítulos que contiene la "Vuelta" (la cárcel del hijo mayor, la figura del viejo Vizcacha, la payada de Fierro y el Moreno, etc.), hay un curioso fenómeno estético, un efecto de ilusión: la historia se repite, los testimonios se multiplican, se expande la vida de campaña en personajes que rodean a Fierro y lo van subsumiendo en una experiencia más colectiva. Pero menos unanimidad crítica ha concitado esa "Vuelta" dado el espíritu a veces forzado que la anima. En cierto modo fue una negación de Martín Fierro. O, como lo ha dicho magníficamente Martínez Estrada: "El MARTIN FIERRO que regresa es la sombra del que se va". Cuando regresa es para explicar sus actitudes y atemperar los actos. "Pero no es MARTIN FIERRO quien habla excusándose, sino Hernández; y no se dirige al lector que conocía la "Ida", sino a sus amigos los jueces y los políticos que sin duda le habían reprochado los excesos de un héroe. . ." En la "Ida" los "excesos" del héroe se justifican por sí mismos o ni siquiera necesitan justificación. Tal vez habría que decir, mejor, que en la "Ida" Martín Fierro es el rebelde lleno de vigor, de furia, de odios humanos, y en la "Vuelta" lo ha aplacado el sufrimiento, la experiencia: él es un hombre más viejo y sabio y también más corrompido. Pero es que toda sabiduría está conformada de pequeños heroísmos y también de pequeñas e insidiosas derrotas.

1972

III

A mediados de 1903 Horacio Quiroga se encontró en Misiones por vez primera. Hasta entonces había sido, por etapas, el dandy finisecular, el precoz pontífice del Consistorio del Gay Saber, un hombre que descubre súbitamente el horror, al matar por accidente a un amigo —Federico Ferrando—, y luego el profesor de Gramática del Colegio Británico de Buenos Aires, quien a último momento logrará sumarse a la expedición de Lugones a las ruinas jesuíticas. Un pretexto dio comienzo a esta aventura: alistó la cámara, como pretendido fotógrafo, sin saber que en ella encarnaría un símbolo: durante mucho tiempo él mismo sería el objetivo, desapasionado observador que registra y no juzga.

Otros encuentros fueron reservados para un futuro no muy lejano. Al año siguiente, con seis mil pesos de la herencia paterna, abandonó otra vez Buenos Aires para instalarse en el Chaco y hacer una rápida fortuna con el cultivo del algodón. En febrero de 1904 le escribía a su primo José María Fernández Saldaña: "Estuve hará cerca de un mes en el Chaco. . . Volveré allá en abril donde quedaré para siempre". Lo curioso es cómo Quiroga da a ese segundo viaje proyectado, un carácter definitivo, casi, como si hubiese elegido ya la vida en la selva. Sin embargo, con la perspectiva de su fracaso comercial, de su inmediato regreso, derrotado, y de su posterior elección de Misiones, esa sí definitiva, las cartas sobre esta corta aventura evidencian las contradicciones y la desorientación que domina entonces su vida.

Tanto en ese tiempo como en los siguientes años misioneros, Quiroga hizo gala de una obsesión comercial: emprendió las aventuras posibles y muchos de los textos de este volumen*, sin contar las innumerables cartas con sus innumerables proyectos, no son sino una terca reflexión sobre las posibilidades de salir adelante en cada empresa. El cultivo de la yerba mate, la fabricación de vino y de carbón, la rapadura, etc: todas las notas periodísticas a su propósito, parecen los borradores y esquemas de un hombre que sopesa ventajas y desventajas, riesgos y seguridades de cualquier intento que tendrá una de dos consecuencias: la riqueza desmesurada o la miseria total. Así, habla en sus cartas desde el Saladito, de su propósito de hacer dinero, "gran fortuna", y es consciente del "hervor de mercantilismo" que lo invade, calificando su propio trabajo,

---

* Horacio Quiroga: *La vida en Misiones.* Tomo VI de las Obras Inéditas y Desconocidas de Horacio Quiroga. Montevideo, Arca, 1969.

con algo de pose, de "pequeño y vil comercio". Esto es casi un acento que el escritor se empecina en poner sobre sus actividades iniciales, acaso porque mucho hay en ello de explicación ante sí y ante los otros, que intenta superponerse a su ya explotada imagen de poeta modernista. Durante años sucesivos, la misma obsesión, sin desaparecer, cambiaría sustancialmente: se haría más densa, y no porque fracaso tras fracaso acabaran por desalentarlo. Esa actividad de *homo faber*, ese tardío culto al trabajo manual que en las cartas a Martínez Estrada se ha convertido en *sabiduría*, en un comienzo fue ambición o sueño, pero con el tiempo se transformaría en necesidad de sobrevivencia.

La edificación del colono, en la aventura chaqueña o en las primeras escaramuzas misioneras no fue fácil: ineptitud comercial, de relación y de trabajo con la mano de obra nativa, total ausencia de apoyo oficial, esas condiciones se reflejaron también en el Quiroga escritor. Hacia 1904 él era el único del grupo cenacular de 1901, que mantenía la ambición literaria. Confiesa a Fernández Saldaña su desolación y la crisis que sufre en su vocación de escritor: "Tú te quejas de tu soledad, con las agallas resecas fuera del agua; pero si vieras los tormentos que he tenido en estos seis meses, el desaliento diario, sin fe absoluta en mí —y lo que es más triste, sin creer ya en el arte— convencido de que estaba muerto para escribir, sentado en un cajón de kerosene, repitiendo horas enteras un párrafo de cuento, incapaz de hacer algo más, en el derrumbamiento de toda mi vida valiente, amortajándome melancólicamente con mi juventud de vuelo y ardiente espera, tapándome la cara con las manos —sin metáfora— deshecho de dolor por lo que había sido". En efecto, durante 1904, si escribe, no publica una sola línea en revistas argentinas; y al año siguiente publica apenas tres breves textos sin hacer todavía del ambiente al que se ha trasplantado, tema de artículos o cuentos. Sin embargo su crisis juvenil —tiene 25 años— no deja de mostrar una delicada grieta, apenas perceptible, de sufrimiento cultivado, de pose decadentista. Si bien hacía entonces las primeras armas en esta batalla contra la selva —y es previsible un lento y seguro endurecimiento en el hombre—, hay en sus actitudes epistolares una insoslayable ligereza, nada propia de quien, según la tradición crítica, ha *descubierto* la selva ya en 1903. Tal revelación —y puede emplearse la palabra aunque su sentido, para Quiroga, será diferente treinta años después— sin duda alguna fue progresiva, como un lento descubrimiento. En estos años primerizos la vida cotidiana se entrelazó y superpuso al recuerdo de los amigos y la época consistorial. Esperaba aún encontrarse con ellos. Las frecuentes escapadas al Salto natal eran fatales entrecruzamientos entre el trabajo y la diversión, y así es posible encontrar, en las cartas de la época, párrafos como los siguientes: "Voy al Salto por varios días. Me revivificaré un poco entre faldas y su consiguiente perversión". Porque sigue siendo el mismo muchacho que quiere deslumbrar narrando procaces "tropelías" salteñas. Vale la pena por ello demorarse en estos primeros años y ver cómo la formación decadentista se entremezcla con su llamado "hervor de mercantilismo", con su "pequeño y vil comercio" que

214

le permitirá, por ejemplo, "el viaje consistorial a Montevideo" o "la literatura a hacer cuando las finanzas opimas me permitan vacaciones agudas por ahí".

De todos modos, cuando regrese a Buenos Aires, fracasada la empresa, perdida la herencia, sentirá nostalgias de ese primer sabor de paraíso que ya no lo abandonará. Pocos meses después diría: "Si algo deseo es tener un poco de plata, echar al diablo a todos, los hombres y encerrarme en otro Saladito. Supondrás si —en tal estado— echo de menos mi temporada agreste. Sentarme en un claro de monte, una buena mañana de invierno y sol, habiendo caminado mucho, fumando un cigarro con la escopeta al lado, rodeado de perros echados, me parece esto una esperanza de nueva vida". Si en estas líneas el retrato tiene algo de diletantismo; si falta aún la reserva del hombre que ha vivido lo que no tiene necesidad de ensoñar; si no ha entrado aún en la convivencia tácita con la naturaleza, por lo menos ha sentido que se trata de una "nueva vida", y ese sentimiento sin duda lo empujará a ella. Poco tiempo después la convertiría en realidad, y ese otro Saladito sería San Ignacio, Misiones.

La Frontera Tropical

Desde 1906 a 1909 Quiroga viajó varias veces a Misiones, preparando el encuentro fundamental, acaso definitivo. En 1906 compró varias hectáreas, al año siguiente viajó a Paraguay y a Brasil, y en 1908 se dispuso a pasar sus vacaciones en San Ignacio. Sería al año siguiente, 1909, que decidiera trasladarse, recién casado, e iniciar verdaderamente su vida en Misiones. Es este el período más extenso: seis años convividos con el suelo indígena, seis años de trabajo en que establece el habitat, en que domina su tierra, en que moldea el sitio donde pretende vivir. Su afición paisajística le lleva a plantar palmeras a un lado de la casa; construir él mismo su vivienda; de acuerdo a las ideas sobre lo auténtico y lo artificial, obliga a su mujer al parto natural, lejos de cualquier clínica. O inspirado en la dureza espartana que exige la selva a sus contrincantes, educa a los hijos del modo más severo: "En cuanto pudieron sostenerse sobre los pies, los llevaba de acompañantes en sus internaciones monteses o en sus 'raids' de piragua. Los arrimaba al peligro para que, a un tiempo, tuviesen conciencia de él y aprendiera a no temerle. Y, sobre todo, les exigía una obediencia absoluta. Ya más grandes, los sometía a pruebas temerarias, con una confianza no tan completa, sin embargo, como para sosegar totalmente a la inquietud que, a veces, saltando súbitamente de entre sus fibras paternales, venía a lanzarle tremendos reproches" (Delgado y Brignole, *Vida y obra de Horacio Quiroga*).

Los artículos periodísticos que corresponden a este primer periodo (1910-1916) no traslucen por propia voluntad su personal vida en Misiones. Son los que en este volumen van desde "El arte de cazar en los bosques de Misiones" (1912) hasta "Tres impresiones sobre el cultivo de la yerba mate", de 1920. En ellos parece regir esa objetividad que ha ido conquistando para la narrativa y que hará consciente por lo menos desde 1917. De modo subrepticio, había ido mezclándose en su concepción de la literatura, la noción de lo falso y lo verdadero, de lo natural y lo artificial, a partir de las primeras experiencias modernistas. No quiere esto decir que sus temas fueran desde entonces otros, ni que abjurase de su estilo, de sus preocupaciones, de su experiencia. Sí que un campo se abrió con nuevas posibilidades. Podría afirmarse, luego, que el horror cultivado en la atmósfera y con los procedimientos del decadentismo, y del que diera ejemplos con los relatos de *El crimen del otro*, se vuelve real en la vida dura, implacable del bosque. Sólo que ahora la balanza se ha desplazado hacia el ambiente descubierto, que exige una adustez mayor, una concisión estilística, como no la exigían antes sus asuntos. En 1917 le escribe a Fernández Saldaña: "Cuando he escrito esta tanda de aventuras de vida intensa, vivía allá, y pasaron dos años antes de conocer la más mínima impresión sobre ellos... Lo que me interesaba saber sobre todo es si se respiraba vida en eso... Sé también que para muchos lo que hacía antes (cuentos de efecto, tipo 'El Almohadón'), gustaba más que las historias a puño limpio, tipo 'Meningitis' o los de monte". Ya mucho antes (en 1906, con el cuento "La vida intensa") Quiroga había comenzado a emplear esa expresión o ese juego de expresiones con que comunicar el tipo de experiencia de que provee a la selva. Sería la "nueva vida", oscuramente, en sus comienzos, o la "vida intensa" de su cuento. Como si las historias de efecto —"tipo 'El Almohadón'"— en que el narrador ponía de sí más de lo que exigía la realidad para alcanzar su clímax, se hubiesen trocado por una vivencia directa del horror vital.

Esto podrá encontrarse luego en textos como "La Yarará Newiedi", o en fugaces fragmentos de "El arte de cazar", "Los robinsones del bosque" o "Las víboras venenosas del norte". Por de pronto aquella actitud fría y descriptiva que alienta un cuento como "El almohadón de pluma" (1917) se encuentra en los textos periodísticos del primer periodo. Ellos tienen mucho de registro desapasionado, de testimonio no comprometido, aunque oculta corra su propia vida en Misiones. De ahí que este título pueda tener allí un significado diferente del que luego absorberá en los textos —más poéticos, más inyectados de subjetividad— correspondientes a la memoria bonaerense, es decir exiliada (1916-1931) o al segundo regreso a la selva (1932-1935). De 1912 a 1920 los textos son apuntes, a veces sobre la marcha. Se adivina al Quiroga empeñando sus esfuerzos en La Yabebirí en textos como "El oro vegetal" o "Tres impresiones sobre el cultivo de la yerba mate", el primero una suerte de estado al día del problema yerbatero, el segundo la flaca consecuencia que ha resultado de aquello. La tentativa de fabricar carbón de leña (cuando escaseaba el producto a consecuencias de la guerra, y por lo tanto las posibilidades de enriquecimiento nutrían la ambición), queda también registrada interiormente con "Nuestra industria del carbón", del mismo modo que pasaría a la narrativa ("Los fabricantes de carbón", 1918). Otros textos intentan y resultan ser pedagógicos: una descripción de las víboras venenosas en el mejor estilo del manual casero, o "La defensa contra la hormiga", con sus "Procedimientos de ataque y de defensa", que se aviene perfectamente al carácter peculiar de algunas revistas de la época, valioso consumo de pequeños agricultores.

De ahí que estos trece primeros textos sean impersonales en primera instancia, y que deba buscarse indirectamente —en sus cartas, en su literatura, en el recuerdo de los años siguientes— la existencia del hombre, su rostro cotidiano. Lo curioso es que el propio Quiroga es quien resume, explica, describe por sí mismo y con detalles sus trabajos y sus días. Hacia 1936 quiere mostrarle al amigo (al "hermano menor" que es Martínez Estrada) cómo se desliza la vida día tras día, y escribe: "Desde hace unos cuantos días me he recobrado del todo de mi adinamia gripal. Verá mi día, el de hoy: 5.45 a.m.: levanto, tomo tres mates flojísimos, asunto de excitar el hígado. Enseguida, a rastrillar el ensanche del jardín —45 x 22 mts.— que hice arar ayer, y donde he puesto 17 frutales que compré en Bonpland. 6.30: desayuno. 6.40 a 8: en el parque, macheteando el yuyo que invade la gramilla. ¡Viera mi parque! Lo verá, y pronto. 8 a 10: arreglo el taller, muy desordenado desde hace tiempo. 10 a 11.30 vuelta a rastrillar. 11.30 a 11.45: almuerzo (batata cocida, sopa, un pequeño bife a la plancha, bananas y mandarinas). 12 a 13: en el parque. 13 a 14: apronte de elementos para calafatear y arreglar la canoa. 14 a 16: en el río, con la canoa. 16 a 16.30: otra vez el rastrillo. 16.30 a 17: baño y cambio de ropa; tenue de tenis, como en V. López. Todas las tardes, al concluir el trabajo, me pongo pulcrísimo de punta en blanco. Me falta un cinturón blanco. 17: llega Lenoble, mi yerno, que vive a trescientos metros de casa, tras una loma, y que todos los martes toma té conmigo o cena, según los días. Hoy hemos comido: él, mondiola, porotos en guiso, budín de galleta (mejor que pan) y café. Yo: otra vez batata asada, budín y café de malta. 17.30: voy al correo y al almacén a traer bulones de 2" para la canoa (el pueblo queda a 1.700 mts. de aquí). 18: enciendo el farol de nafta y arreglo un poco la radio, con radiotrones que he traído del pueblo para ensayo. Lenoble lee diarios. 19: comienzo a escribirle, amigo, y hace un instante pasan el noticioso de "La Prensa", vía Radio Splendid. ¿No cree usted que es un día bien cumplido?"

Sólo si se penetra el sentido de sus primeros artículos y se lo entiende programático, propio de una voluntad que quiere hacerse experiencia, podrán exprimirse algunos jugos autobiográficos. En realidad es muy significativa su actitud ante la obra ensayística que toma la vida misionera como tema. Por una parte, si bien el tema misionero comenzó a penetrar sus trabajos narrativos hacia 1906 merced al corto periodo del Chaco, sólo en 1912 reflexiona en el régimen discursivo del ensayo, dejando en blanco seis años de asentamiento real, de confirmación de los hechos vividos. Por otra parte su actitud varía hacia los últimos años, y esa modificación servirá para mostrar cómo llegó a moldearse una imperfecta —e insuficiente— pero verdadera filosofía natural.

El tono objetivo de los ensayos concuerda con la historia progresiva de sus seudónimos. La primer nota, "El arte de cazar", se publicó firmada con uno ocasional *(Nemrod)*. Y varios artículos que le siguen omitieron su nombre o lo escamotearon bajo el escueto y directo: *Misionero*. Ninguno de esos primeros trece textos Quiroga quiso publicarlo con su nombre. Sólo en 1916, cuando regresa a Buenos Aires y las perspectivas de un regreso a Misiones se diluyen a lo largo de quince larguísimos años, los pocos artículos escritos sobre ese ambiente, sí serían *suyos*.

Regreso a la semilla

Ya aquí comienza a delinearse el segundo periodo, preámbulo de los últimos textos que testimoniarían, más que hechos, el estado espiritual de los años finales. Van de 1926 a 1931 y constituyen en absoluta mayoría recuerdos de la vida selvática, con un dejo de melancolía que sería el tono resuelto para todos estos años. Es el recuerdo del agutí y el ciervo domésticos que trasplantados al asfalto encuentran la muerte inevitable: es, y hasta por el título, "Un recuerdo", la recuperación del tiempo difícil con todo lo que tuvo de trabajo. Es una anécdota en que se cruza la muerte ("Confusa historia de una mordedura de víbora"). O es, finalmente, el recuerdo de Misiones y el retrato del "hombre de vanguardia". Pocos artículos que se reúnen en cuatro años, desde 1928 a 1931. Al año siguiente Quiroga rompería su destierro ciudadano y regresaría, con un propósito tal vez definitivo, a Misiones.

"Después de quince años de vida urbana, bien o mal soportada, el hombre regesa a la selva. Su modo de ser, de pensar y obrar, lo ligan indisolublemente a ella. Un día dejó el monte con la misma violencia que lo reintegra hoy a él. Ha cumplido su deuda con sus sentimientos de padre y su arte: nada debe. Vuelve, pues, a buscar en la vida sin trabas de la naturaleza el libre juego de su voluntad constitucional". Así comienza precisamente "El regreso a la selva", un texto que en diciembre de 1932 señala la reintegración al habitat elegido. De este modo, casi todos los textos del último periodo —desde este último citado hasta "La tragedia de los ananás"— absorberían un sentido autobiográfico e irían dejando caer al socaire páginas de un firme ideario. Estos diez artículos son el complemento indispensable de sus cartas a Ezequiel Martínez Estrada, o del libro del mismo escritor argentino, *El hermano Quiroga*, uno de los testimonios más hermosos que guarda la literatura rioplatense. Hay en él, como en las cartas o en los artículos, una acendrada melancolía, una sombra que se ha derramado sobre todas las palabras. Por cierto el febriciente trabajador de 1904 en el Chaco y de 1910 en Misiones, ha vuelto ahora su actividad casi doméstica, circunscribiéndola a los límites personales de sus tierras. Y el Quiroga epistolar de 1904, que narraba desenfadado sus aventuras, adelantaba juicios categóricos, oficiaba de pontífice y se consideraba la más alta autoridad, aunque ahora se siente "hermano mayor", guía espiritual, ha atemperado sus afanes, ha limado sus entusiasmos.

Podría decirse, si se busca la diferencia específica entre estos últimos textos y los primeros, que finalmente ha abandonado la rigidez periodística, trocando la descripción por el testimonio y el recuerdo. Basta confrontar, respecto a un tema casi desapercibido en su obra —las creencias y supersticiones—, artículos como "Los vencedores", "Su olor a dinosaurio" y "Tempestad en el vacío". El primero es un relato periodístico e impersonal (apareció sin firma, y el narrador no tiene participación en el cuadro) de las prácticas supersticiosas de los "vencedores" entre los nativos. En los otros, el narrador se compromete carnalmente con su lenguaje, y hace del pequeño cuadro de la selva, una creación estremecida: hay ruidos extraños, caídas de árboles ocurridas milenios atrás; hay un olor a dinosaurio en una planta china, o una falúa fantasma que con sus nueve marineros vestidos de blanco, aparece "a la hora de la siesta, cuando el sol no es tan fuerte". Quebrada la caparazón de esta praxis vital que ha querido describir, Quiroga se interna en la fantasía misionera. También registra, al recordar.los atardeceres de tormenta en la selva, más allá de las vidrieras de la casa, el "llamado" nocturno de un pájaro que golpea sobre los vidrios, como el cuervo de Poe, y abiertas las ventanas desaparece. Simultáneamente Quiroga escribía los cuentos fantásticos de *Más allá* (1935): pero mientras pueden tacharse de artificiosos los mecanismos de esas fantasías literarias, aquí, sin pretenderlo, logró la imbricación misteriosa y sombría entre los inexplicables hechos naturales y ese estremecimiento que los habita.

Poesía de la Naturaleza

El regreso a la selva y su reencuentro con ella recuperan para la obra un sentido de reflexión narrativa y de forzosa sugestión incantatoria. Es lo mismo que descubre, mezclándolo con las actitudes naturales, en un pequeño libro: *La historia de San Michele* de Axel Munthe, que él intentará imitar con una proyectada, ni siquiera emprendida, *Historia de San Ignacio*. En Thoreau (mejor, en *Walden*), había descubierto la fábula del hombre que intenta robinsonianamente valerse por sí mismo, pues él era en resumen aquel hombre. Ante Munthe, ahora, encontró un mito también reconociblemente suyo: el de quien vive en contacto con la naturaleza y ha cambiado las maravillas artificiales por lo real maravilloso: "Cuando Munthe se aisló en la isla de Capri —escribe—, repuso a los estetas que se pasmaban de su carencia de música: ¡Pero tengo los pájaros! Probablemente durante una hora en el día Munthe hubiera tocado con éxtasis su violín; pero en el resto de las 23 horas sobrantes, sólo pájaros". No es extraño que ese libro se haya convertido, en sus últimos meses, en una Biblia. Porque el esfuerzo sistematizador de la experiencia, que trasuntan las cartas, los consejos, las palabras de amigo a Martínez Estrada, y los textos misioneros, buscaba extraer un último sentido a la vida.

Se desprenden, así, verdades de la selva, que son también heridas autobiográficas, rasgos y señales de sus propios pasos: "Mi ausencia había durado quince años", dice en "Jazmines y langostas". "No es así de extrañar que a mi regreso hallara la meseta en que se levanta mi casa convertida en capuera por la invasión de pajas y arbustos, allí donde era dogma que el vasto círculo comprendido entre las palmeras debía lucir sin un solo yuyo". A partir de este hecho estrictamente real, Quiroga podía extraer un jugo nutricio de experiencia, como no lo había hecho veinte años atrás en el contacto cotidiano de las cosas. Es así como ese hecho se transforma en una máxima arrancada a la naturaleza y convertida en símbolo en el contexto de la selva: "Esta disyuntiva: ahogar a la selva o ser devorado por ella se impone como un rito en las picadas y senderos del bosque". Es la misma reflexión que transformada en literatura, recorriera sus cuentos misioneros, pero la que tardíamente entra en el discurso del ensayo y en el mito que lo ilustra. "La lata de nafta", por eso, no es un cuento; apenas un apólogo de esta verdad hallada: cómo reacciona la naturaleza ante las transformaciones que suceden en la vida cotidiana. De manera semejante, en su regreso a Misiones hay cosas que saltan al paso, y que él debe registrar, ahora sí, como verdades globales y grandes: "La naturaleza al vivo llaga los ojos; y sólo después de largo tiempo se los recupera", acota en "Tempestad en el vacío". Y si en verdad ha creado en ese texto un personaje —el hombre llegado "a la frontera tropical"—, de todos modos se advierten las veladuras reales de quince años urbanos y las dificultades de readaptación que sufriría al regresar a su propia "tierra elegida".

En ese momento pueden aquilatarse la obra y la experiencia. Por su calidad esencial, por haber sabido retratar, siquiera parcialmente, al hombre interior, y por su innegable eficacia literaria, los textos de esta última época resultan de los más importantes y logrados de su producción ensayística. Las claves humanas están a la vista, los significados de la vida misionera afloran sin exotismos: grave error de perspectiva ha sido rechazar, como productos forzados y de compromiso, estas páginas que en realidad Quiroga parece haber escrito para sí mismo. Porque en ellas, ya que no pudo existir una *Historia de San Michele* misionera, pueden recuperarse enteras esas miradas, profundas y tenaces, dirigidas a la fascinación de la selva.

1969

32. FEDERICO FERRANDO, EL ARCEDIANO

Pobre homenaje sería decir de un poeta que vale, aunque mucho, por su figura literaria antes que por su obra. O que representó una "esperanza" fatalmente incumplida. Pero en sus 25 años de existencia, Federico Ferrando (1877-1902) pudo dejar sólo brillantes vislumbres de un talento innegable. Que no alcanzara a crear una obra madura, lograda, como con los años sería la de su coetáneo Quiroga, no impide sin embargo reconocer y apreciar la felicidad poética, la genuina imaginación verbal, el ánimo analista que delatan sus pocas, muy pocas páginas ahora publicadas por el Departamento de Investigaciones de la Biblioteca Nacional como *Textos desconocidos*. (1) Entrar en ellos es entrar en la fiesta modernista: fiesta sombría a veces, crispada en su apuro innovador, pero gozosa como podía serlo en la edad desacralizada de la juventud.

Un modernismo pequeño, anecdótico, cotidiano y en plena forja se encuentra también en las Actas del Consistorio del Gay Saber, (2) la cofradía de poetas que, externa pero casi simultánea a la Torre de los Panoramas capitaneada por Julio Herrera y Reissig, integraban Horacio Quiroga (Pontífice), J. J. Jaureche (Sacristiano), Alberto Brignole (Campanero), Asdrúbal Delgado y José María Fernández Saldaña (Monagos) y el propio Federico Ferrando, el Arcediano. La necesidad renovadora de una generación se vuelca en esas Actas, todo juego, todo absurdo, pero al mismo tiempo honda necesidad de abolir los mitos de una burguesía mercantil enriquecida. Emprendieron, con ese rumbo, la poesía y el cuento decadentes, sin duda esperando *"épater les bourgeois"*. Pero su actitud era aún más explícita y directa cuando ocurría en la práctica —la bohemia, como reacción al modo de vida burgués— o cuando decidían estampar con cinismo cultivado, los "mandamientos" que los rigieran. Junto con ello, la poesía y la acción sobre el lenguaje y la creación, naturalmente alejados del humorismo inglés, descubren por sí solos el *nonsense*, al buscar el absurdo, y la escritura misma —que recuerda el automatismo surrealista—, llega a las orillas del monólogo interior, del *stream of consciousness*, casi casi descubierto por Ferrando cuando en sus cuentos los personajes monologan en lo que el autor llama, repetidas veces, "hablar *in mente*". Todo esto, si no acceso, era aproximación a la poesía moderna. Aunque habían superado a los parnasianos y a los simbolistas, su búsqueda de caminos nuevos no tenía faros tan poderosos ni una tradición suficientes para lograr lo que logró Europa muchos años después. De todos modos, en sus Actas sopla un aire nuevo, más revitalizador que en decenas de nombres hoy olvidados porque en su momento no supieron crear desde su situación, no supieron dejar de ser serviles herederos de la cultura.

Ferrando y Quiroga eran los más talentosos contertulios del Consistorio. En las mismas Actas, se desprenden de las composiciones del Arcediano una versatilidad, un ingenio, un despunte de talento que su temprana muerte no le permitiría desarrollar: se le ve encolerizar las palabras, desnudarlas de sentido, confrontarlas con un contexto extraño, crear en suma el absurdo divertido. Por otro lado, en sus poemas, su facilidad de versificación, su buen oído para el ritmo, su corazonada para la imagen, su dominio de la rima (hasta la voluntariamente absurda), dejan entrever un marcado don de poesía:

> *Iban a dar las dos de la mañana*
> *cuando cayó del techo una campana.*
> *El sonido murió de la caída*
> *y nunca más le oí en mi larga vida.*

Muy poco se sabe de la vida de Ferrando. Salteño como Quiroga, ambos se habían conocido poco antes del viaje del segundo a París. Al regreso confraternizaron en el Consistorio y se dedicaron, primero al margen de la vida estudiantil, después abandonándola por el camino, a la literatura y a su forma ancilar, el periodismo. Con su figura de bohemio —sin el feroz dandysmo de un Roberto de las Carreras—, se destacaba apenas en su contorno. *"Todo era un poco raro en él"*, recuerdan Delgado y Brignole en uno de los pocos retratos conservados de Ferrando, *"su cara punteada por el acné; su nariz roma, que, colocada en el centro de un óvalo ingenuo, le daba el aspecto contradictorio de un sátiro inocente, según el decir de Quiroga; sus melenas inextricables, su abandono corporal y de vestuario; sus versos desconcertantes como joyas talladas por geniales orfebres de manicomio. . ."* Usaba el sobretodo que Lugones olvidara en su visita, sagrada visita al Consistorio; paraba en el café Sarandí, donde a veces se extendían los ágapes consistoriales. Es en ese ambiente y con esas posibilidades extraviadas de vida (ninguno de ellos encontraría, sino fuera, su camino de Damasco), donde pueden enmarcarse los textos literarios. La edición de Visca reproduce tres (no son todos) en que muestra en primer término, una preferencia a sondear psicologías ambiguas, estados transitorios de ánimo. Nada sin embargo, de pesadas introversiones; por el contrario, su mismo impulso tiende a acompañar las ideas y los sentimientos oscilantes de sus protagonistas, para descubrir una verdad esencial: que todo es efímero, tanto sentimientos como convicciones. A través de los tres cuentos publicados puede acaso advertirse, con esto, un trasfondo común que los enlaza: las consecuencias morales, las lecciones —si podemos hablar así— que proponen las anécdotas narradas, condicen con algunos de los mandamientos, aquellos por lo menos en que se revelaba una fuerte impronta hedonista.

"Enfermedades políticas" es uno de los siete artículos no literarios que se conservan de Ferrando, y que a modo de muestra se incluye en estos *Textos desconocidos*, como una expresión de su personal diagnosis del momento. Sin duda interesa, por encima de sus ingenuidades, de su escaso o nulo valor ideológico, porque se integra al hito revulsivo de la "reflexión sobre el país" y de la actitud epocal respecto a la política. Florencio Sánchez con sus *Cartas de un flojo*, Julio Herrera y Reissig con su *Prólogo wagneriano*, Ferrando con sus —menores— artículos políticos, ya estaban creando un género, inventariando un país.

Estos son los escasos textos de Ferrando. Cabría mencionar aún un par de estampas, una de las cuales de asombrosa belleza poética, de amplitud profética también: "Juan Bautista". Pero en 1902, en plena juventud, sería una nueva víctima del desaprensivo patrón moral del periodismo: Guzmán Papini y Zas, un oscuro escritor, publicaría una "silueta" ofensiva contra el joven modernista. Ferrando contestó, la polémica llegaba ya al duelo. Pero ese ángel de la muerte que toma entonces la figura del amigo —Horacio Quiroga— se interpuso en el camino. Al comprobar el arma, sin duda para asesorar al compañero, se le disparó. Era el 5 de febrero de 1902 y Quiroga acababa de matar a Federico Ferrando, el Arcediano.

1969

NOTAS

(1) Federico Ferrando: *Páginas desconocidas*. Ordenación y prólogo de A. Sergio Visca. Montevideo, Biblioteca Nacional, 1969.

(2) Las Actas del Consistorio se dieron a conocer en el No. 2 de la Revista de la Biblioteca Nacional, mayo de 1969.

33. JAVIER DE VIANA: REQUIEM POR LA ARCADIA CIMARRONA

Como Acevedo Díaz lo había sido de los tiempos heroicos y Reyles lo sería de una imagen idealizada y romántica, Javier de Viana fue el representante de la vida de la campaña en las últimas décadas del siglo, el testigo de su transición —por las guerras civiles, por la marcha del progreso— a las estructuras hoy más familiares, que decretaron la desaparición definitiva de la estancia cimarrona. Los críticos de Viana han marcado desde siempre la calidad testimonial de esta obra: al Ismael (Acevedo Díaz) le sucede un gaucho que ha perdido sus virtudes épicas, que ha perdido su misma libertad en la demarcación de las tierras y en el alambramiento de los campos, y que vegeta, cuando no ha sido asimilado por el ejército, en el bandidaje, o debe sucumbir al destino de la peonada expoliada.

El "naturalismo" de Viana no responde a otra cosa, al margen de la influencia metodológica del naturalismo zoliano. Su retrato de la vida cotidiana, con cierta dosis innegable del sadismo, hurga, penetra, desmitificando, una actualidad que debe dolerle en su contraste con la historia de las luchas por la Independencia. En ese contraste hay por cierto idealización del pasado, lo cual permite hablar de una arcadia cimarrona, como lo ha hecho Zum Felde, y del mismo modo la insistencia en los trazos oscuros de su presente. Y no obstante la imagen, la doble imagen es válida y genuina: más aún, constituye la primer visión lúcida de una transición que apunta a la realidad cada vez más vigente: el latifundio, la estratificación de clases, el triunfo bastardo de la ciudad sobre el campo.

Los primeros libros de Javier de Viana, *Campo* (1896), *Gaucha* (1899) y *Gurí* (1901), se destacan de su producción posterior por centrarse en ellos, morosamente, esa imagen del campo. A su lado deben colocarse las *Crónicas de la Revolución del Quebracho* y *Con divisa blanca*, testimonios directos de las guerras civiles. Los libros posteriores —quince títulos— carecen ya de particular unidad y son la recopilación desordenada de una vastísima obra de cuentos breves, de estampas, de imágenes, faltas de la profundidad a menudo trágica de sus obras mayores. Con todo, *Gaucha*, su primera, única y extensa novela, constituyó el más rotundo fracaso narrativo; la historia mórbida de unos amoríos falsamente trágicos y desafortunados son una concesión al gusto de la época y muestran la soterrada raigambre romántica de su impulso artístico. En vano críticos de Viana intentarán rescatar de ese pastiche chateubrianesco escenas o personajes, o compararán la imagen del gaucho callado, taciturno, al Zolio de una obra acabada y deslumbrante como lo es *Barranca abajo* de Florencio Sánchez. En *Campo* y *Gurí* también pueden encontrarse cuentos fallidos, correspondientes a la voluntad naturalista que intenta torpemente bucear en la interioridad de los hombres, en sus relaciones sentimentales, en sus conductas personales. Con gran acierto, aunque sin investigar suficientemente la consecuencia de su afirmación en la obra misma de Viana, Zum Felde ya señaló hace casi cuarenta años: "No es Viana precisamente un psicólogo, sino un fuerte pintor objetivo". En esta clave central pueden basarse en gran parte las razones de sus fracasos literarios y la razón profunda de su maestría en los relatos que perduran.

Como escritor comprometido con su tiempo y su país y su literatura, Viana tuvo conciencia de la significación política que debía poseer su obra. En las crónicas que escribiera, y que son el testimonio de la extinción del caudillismo, se le ve de cuerpo entero defendiendo la enseña partidaria. La historia de las divisas de los partidos políticos, del fanatismo que Florencio Sánchez no pudo soportar, se encuentra asimismo en los cuentos: la guerra civil ha penetrado en ellos. Por un lado constituyen la zona menos endeble de sus libros, la parte perdurable donde logró, con perfecto sentido artístico, representar un momento de la historia, expresar incluso las conductas más valederas de su época, interpretar implícitamente el significado de su presente y al mismo tiempo conservar intacta la emoción de la experiencia. El gran pintor objetivo logra también, en cuentos como "31 de marzo", mostrar las actitudes, el proceso interior de su personaje entre el miedo y la cobardía que despierta la batalla, como lo hiciera Stephen Crane en *La roja insignia del valor;* esa objetividad supone el punto óptimo del relato, que no siempre supo alcanzar: ni idealismo de la heroicidad ni pretendido realismo de la cobardía, sino visión comprensiva de las debilidades y del coraje humano. Viana tiene en nuestra literatura un asombroso paralelismo con Crane en su propia tradición literaria: el enfoque naturalista de la vida callejera, miserable, de *Maggie* en el suburbio, o los relatos de transposición más o menos directa y magistral dominio del ritmo del relato bélico —desarrollado en *La roja insignia*— parecen corresponderse a una similar actitud en Viana.

Pero el mayor valor que hoy, a cien años, posee nuestro narrador en la literatura nacional, junto con su calidad literaria, con su emoción reconocible, radica en la proyección política que singularísimamente posee su obra. En los cuentos que giran sobre las guerras civiles, sobre las oposiciones de divisas partidarias, se refleja la marginación que en la vida del país y en los órganos de conducción del poder, se va haciendo del gaucho y del caudillo. Por una parte, la desaparición de la estirpe altiva y épica (como resabio, esa figura espléndida del caudillo que huye "En las cuchillas" sin otro destino, simbólicamente, que la muerte) y por otra, la decadencia individual, la ambición de los caudillos que, más allá de los triunfos en la batalla o la hazaña signada por su banderola blanca o colorada, es ambición de puestos públicos; así el Celestino Rojas de " ¡Por la causa!", que ha entrado en el juego electoralista de los "dotores" y en el esquema cívico que se va imponiendo, parece no encontrar más sitio que las jefaturas políticas o los comisariatos. Subyacente a todo ello se advierte la sombra terrible para el gaucho: los manejos electorales de los doctores en la frase, repetida en algunos cuentos, del gaucho que les "sirve de escalera". Es el comienzo de la profesionalización de la política y del divorcio ciudad-campo en la vida del país, gestado por el gobierno centralista que desde la ciudad pretenderá gobernar también su extenso territorio. Dar la vida y la sangre inútilmente, esto se sentirá con rabia y dolor en sus cuentos. Porque a la arcadia cimarrona le sucede la estancia latifundista, la constante marginación que irá haciéndose de la mayoría de un pueblo por una oligarquía y una casta maldita de leguleyos gobernantes y por su herramienta de orden y defensa clásica, que representará la casta militar. El réquiem a la arcadia cimarrona supone el fin de los tiempos heroicos cuando la nacionalidad se formaba en la lucha contra el invasor, en la defensa de la soberanía; cuando la propiedad del campo no se hallaba delimitada de modo brutal y definitivo; cuando el gaucho podía recorrer el país con un sentido más comunitario y patriótico de la propiedad del suelo, con el horizonte siempre abierto; cuando aún no se había dado la irrevocable alienación a que lo arrojaría el progreso. Hay, es cierto, una visión verista de las luchas fratricidas: constantemente se nombran las "banderolas coloradas", la divisa blanca amarillenta "a causa de las lluvias y los soles" y ese "feroz encarnizamiento de los odios partidistas"; pero también se alude, en un dejo melancólico, a la "inconmensurable campaña abierta a los cuatro vientos". Es un tiempo baldío. El pasado tiene entonces un sabor más cálido y sólo puede recordárselo memoriosamente, con nostalgia. Así el viejo caudillo de "31 de marzo", que huirá luego con la renuncia de todo lo heroico de su figura, deberá sentir también la avalancha de los tiempos nuevos: "*¡Le habían cambiado su teatro a él, hombre de otra época, acostumbrado a las jornadas inverosímiles y a los escurrimientos de zorro en el tiempo en que no había alambrados: a él, ducho en las cargas de caballería. . . en la época en que los cañones de mecha y los fusiles de chispa no eran sino accesorios de las batallas!*"

Varios cuentos poseen la tensión simbólica de su mensaje. "En las cuchillas" relata la persecución y la muerte del caudillo, en escenas de una épica muy singular en nuestras letras. "Ultima campaña" muestra al viejo caudillo, ahora en un último gesto de rescate de una época, de un *illo tempore* que no será más real. "Persecución" narra la caza de un hombre, en un sentido personal y político, fundiendo en una las complejas motivaciones de la guerra. Otros cuentos como "La trenza" o las estampas de un periodo posterior —como "En tiempo de guerra" o "Consejo de guerra extraño", en *Leña seca*, 1911— recogerán el tiempo de la conflagración, pero sin duda es "31 de marzo" el más explícito —no el más logrado— por su percepción de ese gran viraje de nuestra vida política. Allí puede hablar extensamente en un análisis comprometido y pasional: "*Los pobres gauchos regaban las cuchillas con su sangre para servir de escalera a los dotores, los políticos de levita negra y*

sombrero de felpa de maneras finas y sonrisas amables, de grandes
promesas y de almas más negras que bocas de salamanca, con más
vueltas que un camino y más agallas que un dorado... Sin embar-
go, cediendo a los empellones del infinito, a las alucinaciones de
un patriotismo semibárbaro, de encarnizamiento inconsciente, y
al mágico prestigio del símbolo partidista, concluía siempre por
entregarse... Pero iba malhumorado y al regresar de un desastre,
la amargura de las derrotas emponzoñaba su bravo corazón de ven-
cedor y cobraba odio a los políticos; a los que, perfectamente res-
guardados de todo peligro, comiendo bien y bebiendo mejor, ur-
dían intrigas, tejían calumnias, y con el peso de sus desenfrenadas
ambiciones, hacían zozobrar la causa en litigio, después de mucha
sangre vertida y mucho sacrificio realizado por los hombres de
campo..."

Es así como se ha efectuado la transición del gaucho al paisano,
la derrota de un tiempo, y el fin de las épocas cimarronas. Dadas
las nuevas formas consolidadas desde 1875 —delimitación de la
propiedad, cercamiento de los campos, endurecimiento de la vida
latifundista—, se halló el correlato en el desplazamiento del gaucho
nómada hacia el ejército de línea, la peonada, las clases bajas de la
ciudad, los oficios pueblerinos, la vida al margen de la ley. Al mismo tiempo tomaba forma la casta de los políticos profesionales liberales representantes de las oligarquías de ambos bandos, cien
años antes de su propio fin, de su propio desplazamiento ante formas más directas de la sujección: las que hoy sufrimos. El réquiem
a la arcadia cimarrona se funde, así, en la obra de Javier de Viana,
a los comienzos de un ciclo cuya extinción vuelve a anunciarse,
con reflejos de una nueva nostalgia hacia aquellas épocas más bár-
baras y auténticas, mostrando el fracaso de todo un sistema.

1968

Hace ya más de una década, cuando la Junta Departamental de Montevideo tributó homenaje a los treinta años de *Sombras sobre la tierra*, Paco Espínola recordaba un diálogo suyo con un humilde hombre de pueblo; recordaba cómo aquel hombre comparaba la suerte del artista, del creador, tal como él la concebía, con la propia, de anónimo jornalero: " ¡Usted sí es feliz!", le había dicho éste. " ¡Porque usted no va a morir cuando se muera!" Hoy es preciso decir que Paco Espínola ha muerto. Pero, también, que aquellas palabras eran ciertas: si algo significa permanecer en el recuerdo y en la obra realizada, si algo significa ser un clásico vitalísimo e incuestionable pese a todos sus yerros, es cierto, pues, que Paco Espínola no ha muerto. Que sigue y seguirá entre nosotros. Y esto, acaso principalmente, porque su literatura no fue nunca una tabla de salvación propia, ni la oportunidad de exorcisar tormentos propios, sino una enorme aventura que consistió en dar vida a los desheredados, e impedir así, a través de páginas cargadas de emoción, de patetismo y de piedad, que ellos también se murieran.

Esta es una de las claves necesarias para entender y valorar al hombre y al escritor Francisco Espínola. Su famosa caridad por los hombres, su compasión, que él reconocía de honda raíz popular y cristiana, esa piedad exacerbada que en *Sombras sobre la tierra* transforma a las prostitutas del bajo en ángeles tocados por la gracia, esa piedad que, en sus cuentos, detiene la mano del asesino y del violador, y redime en ellos un intocado fondo de bondad cuando ya no parecía haberlo, es el elemento iluminador de su obra narrativa, y no sólo por sus temas y por sus personajes. También por las motivaciones del escritor, por ese oscuro impulso redentor que no podía darse bajo formas caducas y gastadas de la vida social y eligió en cambio el arte como medio.

Había nacido hace setenta y dos años, en San José, el mismo mundo de su novela y de sus cuentos, y ostentaba la tradición política blanca. Estudios incompletos de medicina, algunos pocos viajes (como el que hizo a Breslau en 1948, recordado por Amorim años más tarde), la participación revolucionaria en Paso Morlán (1935) cuando Terra disolvió el parlamento y se gestó la oposición a su dictadura, su posterior traslado a Montevideo y la inolvidable labor de profesor que allí desarrolló durante muchos años (en el Instituto Normal primero, luego en Secundaria y desde 1945 en la Universidad), la concesión del Gran Premio Nacional de Literatura en 1963 y su tardía incorporación a las filas del Partido Comunista —sin abjurar jamás del fondo cristiano que lo animaba—, todos estos son hitos vitales, simples etapas, demasiado simples si las recordamos así, en algunas pocas líneas, pero que él, Paco, vivió del único modo que podía hacerlo: llenándolas de su sentido, de su pasión, de su presencia. La propia obra literaria no fue extensa o diversificada, aunque suficiente para dar un perfil de escritor y colocarlo entre los primeros. En 1926 publicó su primer libro de cuentos —*Raza ciega*—, aunque el segundo debió esperar dos décadas y media: *El rapto y otros cuentos* (1950). Dentro de ese periodo escribió y publicó su única, legendaria novela: *Sombras sobre la tierra* (1933), un relato para niños (*Saltoncito*, 1930) que ha comprobado el éxito en las sucesivas ediciones agotadas; una obra teatral (*La fuga en el espejo*, 1937) denominada "drama-pantomima", y un curioso ensayo sobre estética que nunca hemos reconocido o valorado: *Milón o el ser del circo* (1954). Por último, claro está, prometido desde mucho tiempo atrás y ·sólo fragmentariamente, *Don Juan el Zorro* (1968), que nunca terminó y que ahora su muerte deja definitivamente inconcluso. Espínola fue tanto como un gran escritor, un estilista, un hombre consciente del lenguaje, un estupendo narrador oral —de los pocos que podemos llamar auténticamente así—, y es por eso preciso consignar, junto a la obra visible que nos muestran sus libros, esa otra mucho más dispersa e inapresable, que dejó en los oídos y en la imaginación de sus hijos, de sus amigos, de todo ser humano que se le aproximara.

Muchas veces se dijo que la consumación del arte narrativo de Espínola se daba en sus cuentos, más que en *Sombras sobre la tierra*, y ello es muy cierto. La narración de corto aliento —aunque de honda respiración— parece ser la medida en que el escritor rendía el máximo de su excelencia. Y sin embargo poco menos de veinte cuentos componen el total de su obra en ese género breve. Los nueve cuentos de *Raza ciega* instauraron y fundaron los valores permanentes de su mundo y expresaron la profunda fe en la disponibilidad del hombre para el bien, por encima de todos los instintos. El título del libro aspiró a una definición significativa que vale para todas sus obras de ambiente campesino: "*Raza ciega*" es como decir instintiva y brutal. En ese nivel de las vivencias quiso Espínola colocar desde el comienzo a sus cuentos, mostrar la realidad cruda que había visto y vivido, para contrastar más aún, si fuera posible, ese milagro, ese soplo de prestidigitación que es el de sacar almas buenas de un mundo aparentemente perdido. "*El bien está bien aunque esté mal*", dice, en *Sombras sobre la tierra*, uno de los personajes, y más de una vez Espínola ha tomado prestada esa frase para significar profundas contradicciones llenas de sentido. Y ahí está su originalidad: que el concepto del bien, de la bondad, de la dulzura o de la piedad, emergen de una conducta a la vez violenta y primitiva. La suprema *contradictio*, que moverá buena parte de la novela en la figura autobiográfica de Juan Carlos, es la misma de los cuentos, aunque en éstos se presente dentro de un nivel colectivo y no individual (se habla de la "*raza*" ciega, no de individuos). Asumir esta contradicción no como un problema a resolver para vivir en la santidad, sino como un conflicto a asumir para vivir como seres humanos, eso es lo que hizo en su vida y en su literatura Francisco Espínola. Y la conciencia de que lo asumió se trasluce constantemente en la fibra estremecida de sus páginas.

Esa realidad de contradicciones íntimas motiva ciertas conductas de los personajes, y son estas conductas, esas epifanías, las que le interesan a Espínola rescatar, mostrarnos. Es la que determina que "El hombre pálido" defienda a las mismas mujeres que iba a robar, la que transforma a otros ladrones ("Cosas de la vida") en asistentes de un parto, y es la que influye para que se superen los odios cuando en una determinada situación límite hay que auxiliar precisamente a un enemigo ("Yerra"). La conciencia moral es, para Espínola, un vigilante que dormita pero muchas veces despierta oportunamente y actúa sobre la voluntad, cambiando el previsible curso de los acontecimientos. De ahí que sea importante detectar en sus cuentos no sólo la cualidad conflictiva del alma y sus sentimientos, sino también ese preciso momento en que todo se resuelve en una acción rápida y generosa. No hay en esto mejor ejemplo, acaso, que "El hombre pálido", cuando la muchacha involuntariamente provoca en el enigmático visitante la compleja oscilación: "Toda ella producía unas ansias extrañas en quien la miraba; entreveradas ansias de caer de rodillas, de cazarla del pelo, de hacerla sufrir apretándola fuerte entre los brazos, de acariciarla tocándola apenitas. . . ¡yo qué sé!, una mezcla de deseos buenos y malos que viboreaban en el alma como relámpagos entre la noche". Entonces *algo* sucede. "*Algo* le pasó también a él". En ese *algo* que el narrador no explicita ni amplía, queda el suspenso de sus sentimientos como una clave musical. Lo que resulta indudable es que ese *algo* modificó las intenciones del hombre: fue una iluminación, una epifanía, o acaso la reminiscencia (a través de la belleza de la muchacha y de las encontradas sensaciones que despierta) de que *uno es bueno* hasta siendo malo, hasta después de matar a su propio compañero para seguir siendo. Claro está, para seguir siendo bueno y malo, malo y bueno, a la vez. Es decir humano.

En el segundo libro de cuentos, *El rapto*, esta ambigüedad moral resulta constantemente en tragedia y patetismo, deja paso a otros acosos de la intimidad y a una forma narrativa, a un arte, más estilizado y abstracto que cada vez menos le debe al realismo y a ciertas concesiones tremendistas de sus primeros cuentos. "¡Qué lástima!" es un prodigio de composición, un ejemplo de la sutileza, un gran cuento, sin duda entre los dos o tres mejores que se han escrito en el Uruguay, y una demostración del talento de Espínola en la persecución de los delgados matices del sentimiento, de la magia de la amistad casual, a propósito de una relación entre dos hombres que el alcohol, sin llevarlos a la embriaguez completa, va acercando hasta identificarlos, y más que identificarlos hasta trasmutar su propia identidad en un acto de verdadero acercamiento. "Lo que yo quería dar es la ebriedad", dijo Paco una vez, "porque la gente cree que la ebriedad es la borrachera. ¡No! Lo que hay es que es muy fácil emborracharse, porque la ebriedad es un equilibrio, ahí justito, ni antes ni después; ahí hay un instante de gloria, muy difícil de sostener, porque después viene la degradación del lenguaje, de las ideas, de los movimientos.

Pero ese instante de gloria, ahí, es lo que quise dar y creo que lo logré".

Más perfectos, más logrados que la novela, sin embargo los cuentos no adquirieron nunca la fama de *Sombras sobre la tierra*, fama que desde sus dos primeras ediciones de 1933 y 1939 se proyectó sobre la memoria colectiva sin que viniera otra edición antes de 1968, treinta años más tarde. ¿Qué es *Sombras sobre la tierra*? Tal vez una historia que roza y hasta se adentra en el melodrama y por eso convoca la sensibilidad de sus lectores. Es también un cuadro sombrío de los bajos fondos, tanto del lumpen campesino como de los burdeles en las orillas de los pueblos. Una novela llena de tipos sagazmente observados, que reunidos provocan la imagen de un gran fresco social. *Sombras sobre la tierra* es esto y es un grito patético, sin contenido político o social inmediato, por esas existencias, y es también el autorretrato atormentado de un joven que en el Bajo realiza y cumple su "educación sentimental" y al convocar a sus fantasmas personales a través del arte, los disipa. No había en la literatura uruguaya antecedentes del tema del burdel orillero y éste ciertamente escandalizó. Solo *La Maison Tellier* de Maupassant parecía converger sobre otro escritor, Amorim, en el relato inicial de 1926, "Las quitanderas", que seis años más tarde se integraría y crecería con *La carreta* (1932), casi contemporáneamente a *Sombras sobre la tierra*. La gran diferencia entre Amorim y Espínola al acceder a este tema es que el primero, por más simpatía social que haya volcado por las rameras trashumantes, las vio siempre desde fuera, como testigo, como documentalista. Espínola adoptó una perspectiva opuesta: nunca dejó de ver ese mundo desde dentro, proyectando en él su propia subjetividad.

Que allí se desarrolla especialmente aquella voluntad redentora a través del arte, no es un secreto. Sin explicarlo de este modo, Espínola lo ha dado a entender siempre, hasta en aquella historia, *"Las ratas"*, que hay que considerar el umbral necesario para entrar al mundo de *Sombras sobre la tierra*. "Las ratas" no es un gran cuento, al contrario, adolece de flagrantes flaquezas, pero su interés radica en las confesiones del hombre que se recuerda niño, observando y sufriendo la visión hórrida de la criada que mata ratas con agua hirviente. Esa imagen dantesca de las criaturas desdichadas chillando y retorciéndose en una masa gris y humeante, lo perseguiría durante mucho tiempo y necesitaría para ella la compensación, la reivindicación. De ahí que el niño comience sus ensoñaciones simbólicas: "Era de noche en una inmensa planicie solitaria. Me veía a la luz de la luna pálida, con las manos desbordantes de exquisitas confituras. Y de todos los puntos del horizonte irrumpían, entonces, las ratas (. . .). Mis manos se abrían inagotables. Y los míseros roedores devoraban, junto con los dulces dones, mi ternura irresistible y desbordada". Entonces roba. Este Cristo que, ansioso por dar y reparar, entrega todo lo suyo y más aún, se entrega a sí mismo, rompe con sus valores de clase, con los valores burgueses, con la ética inviolable, para llegar a una verdadera comprensión de los hombres porque asume, otra vez, su contradicción enriquecedora. Roba, rompe el séptimo mandamiento, y alimenta con lo robado a las criaturas de su visión alucinada. El relato culmina con estas frases confesionales y simbólicas: "Pasaron los años. Dejé el pueblo por Montevideo. Pero me ahogaba. Regresé. Y mi corazón me fue arrastrando hacia las míseras cuevas de quienes suelen destrozar, llevar las pestes. Ahora, estos eran hombres. ¡Ay, Dios mío!"

La forma como la piedad se vuelca sobre los otros aparece también en esta novela mezclada con los conflictos del personaje central, Juan Carlos. En él Espínola recupera nítidamente la concepción bifronte de la existencia, la contradicción sustancial, la ambigüedad necesaria de los seres. Juan Carlos, según una de las mujeres, "es más bueno que todos. Es más malo que todos". De él se dice que es un "santo", y también se dice que la ira lo deforma: "Entonces da miedo verlo. Se le arruga la frente, se le ponen los ojos como brasas". Y cuando el cantinero lo golpea, en un pasaje del libro, es para luego exclamar, viéndolo caído: "¡Yo lo quiero, lo quiero! ¡Y siempre lo he querido!... ¡Y le he pegao! ¿Quién explica esto?". Esto es en definitiva aquella profunda contradicción vital, la oscilación entre el bien y el mal que casi todos los cuentos —pero particularmente *Sombras sobre la tierra*— ilustran a cabalidad.

En un principio, este cuadro pueblerino de San José de Mayo, lleno de figuras humildes y con un personaje central conflictivo y torturado, hizo pensar en la tradición rusa del diecinueve, Dostoievski en primer término, pero también en Andreiev y en el joven Gorki ya entrado el siglo veinte. En un diálogo publicado hace cinco años Espínola rectificó la afirmación de que Dostoievski gravitara decisivamente en *Sombras sobre la tierra:* apenas lo había leído entonces. No era necesario acudir a la tradición brumosa del "alma eslava", pero si ésta surge en la memoria comparatista es porque la novela de Espínola precisamente adquiere niveles de excepción, se destaca de los cánones del nativismo —así como del costumbrismo telúrico— para indagar en las profundidades de la subjetividad y en los sufrimientos colectivos de las "pobres gentes".

Sus criaturas, sus personajes, vivían o pasaban por San José, poblaban el Bajo, estaban allí a la espera del escritor que fuera a darles vida y los revelara. No se puede separar a Paco de esta realidad, del origen rural y provinciano de sus historias y personajes. Y sin embargo pocos escritores, como él, han sabido elevar a un plano universal y valedero precisamente la pequeñez de ese mundo, demostrándonos que nada es pequeño si se refiere al hombre, a nosotros mismos. Algo debilitó su arte y fue, por paradoja, el exceso de virtudes, esa caridad y piedad sin límites en un mundo, por desgracia, limitado, o su tendencia al inefabilismo, o su anhelo de inclinar la balanza hacia el lado de la caridad y los sentimientos más excelsos. La culpa que haya en esto es nuestra. Pero quiso ver el mundo a la medida de su enorme espíritu solidario, y si algo lo contradice a veces son nuestros propios actos. Sin par en bellísimas páginas que permanecerán por siempre en la literatura uruguaya, en episodios magistrales de *Sombras sobre la tierra*, y en tantos cuentos inmaculados de los pocos que escribió, es cierto que Paco, como escritor, no ha muerto. Esa permanencia es la que hubiera querido y no para él sino para sus criaturas y el mundo recreado a través de sus libros. Esto es verdad, por encima de cualquier sentimiento de dolor y de amistad por el amigo y el maestro que ya no está a nuestro lado. Porque sus libros irradian y seguirán irradiando vida. ¿Y eso qué es? "Eso es mágica".

En la muerte de Paco Espínola, junio de 1973.

I

¿De qué manera puede escribirse hoy sobre Felisberto Hernández? Como de un escritor conocido, cuyos extraños relatos han logrado ya un consenso crítico acerca del valor de una escritura rayana en lo genial. Como de un autor que la inercia cultural —sobre todo cuando se trata de países no influyentes— ha dejado injustamente en la penumbra. Entre ambos extremos, el entusiasmo de Cortázar, el descubrimiento de García Ponce o el de Calvino, la afirmación bastante extendida de que Hernández es el mejor narrador uruguayo, junto con Onetti, en lo que va del siglo, y la publicación de sus obras fuera de fronteras (España, Cuba, Italia, Francia), son pautas de una tardía recuperación aún destinada a deparar muchas sorpresas, a justificar entusiasmos y, quién sabe si no, a generar el culto por un escritor solitario y *maldito*.

Inclasificable, o por lo menos difícil de clasificar, contra lo que nuestras conciencias de lectores desearían. Dice Italo Calvino: "Felisberto Hernández es un escritor que no se parece a ninguno; a ninguno de los europeos y a ninguno de los latinoamericanos; es un *irregular* que escapa de toda clasificación y encasillamiento, pero a cada página se nos presenta como inconfundible". Nada más cierto. Ligeramente parecido a un surrealista, *sin serlo;* a un cronista memorioso, *sin serlo;* a un hedonista del estilo, *sin serlo,* Felisberto Hernández ha dejado a lo largo de una decena de libros e incluso librillos "sin tapas", un mundo bastante insólito por más afincado en la realidad cotidiana que esté, por más imbricaciones con un palpable pasado montevideano tenga.

Hay de todos modos un tono reconocible y familiarizante en su literatura: *la voz autobiográfica,* inventada o no, real o ficticia, funde autor y narrador, y los datos verídicos (su vida trashumante de pianista por las provincias argentinas o por los pueblos del interior del Uruguay) se mezclan con las vivencias, las ensoñaciones y las fantasías hechas realidad sólo a través del producto llamado palabra, llamado literatura. Tal vez la posibilidad de entenderlo sin encasillarlo, de definirlo sin maniatarlo a fáciles certezas, está en la función de escritor que Felisberto Hernández se impuso y asumió al producir sus textos. Como Juan Carlos Onetti, Hernández encarnó uno de los extremos del individualismo existencialista en la narrativa uruguaya. Su estilo memorioso implicaba en los años treinta todo un proceso de rescate del pasado como propiedad perdida, convirtiendo a la literatura en una letanía acerca de la *degra-*

dación de los valores, en una base para la nostalgia, en un producto de la angustia. Precisamente en uno de sus mejores relatos largos, *El cocodrilo*, el narrador se denomina a sí mismo como un *"burgués de la angustia"*.

Perteneciente a la clase media funcionarial, sin propiedades (esa clase que el batallismo construyó, haciendo del ciudadano un funcionario público que medraba del presupuesto estatal, gravándolo como toda burocracia), el escritor que representa Hernández, usa y concibe la literatura en tanto instrumento de recolección. Su única propiedad es la palabra, y en ella se empeña, concentrándola en el interior de una órbita privativa y no generalizante. De ahí que para Hernández, las palabras son objetos o pequeños seres vivos, algo con lo cual el autor entra en comunicación, pues están *fuera* de él, desprendidas, en existencia autónoma. La famosa *Explicación falsa de mis cuentos* postula curiosamente la autonomía del texto, el cual brota y crece como una *"planta"*. En otro orden, esta misma concepción y esta misma vivencia de la literatura lo lleva a confesar a través suyo, la índole de una vida replegada, solitaria, codiciosa de lo exterior sólo para *apropiarse* de él: "Yo sabía aislar las horas de felicidad y encerrarme en ellas; primero robaba con los ojos cualquier cosa descuidada de la calle o del interior de las casas y después la llevaba a mi soledad" *(El cocodrilo)*. De esta manera, el periplo productivo de Hernández se cierra con la figura de un círculo vicioso: la vida exterior provee las cosas *descuidadas* que robar, que conducir al interior, a sí mismo; pero lo que en ese interior se produce (literatura), de pronto se independiza de su productor y clama por una vida propia, alejándose de él y creándole otra vez la desposesión y, con la carencia, la necesidad concomitante de poseer.

II

Vida y literatura, ideología y arte, aparecen en Felisberto Hernández como las dos caras de una sola moneda, el anverso y el reverso de una realidad única. Por eso es que la aparición de un libro involuntario concita la oportunidad para un comentario y una revisión: las cartas amorosas, la historia completa de su relación afectiva con Paulina Medeiros nos llevan a confrontar la personalidad del autor y de sus obras, que estas últimas tienen siempre presente, pero en la trastienda, aludidas, simbolizadas, sin entregarlas del todo. El epistolario reunido por Medeiros *(Felisberto Hernández y yo*, Montevideo, Biblioteca de Marcha, 1974) y algunas valoraciones recientes acercan esa figura hasta hace poco abandonada, como anotamos antes, en la penumbra. Entre las revisiones biográficas y críticas que indico, hay que destacar por lo menos dos, excelentes, aparecidas en sendas publicaciones argentinas, por un novelista y un poeta: "Para que nadie olvide a Felisberto Hernández", de Tomás Eloy Martínez, y "Tierra de la memoria, cielo de tiempo", de Ida Vitale.

No puede negarse la saludable irritación que despierta la imagen afectiva de Felisberto Hernández a medida que emerge de sus cartas. No fue Felisberto un hombre simpático, sus sentimientos no despiertan la admiración por una pasión extraordinaria o por lo menos *extraña;* al contrario, hay una mediocridad perversa y cultivada —hasta se diría frustrada y burocrática— en el ciclo de una afectividad que pulsa las variadas cuerdas y pasa por los diferentes registros de la precariedad amorosa: el entusiasmo primero (esa mezcla de delicia y horror que trae aparejada toda nueva relación), la pasión erótica de un fatal encuentro de los cuerpos, la sensualidad del recuerdo y de la alusiva palabra cotidiana, las crisis de la frialdad y de la indiferencia, el cinismo final del despojo y de la lejanía. Podría decirse que estas ciento treinta cartas nos dan un ejemplo y casi elaboran el prototipo de las alternativas de una relación amorosa, de acuerdo con las pautas culturales del amor "occidental": el amor-pasión, consumado y desvanecido en obediencia a un momento histórico y a una organización social. El primero, pautado por el liberalismo económico del batallismo que determinó la existencia de una pequeña burguesía industrial y de servicios estatales; la segunda, por la propia clase media así creada, y sus prejuicios y terrores, y en particular su mediatización de las relaciones humanas. De ahí que estas cartas, a más de treinta años de escritas, puedan aún provocar cierto escozor en la conciencia media uruguaya y la hagan por un momento arder.

De las 97 cartas que cubren el periodo uruguayo, las 15 primeras abren y cierran el ciclo de la iniciación amorosa, testimoniando el encuentro y la fascinación exaltada por el conocimiento del otro. Parten de 1943, cuando ya Felisberto Hernández había publicado *Por los tiempos de Clemente Colling,* el libro que inició maduramente, después de tentativas breves y poco menos que olvidables, la "recuperación del objeto" por la memoria. En 1943, Paulina Medeiros, escritora también, modelo de lo que fue el feminismo uruguayo independiente y liberal, conoció a Hernández en una audición de radio y muy rápidamente se inició entre ambos el idilio. Por entonces, Hernández se había alejado de su segunda esposa y de su segunda hija, y podía inclinarse a "entretejer" (como dice Nora Giraldi en una cronología de elocuente título: *Las seis viudas*) "un largo e intermitente romance que dura hasta 1948. En casa de Paulina escribe *El caballero perdido;* ésta y su madre se iban y dejaban la casa sola y silenciosa para el escritor. En ese entonces, Felisberto se ganaba la vida como empleado de AGADU, la Asociación General de Autores del Uruguay. Recién puede abandonar ese rutinario empleo en 1946, año en que emprende su ansiado viaje a Europa. Vive en París casi un año y allí conoce a la que será su tercera esposa, María Luisa Las Heras, una modista española que se había refugiado en esa ciudad después de perder a su marido en la guerra civil. . ." Entre estos años, pues, entre 1943 y 1948, entre un matrimonio ya deshecho y otro que se destruiría muy poco después, Hernández vivió en Montevideo, conoció a Paulina Medeiros, consumó su irregular romance y luego partió a París. En el epistolario, las huellas de estos cinco años son perfectamente visibles.

Paulina Medeiros señala en su prólogo la dependencia materna que experimentaba Felisberto, la búsqueda de la madre en la madre propia y en cada una de las mujeres que conoció. No es extraño entonces descubrir en el epistolario la conciencia (o la fantasía) de ser seducido, de acercarse a sabiendas a una mujer que lo atraía hacia ella misma, como por una orden, y que le ofrecía lo necesitado por él. Lo que él buscaba sin buscar.

"Desde el principio, tú me fuiste enseñando cómo se debían ir viviendo todos los momentos. ¡Parece mentira que tan pronto me haya querido un ser que es tanto! Iba descubriendo lo que sabías y sentía que yo te había estafado. Me decías que no me eras útil, ¡y lo que aprovecharé de esa vida que viviste sola, en la que todos somos solos! Y tan pronto, por el camino verdadero, teníamos una intimidad donde concurrían alegremente las mejores cosas del alma. Todo lo que habíamos aprendido —en lo que tienen los seres humanos de camaradas, de ensayo en lo íntimo— aparecía como por primera vez, como si todo lo demás hubiera sido ensayo para la primera vez" (Carta V).

Otro aspecto digno de atención es el penetrante análisis que Hernández hace de su modo de ir hacia el otro. Allí la preferencia por ciertas palabras *(violación, saña, poseer, perverso)* delata la curiosa mezcla de juego cerebral con las necesidades más ocultas y personales:

"Nunca fui íntimo de una mujer en la que fuera encontrando tantas cosas. Y se me produce como un perverso placer de irte poseyendo el alma y también de irte violando todos esos lugares de tu pasado. De pronto me parece que me escondo para exaltar en una soledad o un tiempo que tú no conoces, esos lugares de tu alma. Y después que lo hago con saña salvaje, retrocedo intimidado, con un extraño y tardío respeto por un ser humano y por algo bello que de pronto vuelvo a sentir separado de mí, porque fue para todos, porque no sirve para mí solo, y porque está proyectado hacia un lugar en el cual yo no estaba delante. Siento un extraño sensualismo: no sólo el de violar algo retrospectivo, sino porque lo violado no sabe que lo es" (C. VIII).
"Tu sabiduría inconsciente me ha guiado. Y de pronto me encuentro gozándote en las más innumerables y naturales y confiadas maneras. Y hasta me es lo más grato del mundo pensar que ya no tenemos remedio, que irremediablemente estamos metidos uno entre el otro" (C. XV).

En este contexto, la mala fe burguesa de las relaciones eróticas introduce el tema de la *culpa*, el sentimiento de recibir y de estar recibiendo lo que en algún momento habrá de *pagar*.

"Me he acostumbrado demasiado fácilmente a esta dicha y no la he pagado con ningún sufrimiento grande. Por eso creo que estoy en deuda con los acontecimientos" (C. X).

Una segunda etapa discernible va de la carta XVI a la XX: discusiones y conflictos señalan un rápido deterioro en la relación afectiva, bien observada por Medeiros en las cartas que entonces le dirige a Hernández. En ellas habla del *amor propio* que interfiere en el entendimiento, y de "un Felisberto desconocido, colérico hasta la ofensa" (XVI), o "irritable" (XVII), y habla también de la inevitable saturación que termina por colmar a los protagonistas (XVI), así como de algunos hábitos perversos de Hernández, tal el de propiciar encuentros entre las mujeres de su pasado y aquella con la que en el presente vivía (XVII). En este rapidísimo deslizamiento hacia la ruptura, las treguas se establecen por las continuas ausencias de Paulina Medeiros, quien viajaba a Buenos Aires con el propósito de establecer amistades culturales y editoriales, es decir, todo aquello que el medio montevideano ni tenía ni alentaba a mantener. Esta tercera etapa (cartas XXI a XXXVIII) refleja la lejanía precaria, se hincha de profesiones de fe amorosas, y la relación comienza a tener historia. ¿Qué es "tener historia" sino saber que algo ha finalizado aunque queden rescoldos avivados por el recuerdo? Colón, el lugar de los encuentros furtivos, se yergue como el sitio sagrado que recuerda una plenitud; de ahí que ambos amantes coincidan en recordarlo (Hernández en XXVI, Medeiros en XXVII) en medio de anécdotas cuyo valor emotivo quedará guardado por lo que fue intimidad de dos, pero que gracias a las palabras trasciende siquiera como tono, como imagen, como representación. Ese pequeño motivo (el lugar del amor) alimenta la nostalgia y colabora en crear el mito del paraíso perdido, correspondiente a la plenitud que alguna vez se vivió.

La personalidad de Felisberto Hernández se transparenta en sus actitudes y en las expresiones de su amante. Tal vez de mayor modo que en las propias cartas, Felisberto se hace visible a través de la mirada del *otro*, de los efectos que tiene su vida en la vida de su pareja. La suave o a veces ensañada egolatría, la actitud de indefensión desolada que busca intermitentemente amparo, la dedicación torremarfilista al *arte* con una exclusividad o al menos una preponderancia absoluta (lo cual es índice de su ideología), rasgos como éstos surgen del ensamblaje del texto, es decir de la *correspondencia*. La cuarta etapa (cartas XXXIX a XCVII) revela entonces con la brillantez del positivo, la violencia fría de un hombre ante un sentimiento muerto en él e incapaz de resucitar. Nuevas discusiones, en las que llegan incluso a despojarse del tuteo que señala la confianza para tratarse deliberadamente de "usted" en falso respeto —pues siguen hostigándose sin piedad—, tiene de parte de Hernández la propuesta inalterable de que mantengan y conserven una "amistad", no el amor, y una amistad a la distancia, que tampoco lo encarcele ni le imponga límites a su sensación de libertad e independencia.

"Ya sabe usted lo difícil que es para mí escribir una carta. Pero jamás he tenido mayor dificultad que la de escribirle a

Ud. en estos días. Si usted se asfixia sin la correspondencia, yo me asfixio con ella. Y no es porque le guarde rencor: le guardo el más pavoroso miedo que haya sentido jamás por algo que me haya llegado cerca. Si yo le tuviera miedo por ser Ud. mala, ese miedo lo hubiera perdido enseguida y nos hubiéramos entendido, quizás mucho mejor. Pero el miedo a lo que se produce a veces en Ud. y a la manera como eso se combina conmigo y lo que produce en mí, no tengo la menor esperanza de que Ud. lo comprenda" (LXXV, Hernández).

"Tiemblo de que me aborrezca; pero usted no puede pensarlo sin discutir cada palabra o crítica mía sin enfurecer. ¡Antes las aceptaba!" (XLII, Medeiros).
" ¡Qué lindo es no ser nada más que amigos! ¡Y amigos lejanos! Porque si estuvieras, sería muy difícil conservar la amistad: pronto nos íbamos a las manos" (LI, Hernández).

IV

Finalmente, Hernández viajó a París en 1946 y el romance ya tormentoso empezó a morir por sí mismo a lo largo de dos años, constituyendo aquella la mejor salida, la mejor puerta de escape a las incompatibilidades que Felisberto anteponía a sus relaciones amistosas o eróticas. Las 28 cartas enviadas desde París desvanecen este aspecto y ponen de relieve otros: la soledad cultivada, la indiferencia política (aún en este periodo convulsionado del mundo), la inercia que le impide comunicarse con un ambiente cultural distinto. Hernández no había sido nunca un hombre de lecturas importantes o de viva curiosidad intelectual, y por ello tal vez no le haya interesado moverse por conocer qué sucedía con la cultura europea de posguerra, cuáles eran las inquietudes sociales o las aspiraciones filosóficas que moldeaban una ideología. Hernández se mantuvo al margen, cultivando sus reservas burguesas, viviendo su pequeña vicisitud personal. Sobre las actitudes políticas de Hernández aún podría decirse mucho más, y en buena parte lo dicen estas cartas. Medeiros militaba como escritora en las filas del antifascismo mundial, al igual que la mayoría de los intelectuales en las décadas del 30 y 40. Con Felisberto Hernández, pues, no podía entenderse en ese plano y por ello lo evitaban ambos para no reincidir en los choques y para defender el afecto, como si el afecto no estuviera asimismo embebido de ideología y condicionado por ella.

"Tratemos de no hablar en los dominios en que somos absolutamente irreconciliables: *problemas sociales, ciertas formas del realismo en el arte, y, sobre todo, observemos las libertades que necesitamos*" (LXVI, Hernández; los subrayados son del propio autor).

Tres décadas después, Medeiros puede reflexionar sobre este aspecto y caracterizar a Felisberto Hernández, en su faz ideológica, del modo siguiente: "El desabastecimiento y las huelgas en Francia no le enseñaron a meditar en las causas. Sin duda tropezó, en la propia Embajada uruguaya en París, con intelectuales españoles en exilio, como el poeta Alberti y María Teresa León, amigos de Supervielle, que le acompañaron en Buenos Aires al estrenarse *El ladrón de niños*. Por ese tiempo, Picasso ya había adquirido fama en los salones franceses con su célebre Guernica; después pintaría en la UNESCO. Nada de esto afectó a Felisberto. No sólo se aislaba de muchas realidades, sino que carecía de elementales conceptos científicos acerca de temas de índole económica o política".

Creo que esta correspondencia amorosa —y la historia que por partes, por trozos, puede recomponerse— permiten entender ciertas economías vitales que modelaron su concepción de la literatura, y que a partir de ésta, regresaron después a la vida para confirmarse en ella. El automatismo que preconizaba en la creación imaginativa —la imaginación debía ordenar por sí sola sus elementos, establecer las asociaciones y terminar convirtiéndose en *texto*—, está aquí y allá, también presente en la conducta del hombre que se siente —y siente que debe sentirse— solamente guiado por los impulsos interiores, por un instinto entre caprichoso y liberado. Los mismos principios rigen a su narrativa, y de ahí las dificultades grandes que ésta presenta: ¿usa Hernández símbolos deliberados o intuitivos? ¿Son sus relatos de imaginación *"pura"* —que se desliza irresponsablemente creando imágenes sin correspondencias significativas— o cada imagen pretende un sentido unívoco? Lo cierto es que su narrativa ha logrado un nivel de incitante ambigüedad: no se deja poseer, no se deja penetrar por ninguna luminosidad definitiva, no se rinde al primer embate, permanece intacta, renovadamente virgen en cada lectura. Como sucedió antes con Kafka (cuya novela *América*, Felisberto descubre fascinado hacia julio de 1944), el ejemplo de Hernández es el de un escritor solitario que elabora su propio mundo con indubable capacidad de originalidad. Por eso "escapa a toda clasificación y encasillamiento", como recordaba Calvino. Por eso es preciso leerlo una y otra vez, como si golpeáramos a una puerta inevitable que se resiste a abrir.

1975

En agosto de 1948, aplastado momentáneamente el fascismo, muchos escritores se dieron cita en Wroclaw (Breslau) para realizar el Congreso Mundial de Intelectuales por la Paz. Entre los uruguayos que asistieron, Enrique Amorim acusó el impacto de esta solidaridad intelectual, y varias veces, años después, recordaría ese Congreso tanto como a los famosos participantes. Picasso, Eluard, Claude Autant Lara, Léger, Barrault, formaron parte de sus numerosos contingentes internacionales. El Congreso se propuso la intensificación de una militancia particular: la militancia por la paz, que llevaba implícita la *lucha* contra el fascismo. Del ala francesa surgió el "Mouvement des Intellectuels francais pour la Défense de la Paix" y la preparación de posteriores congresos (el de 1949, a celebrarse en París y Praga). *Paz* fue durante esos años la consigna (y la paloma picassiana, el símbolo): ello puede rastrearse en nuevas instituciones como el Premio Stalin de la Paz (creado en 1949), el Movimiento de la Paz, la revista "Defensa de la Paz", etc. En estos movimientos y congresos la influencia marxista era evidente aunque asistieran y colaboraran escritores liberales y conservadores de numerosos grupos políticos, pero esa influencia generó después — y fue llevando paulatinamente a divisiones internas— las consignas anticomunistas de la guerra fría.

Enrique Amorim (1900-1960) conoció a Picasso en 1948 y casi diez años después, en 1957, decidió componer ciertas memorias en torno suyo, acaso en un afán de completar un libro de retratos literarios y recuerdos que se llamaría (no llegó a publicarse) *Por orden alfabético*. No es extraña ni curiosa la atención que un escritor concediera a un pintor como Picasso, en una época en que los propios novelistas alternaban sus actividades inscribiéndose en la órbita general del "arte". Enrique Amorim había dado nutridas pruebas, hacia 1948, de sus variados intereses intelectuales: la poesía y la narrativa (novelas y cuentos) eran los primeros, pero el cine (como redactor de guiones y como director en 16 mm) no se quedaba atrás.

Cuando en 1948 Amorim llega a Varsovia y luego a Wroclaw dispuesto a alternar con decenas de escritores de todo el mundo, lleva consigo la segura conciencia de ser un desconocido ante hombres como Eluard o Picasso. No lo era, en rigor, dentro de las fronteras del Río de la Plata, gracias a un intenso desarrollo de su actividad como escritor: había publicado por lo menos dieciséis libros, entre los cuales estaban sus títulos fundamentales (como *La carreta*, 1932; *El paisano Aguilar*, 1934; *El caballo y su sombra, 1941*) con los que no solamente había ayudado a dar un vuelco fundamental a la narrativa uruguaya, sino que había comprobado la existencia, en él, de un auténtico *novelista*. Entre Acevedo Díaz y Onetti, sólo Enrique Amorim puede merecer con plenitud ese nombre.

Pero, ¿quién era, quién había sido hasta ese momento, Enrique Amorim? Hombre rico, viajero, aficionado al cine, terrateniente, escritor y miembro del Partido Comunista (desde 1947), su personalidad compleja y contradictoria hacía de él uno de los hombres más activos y despiertos de su época. Ahora que otros escritores uruguayos —como Onetti, Hernández o Benedetti— han concitado una atención mayor fuera de su país, tal vez convenga regresar —recordar— a una figura de primer orden en esas mismas letras.

Los orígenes

Por las fechas en que Amorim ingresa en la literatura (1920, con su libro de poemas *Veinte años)*, su ubicación histórica correspondería a la época de las vanguardias. El mismo autor sería con los años un inmejorable gestor de la actitud vanguardista, como enlace vivo entre el Viejo Mundo y las tierras sudamericanas. Pero su filiación a los movimientos culturales que cruzan y entrecruzan el siglo resulta esquiva cuando se intenta fijarla definitivamente. Su misma personalidad de viajero, de trashumante, siempre actuante y comunicativo, contribuye a establecer sólo una imagen movediza que tiene sus principales anclas en Salto —ciudad uruguaya donde nació y murió—, en Buenos Aires —donde adolescente se trasladó a estudiar y donde sin duda germinó con mayor fuerza su vocación literaria—, y en París, el centro de la cultura y la fuente directa del "hombre de mundo" que nunca se negó a ser.

Había nacido el 15 de julio de 1900 en Salto, de una familia de la "burguesía ganadera". Su padre, de origen portugués, y su madre, de estirpe vasca, educaron al joven Amorim según las pautas de la época. Así, después de culminar sus estudios primarios y secundarios, debió iniciar el desarraigo salteño para ingresar a los colegios bonaerenses. Sin saberlo, Amorim continuaba así la tradición de la "emigración cultural" que en el 900 había tenido algunos ejemplos brillantes dentro de las letras uruguayas: Florencio Sánchez, Javier de Viana, Horacio Quiroga, entre otros, a su hora habían buscado voluntariamente el medio argentino para desarrollar sus vocaciones. Aun cuando no se puedan —ni deban— uniformar conductas o motivaciones para esta suerte de "exilio", ante todos ellos existía una misma realidad: por un lado, la precaria infraestructura uruguaya y, por otro, la rutilante ciudad cosmopolita en que el aluvión inmigratorio y el empuje industrial estaba transformando a Buenos Aires. A la vez, Montevideo no tenía —ni tuvo sino hasta comienzos del sesenta— una verdadera industria editorial, siquiera en formación, ni significaba mucho como centro irradiador de cultura (teatro, música, plástica, literatura) con el sello de validez y legitimación que sólo podía —entonces— darle la semejanza a Europa.

Cuando publica *Veinte años* son casi veinte los años del autor y del siglo; libro juvenil, se mostraba como tal desde su propio título, y el espaldarazo inicial se lo dieron dos profesores dilectos: Baldomero Fernández Moreno —excelente poeta— y Julio Noé —su profesor de Historia Argentina—. Con el primero mantuvo luego una extensa y cálida amistad documentada en su epistolario; no en vano Fernández Moreno había entrevisto en el joven Amorim los asomos de un innegable talento y lo había impulsado al viaje literario deseándole un *"feliz viaje"*:

> Con tu más bella letra está el libro copiado,
> la carátula blanca, cual simbólico traje;
> toda la gente a bordo y el velamen hinchado,
> no vaciles un punto, lánzate denodado. . .
> Amorim, buen viaje! *(Voto)*.

El temperamento de Amorim fue siempre afable, entusiasta, lleno de curiosidad, con ese raro don de estar en todas partes siempre, y atento a todo. Así lo recuerda Francisco Luis Bernardez: "Nos presentaron en un café de la Avenida de Mayo (en Buenos Aires) al principio de la bochinchera época martinfierrista. Reciente autor de *Veinte años* (libro cuya poesía ofrecía rasgos de gracia y frescura muy juveniles), Amorim me sorprendió por su alegría y su entusiasmo. Era un espectáculo de vida que, no cabiendo en aquella figura clara, movediza y nerviosamente locuaz, se desbordaba sobre quienes estaban a su lado, inundando de luz, de movimiento y de salud vital el contorno de sus interlocutores habituales o adventicios, e imponiendo sobre unos y otros (sin jactancia alguna) la gran ley de su optimismo solar."

A los trece años había ingresado al Instituto de Enseñanza Secundaria P. Osimani Lerena, y poco después al Colegio Sudamericano y al Colegio Internacional de Olivos. Buenos Aires se convirtió entonces en su segunda patria, mientras las vacaciones continuaban siendo salteñas. Con el tiempo, el campo uruguayo lo rescataría ofreciéndole motivos más plenos para su literatura, motivos que él había vivido en la infancia de Salto.

Las primeras huellas

Por los años veinte Amorim se probaba constantemente a sí mismo, y si bien ya había en su obra incipiente atisbos del sendero más seguro para su talento ("Las quitanderas", un relato de campo incluido en el mórbido y decadentista volumen titulado *Amorim*, 1923), no lo recorrió a pasos plenos sino con cautela. Se advierte cómo no podía aún romper la crisálida y salir al exterior, y seguía pasando lentamente las etapas de su metamorfosis literaria. Por eso es que no puede señalarse como un hecho definitorio su acercamiento al grupo Boedo (de preocupación social y tendencia realista) y su relación con Méndez Calzada y Ponce, como lo han hecho historiadores y ensayistas, filiándolo al "realismo" argentino: en los primeros libros de Amorim el vanguardismo ultraísta, las modas de la literatura galante francesa y los resabios del modernismo finisecular resultan insoslayables. En *Amorim*, su primer libro de narrativa, sólo un cuento como "Las quitanderas" puede considerarse "realista". Y si bien en la novela breve *Tangarupá* (1925) parece entrar con mayor seguridad por el cauce de una literatura criolla, lo hace con regusto esteticista; al año siguiente *Horizontes y bocacalles* restituye el equilibrio al unir precisamente campo y ciudad. Es que la mirada de Amorim no sólo recoge una realidad (el campo), como lo muestran sus mejores libros de madurez, sino también otra (la ciudad) donde ubicará diferentes historias contadas también en diferentes modalidades estilísticas. *La trampa del pajonal* (1928), libro que guarda algunos de sus mejores cuentos rurales —como el que le da título o "Farías y Miranda, avestruceros"—, reúne también otros de sus relatos más extraños y "surrealistas" en los cuales no está lejos la sombra de los vanguardismos modales y pasajeros.

Las peñas, los cónclaves juveniles, las revistas, los grupos y su agitada actividad sostenida a través de discusiones y polémicas, de manifiestos y actitudes encontradas, sirvieron de campo germinal a los comienzos literarios de Amorim así como de sus compañeros generacionales. Ya había en él algo del "Amorim" que iba a ser, y esto se ve en la conducta ecléctica del escritor que no se decide entre sus fronteras temáticas (no se decidiría nunca, por ejemplo, a abandonar las historias y los personajes de la burguesía, en los que no era muy convincente) como un modo de ser fiel a la raíz rural pero al mismo tiempo salvarse del provincianismo acudiendo a los temas y asuntos ciudadanos. Entre "horizontes" y "bocacalles" osciló siempre su mundo narrativo.

Tenía 25 años cuando publicó *Tangarupá*, una novela de muy delgada trama si se la compara con el largo aliento de historias como *El caballo y su sombra y Corral abierto*, posteriores. En *Tangarupá* hay rasgos que desaparecen luego de su producción: un cuidado formal de plasticidad extrema y la atención puesta sobre la naturaleza como elemento de ambiente escénico. *Tangarupá* cuenta la historia de una "machorra" (palabra que designa popularmente, en el campo, a la mujer estéril) y su apagada existencia junto a un marido ansioso de progenie. Hay una especie de coro —mujeres, peones, una curandera— para establecer el círculo obsesivo de una tragedia: ese coro inicia la exteriorización de las conjeturas (cuál es el origen de la "infertilidad", cuáles los muchos remedios para solucionarla) en un vaivén entre el sentido común y el mundo supersticioso del campesino. La *naturaleza*, es decir la fuerza del instinto, esa fuerza motriz del realismo de época, es la que encontrará los medios para alcanzar el embarazo de la mujer, aunque esos medios lleven directamente a la tragedia; esa fuerza trae la presencia de un hombre joven, los amores con la muchacha y la muerte final que restituye a la normalidad lo que el escándalo ha desordenado.

La novela contiene, en realidad, un relato trágico de amor, enclavado en la vida ruda y bravía de la campaña. La tendencia de Amorim a dar libre juego a los instintos reaparecería más tarde en *La carreta*, la novela de 1932; de modo que no es de extrañar —aunque resulte atrevido para la novelística de su tiempo— que conciba y presente algunas escenas de insólita violencia sexual —la cópula entre un hombre y un animal— o simplemente física —la muerte de Panta—, con los que tiempla un relato de por sí nutrido de elementos fuertes y vigorosos.

La historia de *Tangarupá* se diseña con claros relieves. El idilio entre María y Panta, desarrollado sin explicaciones (como un hecho *natural),* en silencio, define una suerte de entendimiento profundo entre los seres como puede sospecharse que existe entre las cosas para establecer la armonía del universo. Así concebía Amorim el instinto entre estos seres rudimentarios y elementales, que componen sus personajes, y cuya suerte merece de todos modos ingresar en la tradición del amor desventurado.

Hacia 1930 Amorim comenzaba a superar las etapas tempranas de su creación, y en este proceso encontró la historia de "Las quitanderas"; la llevó a su novela *La carreta* y trasladó la sobriedad del *realismo* a la sobriedad de las historias fuertes que quería contar. Desde los mismos orígenes hasta la novelita póstuma *Eva Burgos* (1960), Amorim osciló entre dos términos de la literatura, como señalamos antes. Sólo que en la narrativa criolla encontraba mejores rutas, mayor seguridad (toda una tradición lo respaldaba), mientras que la novela urbana, ambientada en Buenos Aires, París, Punta del Este o Montevideo, carecía de tradición y lo dejaba cruzando el vacío sobre una cuerda floja.

Hasta hoy *La carreta* es considerado —y merece serlo— el libro representativo, "clásico", de Amorim, una de sus novelas de más admirable uniformidad narrativa y concepción y fabulación mejor logradas. Pese a tener una básica estructura aditiva —que le permite intercalar episodios sin que la trama resienta— la novela tiene una coherencia interior que gira alrededor de dos o tres asuntos centrales y dos personajes importantes: Matacabayo y Chiquitiño. Sin embargo el verdadero "personaje" de la novela es la carreta, con su original cargamento: prostitutas que cruzan la pampa vendiendo amor.

El tema era seductor y así lo entendió un autor francés, Adolphe Faigairolle, quien en callada reminiscencia del relato original, escribió una novela titulada precisamente *Las quitanderas*. El plagio fue denunciado por el autor de *La carreta*, con una aparente ironía que iba a desencadenar los estudios y las argumentaciones de los eruditos: las quitanderas no habían existido nunca como tales, no eran personajes históricos sino productos de la imaginación, creación antojadiza del escritor uruguayo. Pero, en realidad, ¿lo eran?

Lo dijo así el autor y lo afirmaron conocedores del tema tales como Martiniano Leguizamón, el autor de *Calandria*, o Daniel Granada, cuyo *Vocabulario rioplatense* lo convirtió en inequívoca autoridad. ¿De dónde provenía el vocablo "quitanderas"? ¿Existían esas mujeres definidas por Amorim, en el epígrafe del cuento de igual título, como "vagabundas amorosas de los callejones patrios"? Amorim precisó más sobre su actitud artística pero con un apropiado margen de ambigüedad como para que todo permaneciera como estaba. Al referirse a su relato, después de compulsar las opiniones de Leguizamón, Granada, Silva Valdés y Payró (recogidas en la tercera edición de *La carreta*, 1933), dijo Amorim: "Desde luego, justo es señalarlo, la luz no se hace sobre el punto discutido y a mí sólo me cabe la certeza de que las *quitanderas* han existido en mi imaginación, por el hecho cabal de haberles dado vida en páginas novelescas." Martiniano Leguizamón, sin una clara orientación al respecto, había intentado confirmar la existencia de las quitanderas en el Norte argentino, y entre los materiales sacados a luz y discutidos descubrió a ciertas entrerrianas que él recordaba haber visto "con el rebozo negro terciado, el cigarro o cachimbo de hoja en la boca y la tipa de cuero o canasto de mimbre en la cabeza con la factura —pasteles, empanadas, roscas y tortas—, que iban a vender en los sitios de diversión popular, donde se corrían carreras y se jugaba a la taba. Las llamaban pasteleras y tal vez vivanderas por los puristas, que tal es la designación castiza". Negó, sin embargo, que se dedicasen a la prostitución y, juzgando el relato de referencia, lo consideró "mera fantasía del escritor". "Me parece más bien que se refiere", acotó perdiendo el rumbo otra vez, "a ciertas muchachas alegres que, en el Paraguay y quizás en Corrientes, llaman *quiguaberá*".

Granada llegó a una definición semejante: "El sentido recto de *quitandera* es el de mujer que tiene a cargo una *quitanda*, y se da el nombre de quitanda a un puesto atendido por mujeres, en el que se venden cosas de merienda (pasteles, alfajores, naranjas, bananas, etc.), y en las reuniones y fiestas campestres. Esas mujeres, que por lo regular son chinas, y por lo mismo fáciles, no por eso han de reputarse todas deshonestas. El sentido en que usted aplica la voz *quitanderas* no es el significado originario y propio que le corresponde, sino una acepción derivada de la condición más común en las mujeres que se dedican a ese tráfico." Después de estos testimonios, Amorim quiso cerrar el episodio con un panorama aparentemente aclarado: las quitanderas-vivanderas *existían* pero eran diferentes a como él las vio; las quitanderas-prostitutas *existían* en tanto él les había "dado vida en páginas novelescas" (la misma tesis de Payró, quien hablaba de los "creadores de vida" en la historia de la literatura).

Con *La carreta* Amorim exploró un aspecto inédito en la narrativa uruguaya de tema rural: la sexualidad, y no en el ángulo individual que había empleado en *Tangarupá*. En la tercera edición, el autor explicó cuáles habían sido sus propósitos al escribir su novela, y estas palabras son importantes porque señalan el inicio de un proceso irreversible en la narrativa del país: "Creo que con *La carreta* he enfocado desde un ángulo, la vida sexual de los pobladores del norte uruguayo, región fronteriza con el Brasil. En aquellas inmediaciones la mujer, por raro designio, hace sentir su ausencia, y esta señalada particularidad es la que determinó sin duda en mí, la visión amarga y dolorosa de las quitanderas."

Frente al nativismo que acaudillaban Fernán Silva Valdés y Pedro Leandro Ipuche en la literatura uruguaya de los años veinte, la posición de Amorim es bastante precisa y diferenciada. El nativismo quiso superar los cánones de la literatura gauchesca y del naturalismo de estirpe zoliana abriendo oído y estilo a las novedades de la literatura europea y captando los nuevos aires de sus movimientos vanguardistas. El mismo Silva Valdés ha precisado la significación del movimiento con estas palabras: "Tomé los viejos motivos del campo: el gaucho, el indio, el paisaje nuestro, y los canté dentro de las maneras estéticas de las escuelas poéticas en boga en ese momento de la poesía universal, que lo constituían el *creacionismo* francés y el *ultraísmo* español." Aunque cercano en sus primeros tiempos al espíritu de vanguardia, Amorim no llegó a adherirse a él en forma definitiva, ni cayó en el gauchismo culto de los nativistas. Como señaló brillantemente Jorge Luis Borges, "Enrique Amorim trabaja con el presente. La materia de sus novelas es la actual campaña oriental. Enrique Amorim no escribe al servicio de un mito ni tampoco en contra. Le interesan —como a todo auténtico novelista— las personas, los hechos y los motivos, no los símbolos generales".

La visión *dolorosa* y *amarga* del campo, que tenía Amorim, le valió la censura de muchos puristas que querían para la literatura la visión tonificante del optimista aunque eso implicara un prejuicio, una prevención y en definitiva una mentira. Ante estas acusaciones también Amorim se defendió: "Como *La Maison Tellier* de Maupassant, como *El pozo de la lascivia* de Alejandro Kuprin, en esta novela *(La carreta)* se insiste en un determinado aspecto. Se insiste con premeditación, y al afirmar esto respondo a ciertas objeciones que le ha hecho la crítica. Vidas oscurecidas, dolorosas existencias, en las páginas de *La carreta* no he querido más que remarcar el padecer de seres para los cuales la vida sexual es una constante tribulación. Clima áspero y fuerte, paisaje rudo, cerrilladas y ranchos, han determinado el alma de las gentes que pasan por estas páginas."

Gaucho, paisano y conflicto social

En *La carreta* Amorim no hizo clara una intención de denuncia social. El curso del relato parece detenerse antes de convertirse en ello, como si quisiera desarrollar la imagen-núcleo de las prostitutas y su decadencia vital sin inquirir en las causas o en las circunstancias socioeconómicas —por ejemplo la ausencia de la mujer en la estancia cimarrona, como él mismo señalara *después*— de su existencia. En la siguiente novela, *El paisano Aguilar* (1934), la mirada sería mucho más inquisitiva, fijándose deliberadamente en un tipo histórico —el gaucho— que había desaparecido en la realidad (no en la literatura) para dejar paso al *paisano*. Novela vigorosa, lograda en su mayor parte, *El paisano Aguilar* quiso ser una réplica a Ricardo Güiraldes por su *Don Segundo Sombra*, retrato del gaucho mítico, dando la contracara realista de un presente que la literatura no debía disfrazar. Esa fue, entonces más que nunca, la característica de Amorim: narrar *el presente*, cosa que Borges (ya citado) supo advertir antes que ningún otro, en su prólogo a la edición alemana de *La carreta*.

No el gaucho del pasado, al que retornaba una literatura elegíaca, sino el hombre actual en su contexto y frente a sus propios problemas. Ese fue el tema de Amorim y por lo tanto afloró decidida la cuestión social. En *El paisano Aguilar* el acento está puesto, todavía, en la idiosincrasia; el escritor quiere rescatar rasgos, delimitar sucesos peculiares, rastrear raíces de las actitudes en el tiempo, entre los mismos personajes que nutren la novela. Y lo que más le preocupa es, qué duda cabe, advertir los rasgos del *paisano* típico a través de un personaje: el "paisano" Aguilar. Así llega a señalar cómo Aguilar "*se apaisanaba* cada vez más". Y llega a perseguir su conducta *apaisanada* hasta simbolizarla, hacia el final de la novela, en la palabra clave de la resignación: *pacencia* (según la dicción del paisano). O llega a referirse explícitamente, también, a esa idiosincrasia que busca bocetar: "No vivían pendientes del dinero, pero carecían de ideales, de vida emotiva. No les agradaba nada en particular, no tenían gustos definidos; por nada habrían pasado muerto ni pasado en vela una noche. Sin haber luchado con la adversidad, estaban desprovistos de ese dolor crecido en el duro trabajo." Medianía, mediocridad, falta de heroísmo. Si el gaucho había sido un hombre valiente por fuerza de las circunstancias, y violento por necesidad de sobrevivencia, el paisano era una imagen pálida y devaluada de aquel origen. Esta etopeya explica —quiere explicar— la pasividad del personaje Aguilar, la inactividad misma de la historia, su ausencia de dramatismo.

Si una novela como *Tangarupá* difiere sensiblemente de *El caballo y su sombra* (publicada en 1941), esto no sucede sólo porque entre ambas quince años separan un relato de juventud de una novela de madurez. Contando de todas maneras con ello, lo que en ese tiempo varió —enriqueciéndolo— fue su concepción del hombre, de la naturaleza de su conducta, del origen de sus estímulos. Adscribiéndose a las concepciones tradicionales de fines del siglo XIX, tanto en *Tangarupá* como en *La carreta* había una visión del mundo que podía sintetizarse en esta línea: el hombre es producto de su medio físico, y sus actos se desprenden de la carga instintiva que cada uno lleva consigo. Años después, con *El paisano Aguilar* pero especialmente con *El caballo y su sombra*, un nuevo dato aparece modificando esa estructura, y la premisa puede convertirse en esta otra: el hombre es producto de su medio social, y su conducta está motivada por los conflictos de la sociedad en que vive. En el caso que nos ocupa es la sociedad rural —de complexión más laxa que la urbana—, aquélla en la que pueden advertirse estrictos componentes: relación de patrón y asalariado, relación de clases privilegiadas y clases desposeídas, emergente oposición y lucha entre el patrón-estanciero y el inmigrante.

En *El caballo y su sombra* se dieron nítidamente los términos de la ecuación social: el terrateniente (Nicolás Azara), representante de la burguesía ganadera y de la estancia, y los inmigrantes agrupados en sus colonias, sin tierras que cultivar, hacinados y despreciados por los criollos. Si la novela vale —y efectivamente puede decirse que es una muy buena novela— no es sólo por esa afiliación a lo real, y en lo real, a lo social. No hay fórmula que sirva para escribir una novela, y este hallazgo de Amorim no le confiere calidad: sólo un más auténtico *punto de vista*. Sin embargo la novela no resultó un producto inequívoco en el enfoque y en el diseño de la cuestión social. Por una parte la simpatía del autor —y del relato— se dedicaba a los inmigrantes, a los desposeídos, pero por otra no mostraba caminos transitables para acortar esa separación entre los antagonistas sino los tibios caminos del reformismo. Así, por ejemplo, su censura a los "dueños de la tierra" no estaba motivada en el hecho de la propiedad sino en el mal uso que el latifundista hacía de ella. Para Amorim lo malo, lo censurable, no radicaba en la propiedad como principio de muchas injusticias sociales, sino en que los "dueños de la tierra" (no hay que olvidar que él provenía de ese estamento) no cumplieran con el proteccionismo paternalista que el Estado, según sus reglas, debía obligarlos a cumplir: levantar escuelas, abrir caminos, permitir el trabajo libre y hasta ceder parte (lo no utilizado) de sus propiedades. El principio de la propiedad no se ponía en cuestión.

Otras novelas —que a su vez forman un periodo intermedio, no muy exitoso en su calidad pero significativo de los caminos que buscaba el novelista— presentaron, luego, diferentes aspectos de la realidad campesina, como si desde entonces la intención del escritor fuese ocupar las varias y diferentes zonas del tema rural con las que coincide la protesta o el mero análisis social. *La luna se hizo con agua* (1944) fue un folletín de admirable comienzo, en el que Amorim tomó por motivo central las supersticiones campesinas. Tal vez a esta novela (y a otra muy posterior, *Los montaraces*, 1957) se refiera cuando en su ensayo sobre Granada (del volumen inédito *Por orden alfabético*) asegura que "toda la frecuentación con ánimas y aparecidos que van rodando por libros de cuentos y en más de una novela, se inspiraron en las páginas de ruda grafía de don Daniel Granada". Sin embargo, en *La luna se hizo con agua* no hay en rigor un propósito de denuncia o siquiera de análisis racionalista *contra* las supersticiones y el oscurantismo; por el contrario, el novelista utiliza ese universo en lo posible (desde el mismo título) para dar sustancia a su relato, e incluso defiende, en el fondo, esos rudimentos de conciencia mítica contra las pretensiones "civilizadoras" que quieren barrer con las creencias populares sin advertir antes qué raíces tienen ésas en la vida social y económica de un pueblo. Hacia los mismos años, Asturias, Carpentier, el haitiano Alexis y otros escritores del continente ensayaban lo que luego se dio en llamar el "realismo mágico". Amorim, nunca mencionado en los estudios dedicados al tema, es sin duda uno de ellos.

La línea del *realismo*, fecundada por su cada vez mayor preocupación social, continuó en libros como *La victoria no viene sola* (1952), malogrado ejercicio de "realismo socialista", y *Nueve lunas sobre Neuquén* (1946), sobre el tema de los fascistas de la posguerra en la Argentina. La primera de ellas, aunque fallida, resulta de interés por el traslúcido esquema de fuerzas que agitaba el periodo y que está traspuesto a la sustancia anecdótica casi textualmente. Como había dicho Stalin, "la victoria no viene sola, hay que organizarla". Sobre esta frase, que es toda una consigna programática, dos personajes de diferente extracción y posición sociales —un obrero y un abogado— representan la lucha del proletariado y sus eventuales compañeros de ruta —el liberalismo— por cambiar las estructuras de un mundo injusto. Aunque juntos y compañeros, ambos personajes son vistos por el autor en su perspectiva pertinente: no por azar los esfuerzos progresistas del abogado consisten en hacer firmar declaraciones, manifiestos, a sus mismos compañeros de clase (son los años del Congreso de Wroclaw, de la "ofensiva de paz" lanzada por la Unión Soviética), mientras el obrero ensaya otros medios más directos de acción: por ejemplo, la agitación de una colonia de inmigrantes para que ocupen simbólicamente ciertos latifundios. En estas dos direcciones los personajes persiguen su fin, pues son las dos direcciones de lucha concebidas y de habitual ejecutadas por sus respectivas clases. En ello puede verse fundada la militancia de Amorim al mismo tiempo que su limitación: pertenecía a esa burguesía esclarecida y simpatizaba con el proletariado.

Tres novelas de la madurez

Fuera de varias novelas de índole diversa y menor importancia, Amorim cerró su ciclo productivo con tres de sus mejores libros, ya avanzada la década del cincuenta: *Corral abierto, Los montaraces y La desembocadura.* Con ellos superaba una serie de intentos que lo habían llevado al relato de corte policial: *El asesino desvelado* (1945) fue su aporte a un género casi virgen en el Río de la Plata, que Borges empezaba a introducir en sus ejemplos norteamericanos y europeos a través de una colección prontamente famosa, *Séptimo Círculo,* de la editorial Emecé. Se conocen las veleidades detectivescas del propio Amorim, un rasgo de su carácter que él mismo puso de relieve con anécdotas del estilo de su ensayo sobre Francisco Espínola. Tersamente escrita, el suspenso y el enigma de *El asesino desvelado* parecen hoy rudimentos de un estilo carente de una tradición hispánica sustentadora, para crear la cual es necesario —lo han probado sus mejores exponentes— algo más que el entusiasmo. *Feria de farsantes* (1952) resultó de trama mucho más compleja aunque al mismo tiempo más interesante, y finalmente *Todo puede suceder* (1955) y *Eva Burgos* (1960), pese a que dosifican el ingrediente estrictamente policial con aspectos sociales, poseían ya muy poca originalidad y estaban escritas sin destreza como para merecer salvarse del olvido.

De ahí que las novelas que confirman su talento sean las tres sucesivas que iniciara *Corral abierto* en 1956. En ellas, el *realismo* alcanzó su plena madurez como el estilo sobre el cual Amorim mejor podía sustentar un orbe narrativo. Si bien estas tres novelas no constituyen una trilogía (no existe una unidad temática entre ellas), hay sin embargo algunos elementos con que fundar tal designación. *Corral abierto* eligió el ambiente montevideano y el de un pueblo del interior uruguayo; *Los montaraces,* adentrándose en la "diosa Fantasía" de que habla en *La desembocadura,* inventó una naturaleza, retomó la problemática y los personajes creados por Horacio Quiroga en suelo misionero y narró una aventura nutrida de peripecia. En el último relato, por fin, intentó el resumen narrativo de su mundo entero, pasando también revista a los años del siglo (que eran los suyos). En la primera de las tres novelas el aspecto social se enriqueció literariamente al incursionar en un tema de actualidad (entonces): la delincuencia juvenil, la vida en los albergues, y por otro lado los famosos "pueblos de ratas". *Los montaraces* apela a una estructura semejante. Otra vez un personaje joven, se interna en la "isla maldita", una isla cercada y protegida de la curiosidad por leyendas de miedo y muerte. Su acción ejemplarizante sirve de catarsis a un grupo de hombres —obrajeros, montaraces— que mediante la osadía se liberan de su muralla supersticiosa y al mismo tiempo de la explotación neofeudal por parte de una compañía maderera. La tercera novela, *La desembocadura*, constituye, pese a sus escasas cien páginas, el resumen de la aventura humana que había sido toda su literatura. Allí pasan las diversas épocas en que sus novelas se enmarcaron, y alusiones directas a las mismas. El breve relato tiene una estructura interna singular, que permite apreciar cuál ha sido el rasgo central de la producción de Amorim. Pues por una parte recrea la historia de casi un siglo, desde el despojo de la tierra a los nativos —la "conquista del desierto"— hasta la guerra de los ingleses en el Río de la Plata, las luchas mundiales modernas, pasando por la influencia de la vida cotidiana en las ciudades modernas y los cambios sociales de la vida rural. Y por otra, al mismo tiempo, va repasando el curso de sus novelas, mostrando así cómo éstas se realizaron precisamente en la misma dirección de la *vida real*, atentas siempre a su *presente inmediato*.

El proceso intelectual

La "visión amarga y dolorosa de las quitanderas" pudo haber sido un origen de su preocupación social. Ya se sabe cómo la injusticia genera la protesta, y cómo actúa precisamente el intelectual progresista en las sociedades burguesas cuando es él, en rigor, el vigía alerta, la "conciencia intelectual y moral a la vez", como ha señalado Edgar Morin. Esa preocupación social se transparenta en la obra de Amorim, en particular la posterior a *La carreta*. Para sus admiradores, es el rasgo que le salva de la frivolidad de la literatura; para sus detractores, es aquello que lo extravía en la preocupación extra-literaria. Ni una cosa ni otra; los fracasos literarios de Amorim, así como sus hallazgos, no se basan en la nota social y política que imprimió a sus libros. Esa nota, de todos modos, hace más auténtica y pertinente, menos alienada, su literatura. En sus testimonios sobre el Congreso de Wroclaw (1948) es una y otra vez explícita su posición al respecto, y su adhesión al principio de *responsabilidad* por lo que sucede en el mundo o al menos por su reacción ante el mundo, sea esta reacción política o literaria. "¿De manera que sucedió todo esto, que cayeron estos muros centenarios, que hay millones de hombres bajo tierra", se pregunta Amorim contemplando una Polonia desvastada, "y que yo no tengo la culpa, y que no soy responsable, que no intervengo en la reconstrucción, y vivo en la tierra y me creo un ser humano?" En esta pregunta se resume la reflexión del intelectual, y en ella puede verse uno de los resortes íntimos de la acción.

En 1947 Amorim se hizo miembro del Partido Comunista y dio a conocer su posición política y sus ideas ese mismo año en la ciudad natal, Salto. Ya en *Nueve lunas sobre Neuquén* (1946) se advertía la actitud próxima. A partir de ese momento el carácter activo y fermental de Amorim no hizo un camino suave para sus relaciones con el mundo burgués y de influencia capitalista como lo eran —y lo siguen siendo— los países de la cuenca del Plata. En plena guerra fría, cuando se acuñaban términos como "cortina de hierro" y "cretinos útiles", Amorim debió defender su condición de comunista desvirtuando las falacias y los engaños que la ofensiva reaccionaria propiciaba. Sus extensos recuerdos sobre Wroclaw (en los que se enmarca el testimonio sobre Picasso) son también extensas y amargas requisitorias contra los elementos del "mundo libre" distorsionadores deliberados de toda verdad. El Congreso por la Paz había sido auspiciado por una nación socialista y ello motivó el silencio de la prensa "democrática" que prefirió ignorar un acontecimiento mundial o calificarlo de propaganda que juzgarlo como merecía. Amorim atacó todo eso: la desinformación a que los grandes diarios nos tienen acostumbrados y el dominio que así se ejerce sobre el pueblo modelando la llamada "opinión pública".

Antes de que adviniera estrictamente la "guerra fría", otros hechos caracterizaron la atmósfera intelectual volcándola hacia la defensa de las libertades e identificando esa defensa con un partido que tenía como razón de ser la revolución y la instauración de la justicia socialista. La guerra civil española, por ejemplo, había avivado los espíritus. El propio Amorim tuvo oportunidad de señalar en *La desembocadura* lo que significó la adhesión a la España republicana. "La guerra de España formó algunas voluntades, creó una peregrina conciencia por primera vez en las vastas praderas naturales... Fue la primera vez que un haz humano se levantó con nobleza unánime sobre la tierra sorda y pérfida." Del mismo modo, se sumó Amorim al desgarrón generacional ante la muerte de Federico García Lorca, quien súbitamente se transformó en el símbolo de una España herida y traicionada.

Estos tres momentos son los principales en el proceso intelectual de Amorim. De la preocupación social pasó al humanismo, con su principio de responsabilidad. El compromiso total con una línea política e ideológica, al fin, no se debió exclusivamente a la participación en un cuerpo de ideas sino más bien a la conciencia de la futilidad del trabajo literario solitario y la necesidad de mancomunar los esfuerzos por la libertad del hombre. De ahí que el Amorim de 1930 difiera del Amorim de 1946 o del de 1960, aunque en el fondo, como lo testimonia el conjunto de sus libros, siguiera el curso normal de un hombre hasta *desembocar* en una participación valiosa y activa con su entorno.

Resulta aquí significativo el recuerdo que tenía Ricardo Latcham de Amorim. En uno de sus artículos, el crítico chileno recuerda cómo, en 1946, Amorim "volvió a Chile, no con el ardor del neófito, pero con idéntica simpatía y vivacidad intelectual". Luego reseña algunos aspectos de su actividad: "Amorim tomó contacto con grupos izquierdistas, con líderes sindicales, con obreros del salitre, con extraños camaradas, con gentes de todo pelo y condición. Su curiosidad insaciable lo condujo al desierto del cobre y del salitre, a la pampa de Antofagasta, descrita por mí en un lejano y olvidado libro, que según Enrique le sirvió de guía en sus incursiones por las llamadas 'tierras rojas' ". El entusiasmo de Amorim confirma las palabras de Latcham. Porque hacia esas mismas fechas le escribía a César Fernández Moreno estas líneas que ahora pueden comprenderse como un mensaje a las jóvenes generaciones y una exaltación de la "juventud" como constante lucha sin rendiciones: "Regreso de Chile, de la pampa del salitre, de las minas de cobre. Hablé ante cinco mil mineros. Aquello sí que es serio. Hay un mundo que nace, mientras jóvenes envejecidos se sientan en la retranca de la historia. El gran viento arrasará con ellos. ¡Da gusto sentirse tan joven!"

BIBLIOGRAFIA NARRATIVA DE ENRIQUE AMORIM

1923   *Amorim.* Cuentos
1925   *Tangarupá.* Novela
1926   *Horizontes y bocacalles.* Cuentos
1927   *Tráfico.* Cuentos y crónicas
1928   *La trampa del pajonal.* Cuentos
1932   *Del uno al seis.* Cuentos
1932   *La carreta.* Novela
1934   *El paisano Aguilar.* Novela
1936   *Presentación de Buenos Aires.* Cuentos
1937   *La plaza de las carretas.* Cuentos
1938   *Historias de amor.* Cuentos
1938   *La edad despareja.* Novela
1941   *El caballo y su sombra.* Novela
1944   *La luna se hizo con agua.* Novela
1945   *El asesino desvelado.* Novela
1946   *Nueve lunas sobre Neuquén.* Novela
1952   *Feria de farsantes.* Novela
1952   *La victoria no viene sola.* Novela
1953   *Después del temporal.* Cuentos
1955   *Todo puede suceder.* Novela
1956   *Corral abierto.* Novela
1957   *Los montaraces.* Novela
1958   *La desembocadura.* Novela
1960   *Los pájaros y los hombres.* Cuentos
1960   *Temas de amor.* Cuentos
1960   *Eva Burgos.* Novela
1963   *El ladero* (novela inconclusa)

1970

A lo largo de estos últimos años, y ya sea en sus nuevos libros como en la reedición de los anteriores, Mario Benedetti ha venido recogiendo y ordenando su narrativa breve en una suerte de creciente y provisorio *inventario*. Lo cierto es que ya han corrido casi tres décadas desde su primer libro de cuentos —*Esta mañana*, 1949—, y si bien su actividad literaria se ha dispersado por rumbos múltiples y paralelos como la poesía, la novela o el ensayo, con la consecuencia de tener hoy una producción no muy dilatada en el género breve, puede afirmarse que es en éste donde la cuerda artística alcanza sus mejores sonidos. La lectura ordenada de aquel título inicial y de los que siguieron: *Montevideanos* (1959), y *La muerte y otras sorpresas* (1968), para no citar *El último viaje* (1951) que de alguna manera se disolvió en los otros (algunos cuentos pasaron a *Montevideanos*, varios más a la segunda edición, 1967, de *Esta mañana*), permite volver a recorrer un trecho que el autor recorrió creando, y advertir los aires de época, las presencias tutelares, los desvíos y las pausas de experimentación y ensayo, o las rutas abiertas donde antes no existía el paso.

Benedetti es el escritor ávido de presente, de cultura viva. Atento al suceder cotidiano, a las manifestaciones novedosas y modales de la cultura, tanto su narrativa y su poesía como la actividad crítica —ejercida sistemáticamente durante mucho tiempo— reflejan de algún modo esa atención multifacética. A veces el resultado es la adherencia, el comentario inserto, la alusión a un hecho político presente en el contexto nacional que a medida que el tiempo pasa y se renueva la realidad inmediata, quedan en su obra como testimonios ocasionales y fortuitos sin una función literaria perdurable. Pero en ese mismo proceso Benedetti ha llegado muchas veces a tocar el cambiante "ser" nacional, ha llegado a desprender de la rutina la personalidad de un hombre —nosotros, uruguayos—, cuya etopeya puede rastrearse, y hasta recomponerse, en todos los síntomas agudamente observados que proporcionan sus relatos. En este sentido se ha levantado la consideración de Benedetti como escritor típicamente *nacional*, es decir el que ha sabido retratar a la clase media, a los *montevideanos*, con su entera cruz de mitos y (malos) hábitos.

Ese Benedetti es real y cierto, palpable, pero ha quedado escondido, sin quererlo, otro Benedetti menos evidente: el que de modo subterráneo ha ido hilando cuento con cuento hasta establecer una visión coherente, íntima, casi reservada, del mundo y su extraño habitante humano. Temas como la muerte, la fatalidad, la destrucción del amor por la costumbre, la imposibilidad de revertir el tiempo, dejan así la huella de un ondulante estremecimiento que los motivos montevideanos —la hipocresía burocrática, las obsesiones presupuestales, la coima y el acomodo, o simplemente la tristeza connatural y alienada del "oficinista"— a menudo empujan a un segundo plano. De ahí que la mera ordenación de sus libros permita advertir cómo aparecen y desaparecen de escena cada uno de sus temas, para poder luego ubicarlos y valorarlos en el total de la obra literaria.

Esta mañana, su primer libro de cuentos y el que revela menos dominio narrativo, alterna, en lo fundamental, los enriquecimientos y las limitaciones provocadas por sus influencias. En esta época las literaturas europeas y norteamericanas ayudaban a elaborar un lenguaje generacional —el de los autores de la década del cuarenta— y, más aún, un estilo que debía ensayarse en primer lugar por mimesis. Faulkner —quien también bebiera en Proust, maestro releído, y en Joyce, venerado hasta por sus ambigüedades— arrojó al ruedo sudamericano su pasión intelectual y vivencial, su magma incontrolable y su fraseo denso, envolvente y complejo, amén de hallazgos tales como el de la perspectiva cambiante. El "monólogo interior" se trasladaba a su vez, directamente desde Joyce y Virginia Woolf, y los críticos comenzaban a descubrir alborozados sus raíces en un desconocido Dujardin, así como la riqueza al parecer insondable de ese procedimiento.

Los escritores formados en esos años tenían como patrimonio común algunos rasgos de actitud literaria que ahora se recuperan parcialmente, y en lo que les toca, en los cuentos de *Esta mañana:* confesión en primera persona hasta desembocar en el *monólogo;* cierto lenguaje de referencia general y retórica, desnudo de matices, que emplea términos como "odio" y "amor", simplificando —cosa que dejarían luego de hacer— la compleja realidad de la vida de relación; y también ese buceo a diferentes profundidades y direcciones, buscando modular la voz precisa, exacta, que se supone debe tener cada escritor. De todos modos, el sentido de esta promoción literaria agrupada en la revista *Número* (1949) conducía a la ciudad, a la temática urbana. Y la ciudad, en el Uruguay, como se sabe, es Montevideo nada más. Oponiéndose de hecho a la corriente de la literatura "de campo" que representaban los escritores de otro grupo, *Asir* (1948), Montevideo y sus montevideanos fueron emergiendo a una literatura moderna con su rostro diferente, pues también esa sociedad había devenido moderna y por consiguiente inédita hasta el momento. No hay *lucha* violenta de clases, porque prácticamente todo se resume a una sola: la clase media, por encima de la cual la oligarquía vive con hábitos modestos, casi sin ostentaciones. No hay tensiones sociales en una estructura burocrática, civil y laica, que parece absorber en sus dependencias a todos los integrantes de la comunidad; las ambiciones son salariales, los militares viven en sus cuarteles, no existen fanatismos religiosos: todo es medianía. Pero el deterioro de las relaciones surge por el ansia de sobresalir, de destacarse, de encontrar mejor situación —es decir, recalar en este término tan criollo, el "acomodo"—

a partir de una gris monotonía sin alicientes. Esto y la crisis que diez años después será clamorosa, proveen los primeros motivos con que dar vida al relato, al tiempo que convierten a ese personaje confesional, habitualmente narrador en primera persona, en el montevideano por antonomasia. Mucho de esto tiene su germen y ya está parcialmente desarrollado en los cuentos de *Esta mañana*.

Una década más tarde, *Montevideanos* (1959) toma la palabra. La segunda edición, de 1961, puede considerarse la definitiva: su contenido se amplió con ocho cuentos más (en total son diecinueve) cuyo tono, carácter y tema se avenían al registro del libro. Este no es, por supuesto, una mera recopilación de cuentos publicados entre 1951, época de *El último viaje*, y 1961. En el sentido pavesiano, el volumen intenta ordenar con los relatos que ofrece en su conjunto, en su totalidad, una imagen completa y suficiente. El título recuerda al *Dubliners* de Joyce, y asimismo posee esta ambivalencia semántica para apuntar tanto al *hombre* montevideano como al género, el *cuento* sobre Montevideo. De más está decir que en este libro se hallarán magníficos cuentos de Benedetti. Hay un hallazgo de fondo —el ambiente y su personaje— que se sabe personal y rico. La vida cotidiana con sus cotidianas formas de la alienación parecen ofrecerse al paso, y después de narradas, es decir en la lectura, pudieran antojarse en un primer momento obvias, demasiado claras. Pero el mérito —al margen de la eficacia literaria y del dominio técnico del género— radica en el tono justo empleado por el autor; ni neorrealismo ni realismo "socialista", y tampoco costumbrismo o pintoresquismo —aunque se alimente sustanciosamente de todo ello—, sino más bien la visión crítica e irónica, distanciada por lucidez pero comprometida, por su preocupación, con la suerte y desgracia del país.

A esta altura hay que preguntarse, si en verdad *Montevideanos* contiene sus mejores cuentos, qué significa para el autor el género empleado. ¿Qué es el *cuento*, en efecto, para Benedetti? ¿Cuál es su función, cuál su técnica? En fin, a esos descubrimientos temáticos que constituyeron el montevideanismo, ¿cuál es la forma que les corresponde? En un ensayo publicado en 1953, Benedetti saca prolijamente en limpio ciertos principios narrativos que en primer lugar deben ser aplicables —por las opciones que supone, por la elección de las respuestas— a su propia narrativa. Los modelos y los ejemplos eran aún europeos (pueden confrontarse, casi todos ellos, en su libro *Sobre artes y oficios*, que incluye su crítica literaria entre 1950 y 1966), pues generacionalmente pareció existir la necesidad de un ajuste de cuentas con el provincianismo estético dominante. Comparando tres géneros narrativos —el cuento, la *nouvelle* y la novela— Benedetti se adscribe a la tesis de que "el cuento y la *nouvelle* tienen en común su empleo del efecto". Aunque, a su vez, cuento y *nouvelle* se diferencien esencialmente, pues "el efecto del cuento es la sorpresa, el asombro, la revelación; el de la *nouvelle* es una excitación progresiva de la curiosidad o de la sensibilidad del lector". Por su brevedad, por su concentración, el cuento debe tener la fuerza de un impacto, fuerza que el efecto reafirma; no debe diluirse a lo largo de innumerables páginas, como en la novela, ni describir un proceso (atendiéndolo, por lo tanto) como hace la *nouvelle*. "El cuento es siempre una especie de corte transversal efectuado en la realidad". Corte que "puede mostrar un hecho (una peripecia física), un estado espiritual (una peripecia anímica) o algo aparentemente estático: un rostro, una figura, un paisaje". En el mismo ensayo Benedetti observa otros rasgos característicos del género: el valor del lenguaje, por ejemplo, su calidad de estructura verbal donde no pueden existir altibajos. Algo o mucho de todo esto proviene ciertamente de la estética enunciada por Poe y adaptada por Maupassant y la cuentística de fines del siglo XIX, y también de Quiroga, con su famoso "Decálogo del perfecto cuentista" y otros textos teóricos menos conocidos ("La retórica del cuento", el "Manual" y "Los trucs del perfecto cuentista"). El valor actual del examen reside en que Benedetti sistematiza en él la teoría confrontándola con su rica experiencia de lector y escritor, y deja un testimonio significativo sobre la lucidez en cuanto a los caminos a andar. Simultáneamente estaba escribiendo los cuentos que nutrirían *Montevideanos:* la teoría exigía la praxis, y esa misma praxis exigía la teoría. Allí, en esos cuentos, dada su claridad expositiva, su precisión estilística, su fruición verbal, se advirtió que el narrador ya era dueño de su arte y mantenía sobre él un dominio que implicaba conciencia de sus riesgos y de su originalidad.

En rasgos generales, los principios teóricos referidos se cumplen fielmente en su literatura: hay ejemplos en que el efecto oscila entre la sorpresa pura o la clave profunda de la peripecia anímica. En el primer caso ("Los pocillos" o "Tan amigos"), aunque haya allí atisbos en sus temas —la venganza, en los dos ejemplos— el efecto parece bastarse a sí mismo. En cambio otros cuentos, como "Aquí se respira bien", ejecutado con el terso y límpido trazo de un Hemingway (y recuerda, de paso, su *A clean, well-lighted place*), refieren con mucho mayor sutileza a un drama escondido y ahora señalado por un mínimo gesto (la mano que el niño le niega a su padre). En diferentes textos —y habría que recordar por lo menos "Familia Iriarte" y "Los novios"—, esa técnica de la sorpresa final encuentra sus más legítimas razones: así, el desenlace, lejos de revelar un dato maliciosamente oculto por el autor, es una clave de iluminación retrospectiva, que de golpe proporciona al relato una dimensión nueva y más profunda. De ahí que estos dos últimos cuentos nombrados, más "Retrato de Elisa", constituyan a mi juicio los más perdurables de Benedetti. En los tres se reflejan de algún modo el tedio de la burguesía, de las ambiciones mediocres, y si bien apuntan a motivos bien definidos en su entorno social —la oficina, la familia matriarcal, el noviazgo perenne—, cada historia, en lo que tiene de aparentemente anecdótica y singular, expresa con el mayor vigor los complejos y la alienación frente a la realidad. La necesidad de adorar lo sacralizado porque pertenece a una envidiada jerarquía superior —la presunta amante del Jefe, en "Familia Iriarte"—; la increíble lucha por no confundir la pobreza de linaje con la pobreza de la "chusma", en la Elisa Montes de "Retrato de Elisa"; o el largo aburrimiento de la pareja que ha sido durante veinte años "Los novios", son los temas hondos, de sensible vibración interna, carnal, en que Benedetti cala con mano maestra. Allí confluye el montevideanismo típico con las obsesiones más privadas del autor, allí su capacidad para observar y describir las conductas humanas, en sus recónditos matices, se transforma en *visión* del mundo, en tácita interpretación y desentrañamiento de la vida.

Resulta por eso paradójico que se haya querido ver en estos cuentos un verismo de superficie, un intento meramente inventariante de mostrar palpables defectos en la estructura moral del montevideano. Resulta paradójico porque el propósito narrativo es siempre el de aludir, denunciar oscuras y escondidas, densas y profundas motivaciones enmascaradas precisamente por los hechos de superficie. Entre esas motivaciones, de todos modos, es posible distinguir aquéllas más o menos perdurables, que una y otra vez ha recogido la literatura, y otras más novedosas y locales en el contexto de la narrativa contemporánea. Entre estas segundas mencionaremos, desde ya, la *fallutería* sobre la que tanto ha insistido Benedetti en novelas, cuentos y ensayos.

La *fallutería* como otras estructuras de comportamiento que son a su vez motivaciones, evidencia el carácter-distorsionado del hombre de ciudad y se suma al conjunto de alienaciones. En estos años la narrativa de Benedetti busca mostrar justamente a este hombre alejado, desterrado de su autenticidad por obra y méritos de la crisis que estaba disgregando "la estructura familiar, la estructura moral, la estructura política del país" (1).

En "El presupuesto", "Aquí se respira bien", "Familia Iriarte", "Almuerzo y dudas", "Caramba y lástima" la imagen del oficinista es digna (o hasta indigna) de lástima y piedad, pero no de respeto. En lo que concierne a la *vida oficinesca* sin duda "El presupuesto" es el símbolo más elocuente de la alienación porque identifica a los pocos empleados de una oficina pequeña y siempre olvidada por el presupuesto nacional, con una clase social, o simplemente con el "pueblo" a su vez siempre olvidado por sus gobiernos. Todo, desde las aspiraciones mínimas de cada empleado hasta el destino que los une merced a la indiferencia del inaccesible ministerio, hace pensar que esa pequeña oficina no es otra cosa que el símbolo deliberado de todo un estamento social. En cambio el poder, la Burguesía satisfecha, están encarnados en los ministerios, en el Gobierno, o bien en su representante vicario, el Jefe, ese Jefe aludido en todos los cuentos con mayúsculas de sagrada veneración y temor. En "Familia Iriarte" la lectura ideológica es aún más clara y convincente: el secretario se enamora de la "voz" de la amante del Jefe y cuando llega a conocerla (y está prácticamente por casarse con ella) reflexiona: "A veces no podía evitar cierta sórdida complacencia en saber que había conseguido (para mi uso, para mi deleite) una de esas mujeres inalcanzables que sólo gastan los ministros, los hombres públicos, los funcionarios de importancia. Yo: un auxiliar de secretaría". Esa es la clave por la cual el protagonista veranea en Punta del Este (balneario de la burguesía alta) en busca de "mujercitas limpias, descansadas, dispuestas a reírse, a festejarlo todo", y desecha a las montevideanas (empleadas de clase media) pues "los zapatos estrechos, las escaleras, los autobuses, las dejan amargadas y sudorosas". Benedetti no ve en estos personajes conciencia de clase y rebeldía; posibilidad por lo tanto de romper las diferencias y los privilegios, por ejemplo ese privilegio del ocio y del descanso. Ve sí conciencia de clase y *envidia* por los valores de las clases superiores. De ahí que el sueño de la "escala social" se asemeje a la imagen del escalafón que se conquista con los años, la astucia y otros méritos.

El montevideano de Benedetti, el montevideano de los años cincuenta, está enajenado en sus relaciones de trabajo y en sus relaciones de familia. Un ejemplo acaso demasiado simple, demasiado esquemático pero muy claro en sus intenciones, es el del relato "La guerra y la paz": el matrimonio discute ásperamente delante de su hijo, se pelea, decide el divorcio, determina la separación de bienes y de repente advierte a su testigo silencioso: "Ah, también queda ése". Y el narrador, que no es otro sino el niño, comenta: "Pero yo estaba inmóvil, ajeno, sin deseo, como los otros bienes gananciales". La *cosificación* aparece aquí en todo su apogeo. Similarmente, pero en rica variación, otras situaciones familiares son presentadas en diferentes cuentos, y todas llevan el estigma de la distorsión: entre los hermanos de "No ha claudicado" el amor filial desaparece ante el "odio", un odio que revitaliza, que se convierte en "impulso útil", y que, disipado el equívoco que había enemistado a los hermanos durante veinticinco años, se revela intacto. El hecho circunstancial era sólo una máscara, un pretexto, para los oscuros instintos personales. A su vez, en "Retrato de Elisa" la institución del matrimonio se muestra como una forma de esconder y mentir la decadencia: la mujer se casa por el bien de sus hijas, por la apariencia social, no por amor, y cuando se convierte en suegra y en abuela crea constantemente la discordia entre los miembros familiares ya que no sólo posee una robusta constitución egoísta sino que está envenenada por la frustración. Al final del relato, Elisa es por cierto la "madre" muerta sobre la cual sus hijos echan tierra. Pero entre la congoja que deberían éstos sentir, y el alivio que en realidad sienten, media la distancia entre la autenticidad y la alienación, entre lo ideal y lo real.

Todos estos valores omisos cuya índole de corrupción moral lamenta el autor agregan otro tema: el de la infidelidad conyugal. Aquí el lamento está teñido de cierta frialdad y de cierto sarcasmo; ejemplos son "Los pocillos", "Se acabó la rabia", "Caramba y lástima", "Almuerzo y dudas", y en parte "Los novios" y "Familia Iriarte". Una variante, a su vez, es la infidelidad ya no a la esposa o al marido sino a la amistad y a la confianza depositada por cualquiera en cualquier ser humano. Esa traición es la fallutería. Así, en un artículo de 1962 ("La literatura uruguaya cambia de voz") Benedetti se refiere a este aspecto de la idiosincrasia criolla caracterizándonos con él:

Los rioplatenses tenemos un término que resulta irremplazable para el uso diario: me refiero a la palabra *falluto*. Creo que lo hemos acuñado nada más que para responder a una imperiosa llamada de la realidad. Porque nuestra realidad, está, desgraciadamente, llena de *fallutos*, y tales especímenes, no satisfechos con invadir nuestra política, nuestra prensa y nuestra burocracia, de vez en cuando llevan a cabo perniciosas excursiones, y hasta gravosas permanencias, en nuestra literatura. El falluto no es sólo el hipócrita. Es más y es menos que eso. Es el tipo que falla en su suministro y en la recepción de la confianza, el individuo en quien no se puede confiar, ni creer, porque —casi sin proponérselo, por simple matiz de carácter— dice una cosa y hace otra, adula aunque carezca de móvil inmediato, mientras aunque no sea necesario, aparenta —sólo por deporte— algo que no es.

Pues bien, *falluto* es en estos cuentos el compañero que ha perjudicado a su amigo, que oye las disculpas, dice aceptarlas y luego, cuando está solo, cruza hacia el telégrafo a enviar las palabras que lo vengarán hundiendo al otro; el cuentista retrata a ambos personajes con un título irónico: "Tan amigos". Falluto es el "Puntero izquierdo" que acepta el soborno pero después, en medio del partido, con impavidez e inocencia, cambia de actitud y hace ganar a su cuadro. Falluto es el amigo que envía a un tercero para que narre, como materiales para un cuento, la escabrosa historia de una muchacha: sólo que esta muchacha es la novia con la que el presunto escritor está por casarse. Falluta es, en su totalidad, la familia de "Corazonada": su "cola de paja" hace posible el chantaje de la sirvienta, quien a su vez cumple así, suciamente, su sueño del escalafón social. En fin, los cuentos de *Montevideanos* están llenos de fallutos, ya que el falluto es el hombre de doblez y todos estos, los infieles, los traidores, los venales, los obsecuentes, son seres desdoblados de su verdadera naturaleza.

Sin duda hay que partir de una curiosa comprobación al enfrentar su siguiente libro, *La muerte y otras sorpresas* (1968); como nivel literario, acusa un dominio de su arte, una comodidad de escritura más seguros tal vez que en *Montevideanos*, pero al mismo tiempo ninguno de sus cuentos alcanza, por sí solo, la profundidad y la perfección de "Familia Iriarte" o "Retrato de Elisa". *La muerte y otras sorpresas* pasa de pieza en pieza entre la sólida creación literaria ("Datos para el viudo", "Para objetos solamente", "Cinco años de vida"), el ingenio intelectual ("Musak", "Los bomberos", "La expresión", algunos de ellos viñetas publicadas hace varios años), o el relato malogrado por el patetismo ("La noche de los feos"), por el grotesco como visión esquemática de la realidad ("El cambiazo") o la parábola obvia ("A imagen y semejanza"). Pero en unos y otros, en mayor o menos grado, el escritor desarrolla los temas centrales a los que había abocado en sus libros anteriores: la muerte, la soledad, la incomunicación, el deterioro fatal de la relación afectiva. Los cuentos de *Montevideanos* estaban encabezados por un epígrafe de Francis Scott Fitzgerald: *"But, my God! it was my material, and it was all I had to deal with".* Para Benedetti, aquel mundo rugoso, de valores degradados, montevideano en su circunstancia, clase media por origen y burócrata por profesión, *era* el material disponible y con él debía bastarse. A su vez *La muerte y otras sorpresas* viene precedido de un epígrafe sensiblemente diferente. Es de Antonio Machado y dice, en tres versos: "Se miente más de la cuenta/ por falta de fantasía:/ también la verdad se inventa". En sus cuentos, pues, hay una búsqueda de nuevas formas con que comprender y expresar los problemas que le obseden, tal vez los mismos o muchos de los que constituían su "material". Fundamentalmente el nuevo elemento ahora es la *fantasía*, por medio de la cual *inventar la realidad y la verdad.* Y esa fantasía se encuentra en las viñetas de tono humorístico pero también en la irrupción inesperada de *lo fantástico* ("Cinco años de vida", "Miss Amnesia", "Acaso irreparable"). Esa súbita irrupción es la sorpresa que nos anunciaba el título del libro.

La muerte es el motivo que lo invade casi todo, la ausencia y la presencia incanjeables, tanto en la poesía como en las novelas y cuentos, y nunca se da sola: está siempre mezclada con la soledad o con la destrucción del amor. En el cuento "La muerte" el narrador se encara con ella, libre y directamente; lo que da sentido al cuento es esa tristeza de no-ser presentido, la nostalgia adelantada de un paraíso que se perderá sin haberlo entendido por completo. Esa misma oscura, cerrada desesperación del personaje ante su muerte cercana y detectable, apenas es aludida en otros cuentos: porque en ellos se transforma en "sorpresa". Por ejemplo, la sorpresa del personaje de "Acaso irreparable" al saberse muerto, fantasma en una cuarta dimensión, habitando el mismo espacio que otros seres de otro tiempo. La sorpresa del hombre en "Péndulo", cuya existencia entera pasa con la insólita velocidad del montaje de escenas permitido por sus escasas siete páginas de lectura. Y también la sorpresa —esta vez exclusivamente para el lector— cuando en "Cinco años de vida" advierte que el destino puede tomarle a uno la palabra y ya no sería posible decir, sin grave riesgo de que suceda literalmente, algo tan vulgar como "Daría cinco años de vida porque todo comenzara aquí". Siempre pensamos ceder cinco años de vida ya pasados, pero ¿por qué no pueden ser precisamente los cinco próximos, los que tenemos mejores esperanzas de vivir? Ese sentirse arrastrado por fuerzas que no se dominan, *atendido* por un dios misterioso y diabólico, el terror ancestral a lo desconocido, la tristeza y la melancolía de saberse determinado a la caducidad, han planteado sensiblemente una nueva situación para el personaje de Benedetti. Ya no es la estructura burocrática —aunque pudiera ser kafkiana y metafísica— que hace depender de la jerarquía y el ordenamiento absurdo e intolerable de la sociedad capitalista; esta vez, sin tanto acento "montevideano", Benedetti ha dejado a sus personajes a merced de fuerzas mayores e indeterminables. O, mejor dicho, los ha contemplado y narrado en su encuentro inerme con esas mismas fuerzas.

Los tres cuentos que se insertan decididamente en lo fantástico (ya he dicho algo de cada uno de ellos) son: "Miss Amnesia", "Acaso irreparable" y "Cinco años de vida". En el primero se recurre a la estructura cíclica del género para contar un proceso de renovada degradación, posible porque la protagonista olvida una y otra vez el rostro y la circunstancia del encuentro con su violador. El relato asume la atmósfera angustiosa de las pesadillas y mantiene la eficacia porque nosotros, lectores, seguimos todas las instancias de la historia mientras el personaje, enfermo, queda a merced del monstruo por su misma enfermedad. "Acaso irreparable" cuenta, con pacífico y moroso estilo, la espera interminable de un viajero en el aeropuerto mientras los altoparlantes anuncian día tras día la postergación de su vuelo. Finalmente un muchacho (ha pasado el tiempo y el hijo de cinco años que dejó, ha crecido) habla con una amiga en ese mismo aeropuerto y le dice, casi a la vez que se vuelve a anunciar el retraso del vuelo, que su "padre murió hace años, ¿sabés?, en un accidente de aviación". En cuanto a "Cinco años de vida", el tema fantástico aparece perfectamente ensamblado con las viejas preocupaciones de Benedetti: aquí sirve para contrastar el periodo idílico de un enamoramiento con la triste realidad conyugal, desgastada, desvaída, cinco años más tarde. Ya no estrictamente lo fantástico, pero sí rasgos de fantasía hay, también, en las páginas ligeras de "Musak", de "Los bomberos", de "La expresión", textos en los que adviene un rasgo retaceado en *Montevideanos:* el humor. Lleno de humor irónico (pues el propio Benedetti sufre el asma) está toda la reflexión narrativa sobre "El fin de la disnea", que incluso motivó cartas o llamados telefónicos al autor de quienes querían conseguir el maravilloso remedio con que los personajes extirpan totalmente sus afecciones asmáticas. El humor está presente también en "El cambiazo", así como no poca realidad y fantasía, con la *macchieta* del jefe de policía ante la manifestación estudiantil, las consignas de ésta y el propio desenlace. Este último cuento señalado y "Ganas de embromar" (a propósito del "espionaje" policial por motivos políticos y los teléfonos "intervenidos" que en estos años prácticamente todos hemos soportado) se insertan en la realidad política —la represión violenta de un régimen cada vez más autoritario—, tiempo más tarde enfocada directamente como tema en *El cumpleaños de Juan Angel* (1969), la conocida novela en verso.

En *La muerte y otras sorpresas* Benedetti se desprende de la estricta localización montevideana. Si bien algunos cuentos recuerdan externamente a los de aquel libro de 1959 ("Ganas de embromar" está implícito en "Tan amigos", "Réquiem con tostadas" en "Déjanos caer", "Miss Amnesia" en "Los pocillos") y hay una continuidad innegable, también por lo general aparece evitado el marcado acento montevideano y clase media que caracterizó su obra durante muchos años. Así "Miss Amnesia" es un cuento cuidadoso en describir el entorno físico y la joven que de pronto se encuentra en una plaza sin acordarse de nada —ni siquiera de quién es— puede describir los letreros que percibe: "Nogaró, Cine Club, Porley Muebles, Marcha, Partido Nacional", y así el lector está capacitado para reconocer el lugar sin la menor equivocación. Pero tal detalle poco importa para la anécdota, pues ésta bien pudo ocurrir en una plaza de México, Nueva York o Copenhague, de modo que su ambientación es meramente fáctica y no representa gran cosa en la aventura personal de la protagonista. Al perder esa cualidad habitual, la narrativa misma de Benedetti se ha hecho más esencial (simultáneamente, el mundo oficinesco que mostraba hace diez años ya no es tan característico en estos tiempos de violencia, cuando el signo montevideano ha adquirido connotaciones latinoamericanas y el cargo de empleado público dejó de ser el sueño de los jóvenes). Pero aunque "El altillo" tenga resonancias del "Macario" de Rulfo y "Acaso irreparable" recuerde al Cortázar de *Bestiario*, aunque buena parte de este libro respire un aire menos localista, hay siempre en los cuentos una nota personal que surge de ese temor paralizante a la muerte, de esa confirmación desamparada de la soledad, de esa visión desengañada de la relación humana.

Los mejores cuentos, por esto, son aquéllos en los cuales ha logrado expresar con mayor penetración y originalidad la raigambre estremecida de sus temas. La muerte o la soledad o la incomunicación resultan reales o aludidas, desnudas o advertidas sutilmente; la segunda variante proporciona uno de los momentos de mayor expresividad y riqueza literarias. En "Datos para el viudo", por ejemplo, Benedetti recurre a la perspectiva plural y atomizada de Faulkner que él mismo empleara en su primera novela *Quién de nosotros* (1953), e incluso en la "confesión" desarrollada casi paradigmáticamente en "Déjanos caer". Lo significativo del cuento —la opacidad de un ser para el otro, opacidad que ni siquiera diluye la entrega del amor— encuentra una exposición lúcida y original: esos tres hombres que señala el cuento nunca pudieron tener a Marta; ella, como el eterno femenino, ha sido evanescente, y después de su muerte sólo queda una última venganza: el cuarto hombre, desconocido para los demás, que los ha sustituído. Una gran economía expresiva rige en varios cuentos de los que ya hemos hablado: en "Péndulo" las imágenes concatenadas van estableciendo el vertiginoso decurso vital de un hombre, y decretando así (la cámara rápida sólo confiere *mayor* velocidad a los hechos pero no los miente) su precariedad, su condenación de nacer para la finalidad última de la muerte. Otros cuentos como "La muerte" y "La noche de los feos", y en menor medida "Todos los días son domingo" y "Réquiem con tostadas", pueden filiarse en la misma línea de origen: todos ellos son, de alguna manera, cuentos piadosos, de ajena y propia conmiseración.

En su conjunto, *La muerte y otras sorpresas* carece de la organicidad de *Montevideanos*, y en cambio puede exhibir una destreza técnica mayor, más libre, un arsenal de posibilidades formales de las que no podía jactarse el volumen de 1961. Aun así, aun en la consciente maestría con que maneja los hilos o engranajes de la materia literaria, los cuentos han adquirido un calor, ese calor humano al que ya nos hemos referido varias veces. El mejor ejemplo es tal vez "Para objetos solamente", un cuento aparentemente descriptivista a la manera francesa. Su punto de vista es el de la fría cámara registradora que va mostrando con imparcialidad los objetos de una habitación. Entre ellos, el lector habrá de destacar —para luego armar un *puzzle*— dos fragmentos separados de una carta y un cuerpo exánime. La carta dará significación a ese cuerpo, a esa presencia humana inerte, tan inerte como los objetos que la rodean, y permitirá sospechar el suicidio y las motivaciones del suicidio, reinsertando la fría descripción en un universo mucho más templadamente carnal y orgánico. El cuento lleva un epígrafe de Rubén Darío: "Las cosas tienen un ser vital", que viene a ser la contracara humanista, esperanzada, cálida, de aquella *cosificación* que nos mostraba palmariamente *Montevideanos*. Pese a la variedad de acentos, y tal vez debido a esa variedad en parte, *La muerte y otras sorpresas* respira una atmósfera menos asfixiante aunque su tema mayor sea, paradójicamente, la muerte. Las cosas, o incluso las cosas, tienen un ser vital y todo este proceso muestra a un escritor buscando ese ser vital, en lucha a veces con su propio desánimo, con sus propias angustias. Se ve que en este libro se cierra un ciclo y se abre otro sin duda más fundamental y maduro, igualmente incitante para quien ha sabido seguir caminos diferentes, abrir rumbos en lo desconocido.

1970

NOTAS

(1) "Diálogo con Mario Benedetti", Lima, *Expreso*, 10-11 de abril de 1966.

La obra creativa de José Pedro Díaz se inició hace ya varias décadas, con primerizos y tentativos ejercicios de una literatura que podría decirse de cristal, débil y quebradiza: *Canto pleno* (1939-40) en poesía, o *El abanico rosa* (1941) y *El habitante* (1949) en prosa, no permitían siquiera vislumbrar los caminos más densos y grávidos que tomarían los libros posteriores. Con todos ellos, Díaz ha venido vadeando los cauces profundos y las vertientes convencionales de la literatura uruguaya, como guiado por la voluntad empecinada de encontrar sus propios rumbos fuera de los tradicionales, sin hacer propiamente "literatura" sino embarcándose en la aventurada exploración de la experiencia humana hasta dar, como frutos, *Los fuegos de San Telmo* (1964), límpido relato de la búsqueda de los orígenes, o el libro más reciente, esta suerte de acceso infernal a la certidumbre de la muerte y lo perecedero, que se llama con espléndido título *Partes de naufragios*.

Poco más de diez años ha llevado el curso de esta escritura literaria desde el *Tratado de la llama* (1957) hasta *Partes de naufragios* (1969), y hay en él un inequívoco e insoslayable sello intelectual que signa rotundamente buena parte de la obra. El *Tratado* aludido más los *Ejercicios antropológicos* (1957), reunidos junto con otras páginas de similar estilo en un volumen titulado precisamente *Tratados y ejercicios* (México, 1967), conjugan las breves prosas, simbólicas y poéticas, que han recordado a Michaux y aun pueden recordar la frialdad analítica de ciertos textos de Kafka. Son "ejercicios" de inteligencia, jugados en el nivel de la imaginación, donde pueden acoplarse las metáforas para extraer sus jugos más nutricios y oscuros, y hasta, en ocasiones, más sarcásticos; donde el escritor está escondido en los repliegues de la propia ambigüedad y es el cazador oculto y dispuesto a lanzar sus dardos llenos de ironía hacia el mundo circundante, o, también, el dueño y señor de un universo sobre el cual proyecta las obsesiones, los sueños, los terrores, sin desnudarlos al ojo impúdico del lector, sin cederlos del todo. La mayoría de los mensajes (mensajes también de náufrago, encerrados en la botella) contienen sin embargo cifras de cristalina elocuencia; basta llegar a la simpatía, a ese grado cordial del entendimiento, para reflexionar con él sobre la imposibilidad de la creación poética, sobre la inasibilidad de la palabra, sobre los huidizos datos del pensamiento, y asimismo captar las imágenes inquietantes que poseen su símbolo latente ("los cazadores" los "quemados", las "grietas") y las introspecciones familiares (la "avaricia"). Constituyen una zona de creación más emparentada, por el sabor privado, algo arcano, de su estilo, con la voluntad fantástica que guiara su mano en el breve y fantasmagórico relato *El habitante*, que con la rendición del recuerdo que conforma la médula de *Los fuegos de San Telmo*.

La aventura de *Los fuegos de San Telmo* es la aventura de la identidad y la memoria atávica. Está escrito bajo la invocación de los recuerdos, esta vez los recuerdos que un tío inmigrante le transmite a su sobrino, abonando en él la fértil floración de los mitos infantiles. Valdría la pena recordar a Pavese, cuando señala el sustrato mítico de la niñez en la primera aproximación al mundo: "De niños aprendemos a conocer el mundo no —como parecería— por el inmediato y original contacto con las cosas, sino a través de los signos: palabras, viñetas, narraciones". O cuando alude a la prioridad de las fábulas frente a las lecturas (y en el caso de Díaz estas últimas son Nerval y Virgilio, sus guías en *Los fuegos):* "Antes de los libros estuvieron las fábulas, las imágenes, los juegos, estuvieron los cantos y las fiestas". De ahí que el libro todo se deslice bajo el signo mítico: los relatos del tío Domenico sobre una (todavía para el niño desconocida) región italiana, y un pueblo —Marina di Camerota—, con los consiguientes relatos que se convierten en "fábulas": el encuentro con los *briganti* en la montaña, mientras llevaba su canasta de comida al "estudiante cura"; la lucha contra el perro salvaje ("Luchó toda la noche. Tutta la notte, sai? fino al alba. Era un gran cane bruno. Non so. Forse ch'era un'altra cosa. . ."), o la pesca del pesce-cane, es decir todos los motivos que luego, cuando hombre, el personaje recuerda y busca recrear viajando a aquellos lugares, al lugar único, al pavesiano lugar sagrado de los orígenes.

La nota que mejor define *Los fuegos de San Telmo* es la búsqueda de la resonancia de los símbolos interiores. Para ello el escritor pulsa una cuerda muy diferente a la de sus *Tratados y ejercicios,* porque ahora recurre sin ambages a la técnica del relato autobiográfico (el personaje se llama también "José Pedro"), en un proceso de ensimismamiento en sus avatares personales. Pero sin duda él no es, como no lo es el niño de *Partes de naufragios*, el personaje central o el más importante de la construcción narrativa: aquí precisamente lo que interesa es el entramado mítico, el conjunto de historias y el lugar donde se desarrollaron, los personajes (Domenico, sus hermanas, sus amigos), el contexto geográfico (la costa marina), e incluso el *viaje*, ese vehículo por el cual el hombre intenta reconquistar todo lo aprehendido en las fantasías justificadas de su infancia.

Si *Los fuegos de San Telmo* aparece escrito bajo la invocación de la memoria para recapturar un mundo vivido —lo cual es una forma de certificar la pérdida del pasado— *Partes de naufragios* es un libro escrito bajo la invocación de la muerte —de la intuición, y luego certeza, de que todo se destruye, de que el tiempo imperceptible clausura y corrompe la historia. La literatura contemporánea está precisamente empapada de intuiciones límite como éstas, y no pocas obras parecen seguir el curso de una desesperanza total que le otorga una nueva dimensión metafísica (si no hay otro término que éste, ambiguo e impropio), su índole de reflexión sobre la caducidad de las cosas. *Partes de naufragios* es una de ellas y, podría agregarse, resulta sin duda uno de los libros más desesperanzados, más entrañablemente amargos, que ha dado la literatura uruguaya. Como en *Los fuegos* —o más que allí— hay un ámbito y un demon familiar: del mismo modo que las pulsaciones, aparecen y desaparecen los personajes de una familia abolida, cuyo único sobreviviente —¿o náufrago?— es el personaje —niño y muchacho— que la vertebra horizontal y verticalmente.

Entre las varias lecturas simultáneas que la novela propone, una alude a un tiempo de la historia nacional: el Uruguay burgués y batllista de las primeras décadas del siglo, que también acaba de morir. Las primeras funciones cinematográficas, acompañadas por el piano que daba fondo al cine mudo, la reminiscencia (y el homenaje) de Carlitos Chaplin (o simplemente Carlitos, como el escritor lo nombra); las zonas entonces suburbanas de un Montevideo que se poblaba (Malvín era casi un desierto de arenales), o los recuerdos de la secreta y arcana masonería; pero también los personajes reales, un José Batlle hablando en la convención del partido, o los funerales multitudinarios del líder; la muerte solitaria de Brum tras el golpe de Terra ("de pie en la puerta de aquella casa. . . con los brazos caídos a los lados y un revólver corto en la mano"); e incluso, la muerte de Juan Loyola, "soldat inconnu" de las patriadas y revolución de 1904, símbolo de otro pasado más distante y más muerto, integran ese tiempo clausurado, junto con un inventario (morosas y densas descripciones mediante) de los objetos que fueron de consumo de su época y que llevaron grabados sus signos epocales. De todas maneras me parece que no está aquí, en este fácil nivel simbólico (apuntalado por otras alusiones, más cercanas, al sangriento 69 estudiantil, o a la nueva dictadura en acecho y sus zarpazos) el verdadero campo de acción de la novela, sino en la peripecia familiar contada en cada uno de sus meandros, en las sinuosas metamorfosis de cada uno de sus integrantes.

La clave más explícita aparece casi al final del libro, en el casual dialogado de un personaje: "Uno se pasa la vida soñando con la gente", dice, "y cuando la ve de verdad es cuando se está muriendo". Por esto, los momentos recurrentes de la obra, esos episodios que al reiterarse crean el ritmo del relato, son los que describen o aluden a la muerte de los seres queridos. Todos los personajes aparecen enfocados en momentos vitales —diálogos, reuniones de familia, gestos personales— pero cada uno obtiene su cuota de destino en la enfermedad que le toca y en la muerte. La muerte del padre, lentamente desarrollada a través de capítulos diferentes y distanciados; la muerte del tío Mario, sifilítico; del tío Miguel, canceroso; o la soledad enajenada de la tía Marcela, juntos parecen pasar y ser absorbidos por el filtro de la sensibilidad del personaje, como si constituyeran el verdadero alimento terrestre, la verdadera nutrición de la experiencia. De esto, que la novela, abigarrada en su estilo, densa en muchos episodios (la simple llamada del muchacho a la Asistencia Pública para que recojan a su tío Mario está como escrita en "cámara lenta", oníricamente, como si nunca, a través de páginas y páginas, el muchacho pudiera alcanzar ese teléfono) llegue a ser asfixiante, intolerable, difícil de mantenerse como lectura de gratificación antes que como fascinada visión del horror inacabable.

Los espacios abiertos, el mar, la montaña, el puerto, la (siquiera ilusoria) posibilidad de rescate de *Los fuegos de San Telmo*, prácticamente han desaparecido, aunque haya en ambos libros un reconocible aire de familia (y la alusión a episodios comunes: la lucha con el perro en la montaña, el tío que lo llevaba a pescar). Aquí todo tiende a conjugarse en interiores cerrados, en atmósferas malsanas; en sanatorios donde se custodia la agonía del padre, o en viejos caserones donde se amontonan los objetos menos necesarios como un desesperado intento de sobrevivencia. Los pocos resquicios de luz, de aire, de alivio en este relato implacable aparecen episódicamente en el recuerdo de los juegos infantiles o en algunas discretas alusiones al "paraíso perdido" (*"Hubo un tiempo en que, en Malvín, siempre era verano"*) que instauran la melancolía y el sentimiento de que lo importante sucedió *in illo tempore*. Por el contrario, el presente, o los sucesivos presentes que son los nudos que sujetan la novela, sólo tienen un lenguaje: la muerte. O bien sus símbolos particulares, símbolos que con maestría Díaz introduce y pauta a lo largo de la narración. Esos símbolos son acaso el acompañamiento obligado de la historia, sus directas resonancias en formas corpóreas que afecten los sentidos. Por ejemplo, los montones de basura que se agrupan surrealísticamente en las calles durante una larga, demorada huelga de basureros (*"La ciudad no deja de segregar su inmundicia"*); o la rabia que se extiende entre ratas y perros, o entre esos extraños animales subterráneos que el autor describe impasible y científicamente (capítulo 16) en el mejor estilo de sus *Ejercicios,* como también lo hace con los murciélagos (capítulo 32), analizándolos en su frío horror biológico. Estos símbolos, sin hablar, claro está, de las abundantes metáforas marinas —las mareas, el agua negra e invasora, los naufragios—, metáforas de "clima", ni las alusiones a las lecturas del niño: *"Historias de viajes, navegaciones y naufragios, y a veces, arribos a lugares desconocidos: viajes y descubrimientos"*, que están sintetizando todo su significado.

Otra clave traslúcida y central, que se relaciona con el símbolo frecuentemente reiterado de los hormigueros, lo proporciona el epígrafe de la novela. Son fragmentos de Stendhal, de ejemplar concisión: "Un cazador dispara su fusil en el bosque; su presa cae; él se lanza para asirla. Su calzado golpea un hormiguero de dos pies de alto, destruye la habitación de las hormigas, sus huevos. . . Las más filosóficas de las hormigas jamás podrán comprender ese cuerpo negro, inmenso, horrible; la bota del cazador que de golpe penetró en su mansión con increíble rapidez y precedida por un ruido espantoso, acompañado por haces de fuego rojizo. . . Así la muerte, la vida, la eternidad, cosas muy simples para quien tuviera los órganos suficientemente vastos como para concebirlas. . . Una mosca efímera nace a las nueve de la mañana de uno de los largos días de verano para morir a las cinco de la tarde; ¿cómo podría comprender la palabra *noche*?". La voluntad del narrador imprime desde aquí su significado metafísico. Pues su novela no es sólo el réquiem por un determinado tiempo abolido, es también la reflexión artística (no discursiva) sobre la condición humana, la abolición del tiempo. El mérito de Díaz consiste en jugar sus cartas con una sabia prescindencia. Porque esa dimensión de su novela no está expresada con retórica, y el libro no aparece inficionado de pretendida trascendencia. Su eficacia, en rigor reside en la fiel y minuciosa dedicación al mundo común y vulgar de lo cotidiano, a los recuerdos intrascendentes de palabras y juegos, de gestos y actitudes que no salen de lo común, que jamás se lanzan ni penetran el ámbito de lo heroico y de lo extraordinario. El gesto más terrible del autor es insertarla en la vida de todos, eliminando la "ficción", insistiendo hasta el extremo en que se trata de ésta, nuestra única y palpable existencia.

Vargas Llosa ya había advertido la original estructura de *Los fuegos de San Telmo:* "El libro está construido según un sistema de vasos comunicantes, es decir, fundiendo en unidades narrativas episodios que ocurren en tiempos y espacios diferentes, y que de ese modo se enriquecen mutuamente con sus respectivas vivencias". Un cuidado similar de estructuración preside *Partes de naufragios* aunque aquí la propia densidad de su tema le impide llegar a la límpida tensión de aquella única línea narrativa de *Los fuegos.* Si bien hay un tono general, mantenido, en su libro más reciente, muy a menudo sus frases se encabritan, se agrupan, yuxtaponen, crean un clímax, tensan sus imágenes; y otras caen en una quietud calculada. Quizás haya lector que añore la perfección de lenguaje y sintaxis que distiende *Los fuegos de San Telmo* e incluso sus *Ejercicios* en una superficie lisa, sin accidentes ni urgencias. La narración de *Partes de naufragios* se hace por el contrario porosa, deja caer oscuridades, da pequeños escarceos elípticos, efectos del relato que ahondan con su presencia esa propia porosidad de la experiencia narrada. Y otras veces hay innegables defectos de narración (uno reincide en cada diálogo entre niños o muchachos, donde no se alcanza la naturalidad, la fluidez, embretado el lenguaje en los estereotipos del habla de la calle). Sin embargo nada de esto, de todos modos, obsta para que el libro, tomado en su conjunto, con su ríspida elocuencia, pueda considerarse uno de los mejores, más complejos e importantes de la moderna literatura uruguaya.

1970

39. ARMONIA SOMERS: PARAISO INFERNAL, CELESTE INFIERNO

1. Todos los cuentos

Es en verdad extraño, sombrío, el mundo que relato a relato Armonía Somers ha ido erigiendo desde hace más de tres lustros. No todo en él está logrado; en las casas abandonadas a la furia demoníaca del viento norte, o en los refugios de vagos y delincuentes a punto de derrumbarse, hay grietas y manchas de humedad y paredes descascaradas. Pero es sólida, por otra parte, la tradición y la leyenda que se va formando alrededor de ciertos rasgos, de ciertas historias o nombres o elementos de su mundo, evidenciando así una persistencia propia del auténtico hallazgo. Del mismo modo que se habla casi familiarmente de Santa María o de Larsen —ahora de Macondo— porque han logrado una plasmación viva y ricamente artística en la imaginación que la absorbe, también se recuerda al negro y a la Virgen de "El derrumbamiento", o se habla de la singular historia de Rebeca Linke.

Lo que en sus comienzos funcionó de catalizador creativo, de "rulemanes" —como dice la narradora— para la escritura de su primera novela, La mujer desnuda (1950), fue un rasgo de su obra que al darle origen la marcaba para siempre, tal vez sin saberlo: "todas las rebeldías, todos los enjuiciamientos que bullen en el alma a punto de caldero del novelista antes de dar a luz su lava primigenia". Después, en el ciclo de su madurez creativa, fue restando la estridencia de la rebeldía en su sentido romántico, y más aún, en su nivel menor, acaso simplemente social, en que se debatía la historia de Rebeca Linke a través de una peripecia que envuelve y compromete a todos los personajes, a una sociedad entera. Pero si bien ello se efectuó como una resta, la rebeldía persistió trasmutándose, ahondándose, hasta constituir más que una requisitoria contra los hábitos e hipocresías de los hombres, una requisitoria contra la vida, contra el destino, contra el ordenamiento fatal del cosmos que los hombres hacen más inútil y absurdo.

No era por cierto un resabio del "rousseaunismo", o del misticismo carnal de un D.H. Lawrence, lo que Armonía Somers quiso expresar en la parábola viva de su primer relato. Más cercana está la literatura "liberada", erótica y sarcástica al fin de un Erskine Caldwell (piénsese en Journeyman tan sólo), y como en él, lo importante, lo conflictual, no era sólo la vida de los individuos sino el mundo colectivo, enfermo de rencor y de instintos reprimidos, que estalla al paso de la "mujer desnuda". Si se releen sus primeros cuentos —El derrumbamiento— podrá percibirse como el fondo de una anécdota individual —el negro y la Virgen, Goyo Ribera, el despojador, etc.— todo un universo de formas humanas que se impone en definitiva, acercando a un primer plano y definiendo lo mejor sus contornos, ya que él mismo condiciona todas las formas de existencia con su propia corrupción. Cifra y clave de sus resortes íntimos, es entonces la figura de la Virgen, el enjuiciamiento que hacen los propios jueces y verdugos de su hijo: "Ellos me mataron al hijo. Me lo matarían de nuevo si él volviera. Y yo no aguanto más esa farsa. Ya no quiero más perlas, más rezos, más lloros, más perfumes, más cantos". Es su rebeldía.

Todo el satanismo —esa metódica arremetida contra los símbolos sagrados de la religión o de la sociedad, como violenta y justa iconoclastia—, toda la crueldad volcada ahora sobre el mundo, encarnan como expresión de una requisitoria que en su ahondamiento acabará por comprender al mal en un nivel más profundo, cósmico, pero que aún no revela los valores ciertos y definidos de su rebelión, si es que no se infieren de su ausencia. Sin embargo esos valores aparecerán luego, ahora, si existen, en el conjunto de su narrativa breve, *Todos los cuentos* (1953-1967), 2 tomos, Montevideo, 1967, donde reúne sus cuentos escritos en 1953 y el presente, y donde por primera vez agrupados en libro se publican algunos relatos de la misma época o posteriores a *El derrumbamiento*, verificando, corrigiendo, delimitando con más nítida silueta su propia visión del mundo.

Es así como bajo el título común de *Mis hombres flacos*, Somers no sólo ha escrito cuatro de sus mejores cuentos sino también encontrado un tono, una dimensión diferentes de su narrativa. Son "Las mulas". "El memorialista", "El entierro", "Historia en cinco tiempos", donde al igual que en otros cuentos de *La calle del viento norte* ("Muerte por alacrán", paradigmáticamente) se expresa un tono en el que la terrible expectación de los relatos negros depurados y ceñidos de *El derrumbamiento* recibe el hábito de la ironía: un alejamiento emocional de sus criaturas, o bien la gozosa complicidad en su exterminio. La historia del entierro que hacen los borrachos está contada con brillante ingenio, como ejemplo de un desembozado humor negro que no existía en sus primeros libros publicados.

Del mismo modo la ironía crece y se agranda, como "ironía del Destino" en "Muerte por alacrán", o establece una parábola de la vida como ciclo que se cumple en un ritmo seguro y fantástico, en "Historia en cinco tiempos".

Este es su mundo, en el que se funden, como una sola, las imágenes del infierno y del paraíso: los vagabundos, los violadores, la familia de locos, las lesbianas, el asesino, los ebrios, los demonios —todas sus criaturas— podrían recontarse sistemáticamente para mostrar al fin como rasgo común, un demonismo interior —a touch of evil— pero también una secreta angustia tras la desesperanza. Como en el mismo salvaje sarcasmo de un Ambrose Bierce contra el idealismo romántico se escondía otro idealismo, es posible percibir en el mundo de estos relatos, la fisura de una herida que impulsa también su propia rebelión.

La violencia, o todas las formas de la violencia de este mundo, están creadas gracias a un estilo que con tropiezos y fascinantes hallazgos la puede sostener. Los últimos relatos se advierten escritos con oficio más seguro, visible una depuración (hasta en la estructura del cuento) que dentro de sus límites comienza a descreer en la puntual fidelidad de un estilo desgarrado a un tema desgarrado. El fraseo extraño y no siempre eficaz de sus primeros cuentos, y hasta de esa singular novela tampoco lograda que es *De miedo en miedo*, reaparece por ejemplo en un cuento como "El hombre del túnel", pero ya legítimamente, para rematar un final o alcanzar un clímax, y ahora con un carácter preciso, claro, terminante: "Entré así otra vez en el túnel. Un agujero negro bárbaramente excavado en la roca infinita. Y a sus innumerables salidas siempre una piedra puesta de través cerca de la boca. Pero ya sin el hombre. O la consagración del absoluto y desesperado vacío".

Subsiste sin embargo como rasgo primordial de su escritura, una evocación sensible de la violencia a través de los elementos aparentemente más insignificantes del lenguaje y de la imaginación, cuando se "violan" los secretos o cuando "lo único inviolado por la luz" permanece como una expectación frustrada de la violencia. En otros momentos, con mayor riqueza imaginativa y mayor originalidad, las cosas habituales de golpe comienzan a vivir, revelando agresivamente su secreto: "De pronto, mientras la puerta del ascensor se abría de por sí como un sexo acostumbrado, el pasamanos grasiento de la escalera se me volvió a insinuar con la sugestión de un fauno tras los árboles...Y yo hacia atrás de la memoria, cabalgando en el pasamanos tal como alguien debió inventarlos para los incipientes orgasmos, que después se apoderan de las entrañas en sazón, hasta terminar achicándose en los climaterios como trapo quemado".

Así la literatura negra, desgarrada, se concentró en el primer libro de Armonía Somers buscando una mayor pureza del género, para luego encontrar vertientes que, sin desmentirla, enriquecieron su visión del mundo y su trasmutación literaria, hasta llegar no solamente a la rebelión y a la denuncia sino también a una ética y a una mítica. La destrucción, el derrumbamiento, es el signo de todo este periodo: "el polvo del aniquilamiento" con que termina el primer cuento equivale a la vocación destructiva del personaje en "El despojo", donde la mujer de su primer episodio llega a transformarse en el alimento que noche a noche nutre a la "araña", mientras la verdadera cópula se realiza entre el marido y el amante, con el símbolo de una camaradería diabólica: "¿Qué había hecho él también sino aprovechar el festín gratuito?". Asimismo en "La calle del viento norte", uno de los pocos cuentos que integran sin restricción el género fantástico, es el viento su signo principal a la vez que es signo de la destrucción: "el viento que empezaría a acecharlos", la fuerza viva que requiere los ordenamientos por ella establecidos, el monstruo mórbido que necesita su alimentación de ecos.

Sin embargo junto a la destrucción de "El derrumbamiento" brilla también una suerte de defensa, de protección de todo lo auténtico y no corrompido —aunque tal vez sólo idea, esperanza dentro de la realidad, y tan real como ella— que hacia el mismo tiempo se da en *La mujer desnuda*. La des-sacralización de lo falso y caduco convive con la segura gloria del instinto sexual. A través de su metáfora, la historia del negro que derrite a la virgen, es la desfloración: "Has derretido a una virgen. Lo que quieres ahora no tiene importancia. Alcanza con que el hombre sepa derretir a una virgen. Es la verdadera gloria de un hombre. Después, la penetre o no, ya no importa". Ese mismo nivel de significación metafórica, en que lo sexual adquiere una lúbrica exaltación, es la que apetece *La mujer desnuda*. Allí también la relación de Rebeca Link y Juan —como la relación de Tristán y la Virgen—, parece al margen de la destrucción de lo maldito y lo corrupto. Y es todavía en "El hombre del túnel", uno de los cuentos ahora incluido en *La calle del viento norte*, que el sexo y el horror vuelven a separarse, avizorando una secreta, equívoca pureza.

Con un régimen simbólico que tiñe poderosamente toda la literatura de Armonía Somers, este *cuento para confesar y morir* congrega en una verdadera posibilidad de apertura, los temas soterrados, la equívoca y ambigua iluminación de un mundo. Hay en él la misma pasión de rebeldía, los mismos enjuiciamientos que bullen en el alma a punto de caldero del novelista, el mismo desprecio por la vileza humana, y el secreto que separa al individuo del mundo. "El hombre del túnel" se constituye así en una historia íntima de su universo, en una confesión más allá de la muerte (el narrador está muerto, como el Juan Preciado de *Pedro Páramo* o como las más sardónicas memorias póstumas de Braz Cubas) que se mantiene como testimonio contra una raza de "idiotas crónicos, pobres palurdos sin aventura, incapaces de merecer la gracia de un ángel que nos asiste al salir del túnel", y también contra un imprevisible destino, por llamarlo de algún modo, que la voluntad no puede regir y que ha terminado por hacer de ésta, una extraña tierra del desencuentro.

En estas coordenadas, la nostalgia se vuelve sobre el espectro de lo perdido, de lo que no se dio nunca. La imagen del hombre ausente al que estaba reservada la virginidad de una "ternura", la fidelidad al simbólico violador, el sacrificio y la muerte, juntos guardan celosamente la imagen de una plenitud frustrada, acaso ilusoria, acaso imposible. Es así como el ciclo del infierno debe cerrarse con la nostalgia del paraíso, al mismo tiempo que consagra el "absoluto y desesperado vacío".

2. *Un retrato para Dickens*

El homenaje a Dickens que es su propio título, la extraña fotografía que inicia el libro, la transcripción casi integra del bíblico Libro de Tobías, y un inventivo final titulado "Los rollos de Asmodeo", son el desafío lanzado por la escritora a su lector, desafío a tomar los variados elementos que propone este *Retrato para Dickens* (1969) y recomponer la estructura total. Su tarea resulta estimulante, porque precisamente esos rasgos disociados obligan a una atención mayor, ávida, por la cual todos los sucesos, todas las alusiones, toda la pulpa anecdótica del libro se aglutinan en una lectura llena de plenitud y gozo. Esta es la primera sorpresa del libro de Armonía Somers. Hasta el momento, su obra literaria había lacanzado altos niveles pero dentro de un mundo y un estilo muy personales y casi siempre extraños a la educada sensibilidad del realismo. Los relatos breves —desde *El derrumbamiento* (1953) hasta *La calle del viento norte* (1963), recogidos en dos volúmenes como *Todos los cuentos* (1967)—, o las dos novelas anteriores —*La mujer desnuda* (1950) y *De miedo en miedo* (1965)— mostraron algo mucho más complejo que la "franqueza sexual" que escandalizara en la novela de 1950; en efecto, una perenne oscilación entre lo real y la simbología de las situaciones y de los objetos, entre una mórbida sordidez y un elusivo mensaje de pureza, estaba evidenciando el esfuerzo creativo por expresar las oscuras ambigüedades de una visión existencial teñida por sombrías intuiciones, por destellos, podría decirse, de lo angélico y de lo demoniaco. De ahí las primeras formas "desagradables" de una obra que no admite concesiones; ejemplos son las historias de "El derrumbamiento", "El despojo", de "Muerte por alacrán" o "El hombre del túnel", que también obtienen su veta de humor negro en cuentos como "El entierro". En todos ellos, como en las novelas la llamada no proviene de un contar sabroso sino ríspido, de una anécdota elegante sino monstruosa, de una perfección de estilo sino de una dureza de lenguaje y de sintaxis, que hacen más auténticamente dramáticas esas instancias arrancadas a la vida o al submundo de las pesadillas.

Un retrato de Dickens es fiel a esa realidad tan original de Armonía Somers; pero al mismo tiempo inaugura un equilibrio más profundo entre la historia que narra y el dominio de su voz, como si esta vez especialmente la visión humana que la sustenta hubiese encontrado una totalidad ajustada, firme, sin altibajos, desde el momento en que comienza la novela (que es su final) y el momento en que culmina (que es también su principio). El relato se abre con una técnica policial: ha sucedido un hecho, es necesario un informe. Desde ahí, el personaje central —una huérfana de diez años— cuenta al nivel de su propia sensorialidad e inteligencia, la vida cotidiana en el inquilinato y entre la familia que la ha acogido. Allí está Dickens, allí están los bajos fondos de pobreza y trabajo, con un Oliver Twist que es ella misma, un hermano negro también huérfano, y "cinco hermanos de verdad" aunque tampoco son suyos. La vida en el inquilinato da pie para una sabrosa descripción de historias, escándalos, costumbres, convirtiéndolo en un mundo cerrado y autónomo (como en la famosa *Crónica* de Pratolini), cuyo "solo golpe de presencia borraba cualquier melindre traído de afuera", y donde en una sola noche podría ocurrir "el asesinato, el robo, los partos callejeros, las grescas de prostitutas y borrachos, y hasta las mil formas de suicidio. . ." Los personajes circundantes resultan asimismo tan curiosos como grotescos: una madre que brinda a la muerte de su marido; un hermano loco, recluido en un altillo, que lanza desaforados aullidos al tiempo que se masturba; un loro llamado Asmodeo que registra todo desde su jaula colgada en el segundo piso (es la "última reencarnación" del bíblico Asmodeo, "transformado", dice él mismo, "en el espejo de un inquilinato muerto de hambre"); una abuela que llegada su hora anuncia la partida, se despide de todos y comienza a confeccionar su mortaja (motivo también empleado por García Márquez en *Cien años de soledad*); una prostituta explotada por dos hermanos, que engaña a uno con el otro; una vecina, a quien llaman Jaspe por su manía con el fulgor de sus cacharros; el hermano negro, que roba un gramófono en el prostíbulo donde es mandadero; y, en fin, el propio personaje principal, esa "estampa para un libro de Dickens", dibujada con una implícita y secreta ternura como es raro encontrar en otros libros de Somers.

Esta sola línea argumental justifica con creces la novela, en especial su relato de la azarosa vida de la huérfana y sus sucesivas ocupaciones para ganar el sustento. Pero aun se entreteje con ella la versión bíblica de Tobías en el Antiguo Testamento: las costumbres piadosas para con sus "hermanos concautivos de su linaje o nación", la prueba a que lo somete Dios —como a Job— cegándolo con los excrementos calientes de unas golondrinas; el viaje de su hijo, acompañado por el ángel Rafael, y el casamiento consiguiente con Rada —viuda de ocho maridos— evitando la trampa mortal del demonio Asmodeo; el regreso a casa, la cura del padre y el cántico final de gracias al Señor, todo ello en forma de capítulos que se alternan con los del relato mayor. Esta doble y paralela acción narrativa —anudada al final por la pretendida "versión" del loro en que ha acabado por reencarnarse Amodeo—, apenas parecen guardar relación, si no es en esa nueva dimensión que se crea con la presencia simultánea del estilo humilde y el sublime de la historia realista y la mítica, de la ausencia de Dios y la terrenalidad más tangible y de la constante fe del texto bíblico.

Es esta oscilación también la que en ondas subterráneas recorre los textos más complejos y ambiguos de Armonía Somers y parece señalar el origen de un conflicto y de una problemática humana —sin llegar a ser religiosa— cuya resonancia está precisamente en la ausencia de Dios *grávida de sentido*, o en su "ausencia" porque precisamente *puede existir* fuera de esa realidad. En la historia de la huérfana el tema de Dios aparece explícitamente a lo largo de un diálogo entre la niña y un pescador, que da pábulo a una hermosa imagen sin embargo cargada de duda existencial: "El mundo es importante y hay que vigilarlo con los ojos limpios. Qué sería de todo esto con un ciego en la timonera. . ." O en la intuición nocturna de la niña: "Yo seguía esperando que alguien me aclarase de una vez por todas el porqué del vivir para morirse, un juego que, de ser sólo así, no tendría ni razón de haberse inventado". Pero también, simbólicamente, aparece en ciertas imágenes casi desapercibidas que deja caer la novela, como la del pan (es decir la hostia) cuya "insulsa miga, siempre tan parecida a ella misma" y sin el poder de transformarse, como el bizcochuelo, al ritmo de sus múltiples recetas, el personaje arroja y se "entrega a la furiosa tarea de hacerlo polvo en el suelo con la punta del zapato".

De este modo —elusivo, oscuro, pero con generosas claves— Armonía Somers vuelve a replantear ciertas incógnitas que en sus cuentos poseen una expresión más breve y si se quiere insuficiente, y en sus dos novelas un nivel diferente (casi social en la primera, sicológico en la segunda) pero mantenido en toda la obra su inequívoco sello personal. *Un retrato para Dickens* provee esa dramática —y cómica— lucha entre el ángel y el demonio, no sólo en el divertido testimonio de Asmodeo en sus "Rollos", o en su papel amoral y humorístico a través del relato. Lo "angélico" tiene su lugar en la confesión de esa niña tan proclive a caer "enferma de ausencia" o a sentir —hambre mediante, aunque no se diga— cómo puede volar, abandonar el suelo: "Se repitió casi noche a noche el sueño de andar sin tocar tierra. Como todo mecanismo angélico, éste iba en progreso. En una de esas incursiones planeadoras, y ante los ojos y el pico abierto del loro, subí hasta su jaula sin usar un solo peldaño de la escalera, sin poner un dedo sobre el pasamano ferruginoso".

Sin embargo, esta dimensión simbólica no es en definitiva la que priva en la novela, sino aquella más directa relación de la vida de la protagonista. Es en ese plano que Somers encuentra sus personajes y su mundo, y donde, merced al ingenioso trazado de sus seres de ficción, alcanza una robusta amenidad. Tal vez en esa línea "dickenseniana" su historia aparezca muy contraída, ansiosa de un desarrollo mayor, así los sucesos de la huérfana en las fábricas donde episódicamente trabaja, pues su mordiente social, el hormigueo humano que muestra, surgen y desaparecen en demasiada rapidez. Pero de todas maneras puede reconocerse el éxito con que la novela recurre a sus registros: de la anécdota sórdida del presente a la exaltación bíblica, de la ternura y la inocencia del personaje al humor sardónico del loro Asmodeo, de la religiosidad de Tobías a la aterrada intuición de la nada. En la unión de esas fuerzas contrarias es que *Un retrato para Dickens* encuentra su mejor expresión.

1967

Coca (1970) es la cuarta novela de Carlos Martínez Moreno. Como las anteriores —*El paredón*, 1963, *La otra mitad* y *Con las primeras luces*, 1966— se encontrará en ella la fidelidad a ciertos rasgos que ya caracterizan su escritura y su mundo narrativos: la extracción de sus historias de sucesos reales o aparentemente reales —a veces de resonancia periodística— que el escritor aphereza con referencias históricas, con su contexto verificable; la capacidad reflexiva de sus personajes, capacidad que se transforma, literariamente, en *racontos* y *flashbacks* (*Con las primeras luces* y *La otra mitad* son la suma de ellos) llevados hasta los orígenes, la infancia; o esa exuberante profusión de datos ambientales (la referencia a Barrientos, al Che, a Debray, en *Coca*, o la ubicación precisa de sus seres ya sea en Buenos Aires o en Montevideo con la mención circunstanciada de sus hoteles y sus calles) que le provee el conocimiento directo de hombres y lugares y al que le ha acostumbrado su mano la velocidad del ejercicio periodístico. Pero, con todo, podría decirse que es la novela en la que más haya podido desembarazarse de sus mayores condicionamientos estilísticos como para hacerla una obra de lectura ágil; de las cuatro, la de más amena andadura, y si no lineal, de un desarrollo de marcado sentido progresivo, como calculada con habilidad de nato *raconteur*. La lucidez del narrador que a menudo envara sus temas y argumentos metiendo sus vivencias en una jaula brillante pero limitadora, ha dejado en cierta medida paso a una aventura. Y en este caso la aventura de Martínez Moreno —que en sus novelas y cuentos anteriores aparece puntualmente desmentida— consiste en narrar, en el puro narrar inteligente, nunca excedido en la búsqueda de símbolos o significados que trasciendan a su historia.

En el ejemplo de *Coca* la historia es muy sencilla, hasta engañosamente sencilla. Utilizando la técnica del perspectivismo (la confesión de los personajes o la narración desde cada particular punto de vista) y tomando como centro irradiador un proceso judicial desde la perspectiva del abogado defensor, Martínez Moreno traza el tema de tres accidentales traficantes de coca —un boliviano, un belga, una francesa— que intentan hacer de Montevideo un puente, un enlace hacia Europa, y caen en manos de la policía por una presunta —nunca aclarada— delación. Para llegar a este punto, el autor ha comenzado por tomar a sus personajes uno por uno, desarrollando sus historias individuales hasta el encuentro que motivará su frustránea tentativa comercial. El Capitán es boliviano, adscrito al agregado militar de Bolivia en Argentina, y cuando ocurren estos hechos, es un cesante más en su carrera, un paria latinoamericano. Marie-Louise y Marcel vienen de Francia; llevan sobre sí, ella una infancia y adolescencia desgarradas que fácilmente le han convertido en una aventurera, él un pasado hermético, parcamente revelado, y una disponibilidad existencial que lo hace un aventurero. Las relaciones amorosas (primero Marie-Louise—Marcel, después Marie-Louise—El Capitán) son motivo suficiente, si se quiere, para emprender ese desesperado intento de sobrevivir a sus miserias presentes. Pero también lo es el curioso ajuste de caracteres que Martínez Moreno ha sabido ver con perspicacia en sus personajes, transformando sus relaciones humanas en un puzzle constantemente desarmable y fluido. Sus personajes, en el fondo, no son sórdidos delincuentes sino un trío de desgraciados desconectados de sus patrias y contextos culturales, vagabundos sin específicos anhelos ni clara visión de su futuro. En todo esto recuerdan a los personajes de Traven (en particular los de *El tesoro de la Sierra Madre*); porque en vez de acudir a la tradición de los personajes *duros*, fruto del mito literario o cinematográfico, el escritor apela al antihéroe, al héroe con debilidades, a la sombra del paradigma. Así los hace más veraces, más patéticos.

Por datos accesorios que el lector no ha de pasar por alto (la edad de un personaje en una página, la fecha en que nació, más adelante, o la alusión a hechos contemporáneos) la novela está ubicada en precisas coordenadas espaciales y temporales: ocurre en 1958 y se cierra con un epílogo (la carta de Marie-Louise al abogado) que menciona la prisión de Debray, el gobierno de Barrientos y la muerte del Che, y es posterior, por ende, a 1967 y se desarrolla, después de revisar sus antecedentes europeos o la estada en Buenos Aires, en el centro de Montevideo y en un hotel de Pocitos. Esa es la cercana y jugosa esencia montevideana de una historia cosmopolita, con extranjeros que se sienten perdidos en la noche de esta ciudad para ellos desconocida y que caen a merced de la policía sin muchas dificultades, casi como una salvación a desgano. En el epílogo, la misiva de Marie-Louise desde Tánger (como auténtica aventurera, ha cambiado radicalmente su escenario de vida) provee, adelanta una clave de la novela, de su estilo suelto y original, y de algunas intenciones que le guían. Dice allí: "Le escribo, pienso ahora, como una especie de alivio, para que usted se imagine el final de esta historia y me libere dentro de ella; tengo una necesidad egoísta de liberarme de ese final, como si precisara convencerme de no haberlo provocado. Sí, sí, liberarme del final de esta historia objetivamente crapulosa, que alguna vez usted afirmó que le gustaría escribir sin tocarnos, dejándonos ilesos. 'Ilesos e ilusos', bromeó usted esa vez. ¿Será Posible?". En efecto, a lo largo de la novela el autor no busca ajustar cuentas con sus personajes, agotarlos, extorsionarlos, sacarles todo jugo y dejarlos en la pulpa existencial (¿qué otra cosa ocurre, por ejemplo en *La otra mitad*?) de quien pasa bajo la lupa del escritor omnisciente. Martínez Moreno se coloca (si no lo es, en verdad) en la piel del abogado defensor, y sólo es un oído atento, un registrador, a veces quien pregunta, quien busca la verdad tras las contradicciones, pero sin esa urgencia policíaca, casi por curiosidad humana o por eficacia profesional. De ahí que esos seres pasen por el libro casi sin ser tocados, ilesos, dueños todavía de sus misterios y personales frustraciones.

Aquí reside el mérito fundamental de la novela. En la medida en que sus personajes no son tipos postulados, como en "Los aborígenes", se hacen creíbles, familiares. Creo que revisando la lista de personajes de sus novelas anteriores, éstos salen ganando —aunque sus dramas sean menos profundos o ambiciosos— en interés y verosimilitud novelesca. Sin duda el mejor delineado es Marie-Louise; el Capitán y Marcel esconden sus motivaciones a mayor profundidad y resguardo, mientras los personajes secundarios —la "reina del carnaval", el hotelero, el señor Maurice, el Embajador, el abogado argentino— tienden por su brevedad al clisé, a la síntesis de sus títulos y ocupaciones profesionales. Pero todos se cruzan, conviven, se relacionan en la escueta dimensión que se le debe al trámite judicial, asemejándose en ese rasgo y por su precariedad, a la accidental y casual relación de los seres reales. Otro mérito consiste en el "tiempo narrativo", para esto, como siempre, Martínez Moreno se vale de historias insertadas, recuerdos, anécdotas de más o menos extenso desarrollo, que no se relacionan obligatoriamente al tema pero ayudan a delinear a sus personajes como signos de sus personalidades. Así la historia de Arquímedes, el padre de El Capitán, en los fundos de Cochabamba; la de Vladimir (la mejor) que tiñe infancia y juventud de Marie-Louise con el tono melancólico del amor inocente, perdido, pero asimismo trágico; la de M. Vincent, como la aparición de un fantasma crapuloso en la iniciación sexual de la muchacha; o el relato de la muerte de Abraham Valdelomar.

Sin duda la inclusión de estos relatos dentro del relato ajustan el tiempo de la novela, le otorgan una especial dimensión. Se exceden en algunos casos; al retomar la historia de Vladimir, hacia el final del libro y dedicándole un capítulo entero, se pierde la magia de su primera aparición, se subraya (prescindiblemente) una historia que debió quedar casi velada, sin explicaciones ni insistencias. Como también se pierde la oportunidad de presentar a sus personajes a través de sus actos (no parece haber otro recurso válido en literatura), al revisar la vida de El Capitán y de Marie-Louise, en sendos capítulos iniciales, con procedimientos curriculares más que narrativos. De todos modos, como rara vez en sus libros anteriores, se mantiene aquí el equilibrio entre los diversos elementos de su literatura; como pocas veces antes, además, Martínez Moreno se ha dispuesto a desprenderse de la morosa introspección existencial o del examen serio y sistemático de las actitudes. Así, por encima de la circularidad de su estilo, de su confianza en el análisis para descubrir o al menos atisbar la flaqueza humana, accede a los hechos que en definitiva tienen la pura y generosa función de mostrar esas flaquezas. En el caso de *Coca*, la flaqueza de sus tres pobres traficantes.

41. ELISEO SALVADOR PORTA, TESTIGO DE UNA TIERRA OPRIMIDA

Un hombre múltiple, dinámico, responsable y preocupado por su país, es el que este mismo país perdió el 11 de diciembre de 1972, cuando Eliseo Salvador Porta se quitó la vida. Nacido en Tomás Gomensoro (Artigas) en 1912, puede decirse que Porta mantuvo siempre una fidelidad entrañable y lúcida hacia su departamento de origen, asimilando en él a toda la campaña del país, ese interior olvidado de un Uruguay que se dice agropecuario·pero se concentra, deformando la perspectiva, en un solo punto: Montevideo. El conflicto de Porta con la capital y su decidida asunción como hombre afincado en los valores de la tierra, tienen inmejorable testimonio en su obra literaria, los cuentos, novelas y ensayos que escribiera desde 1943. "Poseo sin duda, como todos, mi escala de valores, y en función de ella escojo, prefiero, busco, soy influido. No sabría decir cuál es la tal escala, porque muchos de sus términos deben ser inconscientes; pero creo que las relaciones dramáticas del hombre de campo con su tierra y su cielo, me apasionan particularmente. Esto es obvio porque no conozco otra cosa, ya que cuando entré en Montevideo iba mirando para atrás, actitud que conservé todo el tiempo que estuve allí, lo que explica las innúmeras veces que tropecé".

Su semblanza humana, ese cúmulo de tareas, actividades y trajines que desarrolla un hombre en sus sesenta años bien vividos, caben tal vez en pocas líneas, como siempre, y como siempre esas líneas resultan engañosamente sencillas. Pero importa recordar en Porta sus comienzos, su origen, su edad temprana y formativa que determinó de muchos modos sus pasos posteriores, como lo reconociera el autor. "Sospecho que es en la infancia y la adolescencia pueblerina donde deben estar las raíces de mis inclinaciones y la cuna de mis personajes. Creo que ese periodo es decisivo para todo el mundo". Un periodo posterior —los años de estudiante en Montevideo se reseña así en la primera edición de *Sabina*: "Radicado en Montevideo para cursar estudios de medicina, costeados con su trabajo en la aduana, se incorporó a las luchas universitarias, dirigiendo durante la dictadura de Terra 'El estudiante libre', órgano de la Asociación de Estudiantes de Medicina. Escribió también en 'La Calle' y 'La Protesta', periódico de vida efímera dirigido por Julio C. Grauert hasta el asesinato a manos de la policía. Su ideología política lo vinculó siempre a las agrupaciones de izquierda y a los movimientos de reivindicación, contándosele actualmente como decidido colaborador de los cañeros en su lucha por la tierra".

Después de vivir veinticinco años en Montevideo, Porta regresó al norte y allí dividió sus horas entre el trabajo de médico —dirigió una policlínica— y el profesorado de ciencias geográficas en la enseñanza secundaria. La suma de sus libros, ni demasiado extensa como tampoco menguada, señala del mismo modo una constante actividad intelectual que inició su primera vocación poética (*Estampas*, 1943). Su segundo libro se tituló *De aquel pueblo y sus aledaños* (1951) y con él ingresó al cuento, una especie de andador que pronto le resultó pequeño para los temas que a borbotones veía surgir alrededor o venían impulsados por los recuerdos de la infancia, y así debió dejar paso a la novela. Es precisamente allí, en la novela, donde están los mayores logros de Porta, ya sea el cambio de ruta que propondría a la literatura criollista, como la escritura de dos acabados ejemplos de novela histórica, en su última época.

Las novelas iniciales de Porta narraron la vida dificultosa, erizada de obstáculos, cotidianamente trágica, del campo uruguayo: *Con la raíz al sol* (1953, que desde su segunda edición en 1969 se tituló más escueta y económicamente, *Raíz al sol*) se centraba en las grandes sequías del norte, contadas con un calor humano que si bien deja penetrar como una maldición bíblica, se modela con el barro de una problemática actual individual y colectiva. *Ruta 3* (1956) cuenta también los problemas de los pequeños agricultores y su aislamiento respecto al centro comercial y de consumo del país, donde gobiernan los políticos de espaldas al campo.

Después de *Ruta 3* Eliseo Salvador Porta pareció abandonar la nave durante diez años. Pero fue una década de todos modos provechosa para el ensayista: allí aclaró, ordenó, hizo conciencia su visión de la realidad a través de tres libros: *Uruguay: realidad y reforma agraria* (1961), *Marxismo y cristianismo* (1966) y *Artigas. Valoración sicológica* (1958), donde despliega una constante originalidad de enfoques.

Pocos apreciaron la obra narrativa de Porta en los primeros tiempos, encasillándola fácilmente en la tradición criollista de *Asir*, como si ésta fuera una sola y no admitiera discípulos ariscos. Es cierto —se siente continuamente en sus libros desde *Ruta 3* a *Una versión del infierno*, 1968— que había en Porta una exasperación anticapitalina, resultado sin duda de la polarización (más que intelectual y artística, real, económica) entre ciudad y campo. Entre una capital que absorbe los productos del campo sin aportar casi nada, y ese mismo campo maltratado por el latifundio e inhóspito para los pequeños productores.

Hay un rasgo en las primeras dos novelas de Porta que ha molestado siempre —y con razón— a los críticos, pero que tal vez resultaba inevitable vista la perspectiva que se había impuesto el narrador, la suma de intereses al escribir sus libros. Y es que Porta no se atuviera a sus historias, y saliera continuamente a comentar, a explicar, a predicar los problemas agropecuarios. Puede afirmarse, por ejemplo, que *Ruta 3*, al mismo tiempo que una novela, es la ilustración de un proyecto de inversión productiva. Todo el último tercio de la novela está abocado a llevar a la práctica las afirmaciones que el viejo don Pasquale hace al comienzo: hay que producir lo que puede dominarse, ni más ni menos. "Si uno no puede tener mil chanchos, entonces conviene tener un chancho solo; ma nunca una docena". La idea de la producción intensiva, vigilada, planificada, donde se utiliza hasta el mínimo excedente para devolverlo a la rueda o la cadena de la naturaleza, es una de las tantas que cuajan de arriba a abajo los libros de Porta, mostrando de este modo el tipo de preocupaciones prácticas que tenía el autor, y que si bien lo disminuyen como novelista, aumentan su imagen de hombre preocupado por su tiempo, de hombre con los pies en la tierra.

Benedetti señaló hace casi veinte años esa debilidad de Porta-narrador: "Cuando el autor predica sus convicciones, el atractivo de la novela declina de manera visible, pero cuando se limita a describir o a contar, concentra hábilmente la atención del lector". Reseñando *Raíz al sol*, también advierte: "En cierto modo el autor ha pretendido poner al día la imagen de nuestro hombre de campo. Ya no se trata del *gaucho* anacrónico y florido que inspira aún a buena parte de nuestros narradores. En la campaña de *Con la raíz al sol* hay colonos de ascendencia española, yipes, cilistas, comités chacareros, es decir: la viva y si se quiere absurda actualidad". Esta me parece que es la mayor propuesta de Porta a la narrativa uruguaya: un intento de actualizar la visión que se tenía entonces del campo. Su tarea fue así contemporánea de la de Amorim, quien enterró la estancia cimarrona (*El paisano Aguilar*) y narró el advenimiento de las colonias de inmigrantes (*El caballo y su sombra*), aunque en Amorim el intento deliberado es el de trazar el ciclo rural desde el comienzo del siglo y en Porta el de desmitificar (leyendas negras y rosadas a un tiempo) al hombre de campo, ubicándolo en su estricta verdad cotidiana.

Que nunca dio por finalizada la tarea, y que ésta parece indicar con tenacidad el rumbo de sus actividades, lo demuestra por ejemplo la ironía de su penúltimo libro: *Una visión del infierno*. El cuento que da título al volumen narra la insólita (insólita para cualquier montevideano) voluntad de un oficinista por ir a "enterarse" en "cierto pueblito del interior". Sus compañeros de trabajo no conciben tal exilio, su novia piensa que hay "otra mujer", pero la realidad es mucho más sencilla: el joven, que debió viajar enviado por la Caja Rural a levantar un sumario en aquel pueblo, ha descubierto allí un paraíso. Las últimas líneas del cuento son palabras del joven: "En resolución: me voy. A 'enterrarme'. Quizá me equivoque, pero me parece haber entrevisto que es desde allá donde, por mí y a través de las versiones de Perucho, podré observar, y acaso entender, a mi país. . .y a mí mismo". Este cuento es significativo del afán publicista, fanático y radical, de Porta por lograr una imagen dignificada del campo. Empleando incluso la ironía, quiso mostrar que el tan temido infierno es —o puede ser si todos lo quisiéramos— un paraíso. Claro que Porta no simplificó la realidad para hacerla pasar por un sueño dorado. Simplemente su prédica parece estar siempre basada en una convicción: un país agropecuario no debe sentir vergüenza de su campo. El Uruguay ha de entrar definitivamente en el concierto latinoamericano, sentirse tal, dejar de mirar hacia Europa desde su plácido balcón.

Y esto es lo que al fin, en su último libro, vivaz, incisivo, ameno como pocos —*Qué es la revolución* (1969)— intenta demostrar y demostrarse a sí mismo. La originalidad de Porta consiste aquí en tomar el tema de la revolución con mirada universal e histórica. En el espacio y en el tiempo. Espontáneo como si conversara, va mezclando todas las revoluciones, actuales y pasadas, para encontrar entre ellas las más significativas analogías que —y ésta parece preocupación cardinal— a su vez se proyectan sobre el período artiguista y sobre nuestro presente. Un ejemplo: "No sabemos que pensaba Fidel Castro en Sierra Maestra. Se le reprochó declararse, después comunista. Pero quizá sorprenda a muchos que todavía después de la batalla de Las Piedras Artigas fuera monárquico. . .Sin duda los españoles le reprocharon después que abrazara el ideal republicano". El propósito del pequeño volumen es típico de Porta: quiere desmitificar a la "revolución", sacarle su piel de lobo (que le ha puesto la reacción) y mostrar con riqueza de ejemplos y comparaciones cómo la revolución es una etapa de los hombres, decisiva, que los hace saltar a un estadio de libertad donde pueda "luego proseguir la superación espiritual".

Hasta *Qué es la revolución* se advierte en Porta una madurez ideológica visible en la clarificación de los conceptos, en la exposición razonada, polémica compartible o no, pero siempre en el camino de la izquierda. El resultado de esa línea de madurez del pensamiento, ahora en el campo del arte, de la novela, es un resultado digno de figurar en nuestra historia literaria: se titula *Intemperie* (1963), se titula *Sabina* (1968). Embretado entonces su "ensayismo" por las reglas del género, Porta enfoca periodos cardinales de la patria: la primera narra el Exodo del Pueblo Oriental, la segunda el rico lapso de lucha contra los invasores, que va desde 1812 a 1815, Guayabos, y con ellas reabre un género que parecía clausurado tempranamente con Acevedo Díaz.

En ambas novelas Porta ha sabido manejar el difícil género de la novela histórica con indiscutible talento: ambas *son novelas* porque cuentan progresivamente una anécdota particular inmersa en el turbión de la época, sin darle nunca a dicha historia un relieve desmesurado, como para sobreponerlas apenas, sobre un friso. Al contrario, la rica modulación que alcanza se conquista, gracias al juego simultáneo y alterno entre la peripecia personal y el momento histórico. Artigas es visto con admiración (aparece en algún episodio) pero jamás se lo convierte en estatua. Rivera, más aún, se transforma en vivo personaje, cotidiano pero no vulgar, sin altisonancias y sí con pequeñas observaciones que lo humanizan, *Intemperie* y *Sabina* (esta última ganó el concurso de novela que organizara "El País" en 1965 y fue presentada con el seudónimo *Tupamaro*) son dos instancias que ya la crítica y los lectores de Porta han sabido entender en su importancia y ubicar en la narrativa nacional. Aunque no existieran sus otros libros y sus méritos correspondientes, ambas por sí solas, en el nivel de la literatura, justificarían una vida.

1972

42. JUANA DE IBARBOUROU: LA POESIA, LA MUJER, EL MITO

No sale. No viaja. Vive desde hace años enclaustrada en su inmensa casa de la Avenida 8 de Octubre, visitada por unos pocos y fieles amigos. Es, sin duda, nuestro mayor mito vivo, fijo su nombre en la historia de la literatura, y su persona en la imagen acuñada en torno suyo. Se llama Juana de América, Juana de Ibarbourou, Juanita Fernández, y nació en 1895. ¿Quién, cerca o lejos de la poesía no la conoce? ¿Quién, desde niño, no recuerda los versos que recitaba en su escuela: "Porque es áspera y fea; /porque todas sus ramas son grises. . ."? Desde la poco más que veinteañera que escribe, desafiante, heredera de una tradición feminista ardiente y audaz: "Caronte: yo seré un escándalo en tu barca. . ."; desde la mujer, ya formada que a los treinta y cuatro años recibe en el homenaje apoteótico del Palacio Legislativo, el nombre de "Juana de América", hasta este presente, reposado, tranquilo, memorioso y forzosamente enclaustrado y hermético, hay todo un itinerario interior y personal. Hay también toda una edificación exterior del mito, una respuesta de la sensibilidad popular, espontánea y unánime.

La crítica ha sido abundante y en algunos casos eficaz ante la poesía de Juana de Ibarbourou. Ha señalado su papel histórico en nuestras letras, su aporte fundamental, sus valores expresivos, también los trillos epocales por los que pasa y la sensibilidad que representa, en particular desde que su poesía ha acabado por absorver ávidamente una religiosidad acendrada. Sin embargo, no es por la crítica que la obra de esta singular escritura se ha difundido: una serie de reconocimientos oficiales de este país y del resto del mundo, una serie de homenajes y distinciones aquí y más allá de fronteras, y un calor popular que ha venido rodeando, protegiendo su persona y su obra, fueron hasta hoy elementos poderosos para el respeto y la admiración ante su figura literaria.

Como todo mito, el de Juana ha quedado inmóvil en el tiempo. Podrán publicarse sus libros y también reeditarse, pero no nos queremos atrever a creer que su imagen por eso sea cambiante. La propia escritora ha coadyuvado —sin proponérselo, sin planearlo, pero lo ha hecho— a esa inmovilidad que en cierto sentido se parece ya a la eternidad. Sin tiempo, aparentemente casi sin ligadura alguna con los sucesivos presentes que vive, Juana *fue*, Juana *es*: todo resulta equivalente. Y sin embargo es legítimo preguntarse: ¿Quién es la mujer que vive tras su nombre, tras su historia? ¿Quién es Juana de Ibarbourou en 1971? ¿Qué siente, qué opina Juana de Ibarbourou ante este Uruguay que la conoce y venera, ante este mundo en que le tocó vivir? Mucho de esto quedará al margen: no habla sobre política, ni quiere referirse a otros países o a otros regímenes políticos.

No sale. No viaja. Es muy difícil asimismo llegar a ella. Y ella lo dice, francamente, cuando en alguna anécdota sobre algún escritor que ha venido a visitarla, aclara: "como siempre, le dijeron que yo no estaba". Por eso resulta doblemente necesario señalar que esta entrevista fue posible merced a la común amistad con Jorge Arbeleche. Amigo de la escritora, conocedor de su obra, poeta él también, Arbeleche fue en cierto modo la llave de este diálogo.

—¿*Qué momentos siente que han sido los más importantes de su vida hasta el presente*?

—Bueno, ésos han sido momentos familiares, ha habido muchos pero se relacionan con mi vida personal, que no puede interesar demasiado a la gente.

—¿*Y como figura pública, como escritora*?

—Ah, aquél del Palacio Legislativo. Aquella fiesta en que estuvieron Alfonso Reyes, Zorrilla de San Martín y tantos otros que me acompañaron, como me acompañó todo el pueblo uruguayo. Hasta la milicia, puesto que tuve cuatro blandengues como guardias de honor. Hay un episodio muy hermoso con respecto a estos cuatro soldados, a quienes siempre recuerdo, y que la podría contar así. El acto en el palacio fue en agosto. Había una cantidad tan enorme de violetas, que estaba inundado aquel espacio; yo tenía —no recuerdo quién me lo alcanzó, creo que Emilio Oribe— un inmenso ramillete de violetas en la falda, y cuando me fui, cuando me levanté para irme, lo llevé, naturalmente. Hasta el coche me escoltaron esos cuatro blandengues, con algunos amigos, porque me estaba esperando, por la puerta principal del palacio, una gran masa de público, compacta, que no permitía pasar. Salí por una de las puertas laterales, y entonces, al subir al coche, uno de los soldados me pidió que les diera a cada uno de ellos algunas violetas de recuerdo. Y yo se las di. Les di un ramito a cada uno. Pasó el tiempo, yo vivía entonces en mi casa de la Rambla 1405, que ahora es la embajada de Bélgica, y un día me anunciaron a un señor que había estado en la fiesta del Palacio Legislativo y que quería hablar conmigo. Lo recibí, y era el muchacho, un hombre muy joven, que traía una caja de vidrio y, adentro, las violetas completamente secas. Me dijo que se iba a casar y que uno de los regalos que quería hacerle a la novia eran esas violetas, pero tendría que llevar el testimonio de que yo se las había dado. Y así fue. Me quedó una gran dulzura en el alma con eso. Mire: cada vez que lo cuento, lo siento acá, en el corazón.

—¿*Cómo ve usted misma el curso de su poesía desde* Las lenguas de diamante, *hasta el último libro publicado*?

—¿*Sin vanidad*?

—*Claro...*

—¿*Sin humildad*?

—*Como usted lo vea.*

—Yo creo que ha ido creciendo y creciendo bien.

—¿*Y cuál de sus libros o poemas prefiere*?

—Eso es como preguntarle a una madre qué hijo prefiere. Sin embargo, le voy a decir que tengo una gran preferencia por mi soneto "Rebelde", porque me ha dado grandes satisfacciones. Ha sido muy bien considerado por grandes figuras de la literatura hispanoamericana.

—*Al margen de la consideración crítica de su poesía, es insoslayable la existencia del mito Juana de Ibarbourou. ¿Cómo lo explica y cómo se siente ante él?*

—¿Cómo lo explico? Porque salgo poco y me ven menos todavía. . .Eso favorece mucho, porque da alas a la fantasía. Y en general las gentes son bondadosas. Las alas las fabrican muy generosamente.

—*Sin embargo el mito Juana de Ibarbourou no data de poco tiempo. Diría que existe desde hace años.*

—Sí, pero yo siempre hice una vida muy retraída, mire. Primero porque mi madre y mi marido eran muy delicados de salud y yo era muy adicta a mi familia, estaba siempre al lado de los míos, siempre cuidándolos. Y entonces me conocía poca gente en realidad.

—*Eso explica que no haya viajado prácticamente nunca.*

—Sí. Viajé una vez a Estados Unidos. Estuve doce días y me los pasé en las cataratas del Niágara.

—*De todos modos, ha conocido usted a muchos escritores y los ha leído. ¿Qué preferencias literarias surgen de ello?*

—Afortunadamente, son muchos, porque la literatura hispanoamericana tiene grandes obras. Si yo me pusiera a hacer una lista ahora, seguramente sería injusta con muchos.

—*Insisto, por lo menos en lo que se refiere a la poesía femenina.*

—Bueno, yo le podría dar algunos nombres. Fui, por ejemplo, muy amiga y quise y admiré mucho a Esther de Cáceres. Lo mismo me pasa con la poesía de Sara de Ibáñez. Y después hay unas cuantas, de mucho talento, como Circe Maia, Clara Silva, Ida Vitale, Idea Vilariño, Amanda Berenguer, Nancy Bacelo. Armonía Somers en prosa; igual Sylvia Lago, Giselda Zani, que es la gracia en la vida como en la literatura. Y entre los escritores le mencionaría a Jorge Arbeleche, a Washington Benavides, a Enrique Estrázulas. . .Luego hay un disco de Zitarrosa, en el que ha musicalizado un poema mío, "La cuna", que comienza: "Si yo supiera de qué selva vino. . ." Usted no se imagina qué emoción he tenido yo y cuánto se lo agradezco a Zitarrosa.

—*¿Usted es una mujer creyente que practica su religión?*

—Soy católica apostólica romana, y practicante y rezadora. Eso se lo debo a mi madre, aunque tal vez trajera ya el favor de Dios conmigo. Porque ha sido muy firme y muy permanente mi fe.

—*En los últimos tiempos la iglesia se ha renovado, ha tomado conciencia de que está en un mundo de grandes problemas y que hay que intervenir en él, aunque estos problemas sean sociales y políticos. ¿Piensa beneficiosa esa transformación?*

—Yo creo que la iglesia debe ser ejecutiva, intervenir, ayudar mucho, estar muy cerca del pueblo, todo lo cerca posible. Más que católica, la religión es cristiana, viene de Cristo. Y no hay figura más grande en la humanidad que Cristo.

—*¿Qué piensa y siente cuando abre cada día un diario y se entera de los conflictos del país y del mundo?*

—Todo lo que está pasando día a día me desconcierta, Y me apena. Y me asusta, Especialmente por los jóvenes, por esa rebeldía y esa violencia que no comprendo. No es, por supuesto que los culpe de nada, pero tengo miedo. Y a la vez una gran confianza. Sé que sobre los jóvenes descansa el futuro. Ellos tienen la verdad.

—*¿No piensa que esa rebeldía que tan malamente se ha llamado "violencia" es un camino al que en determinadas circunstancias hay que acudir?*

—Es un camino. Es un camino a veces necesario pero doloroso. Van a llegar a la plazoleta abierta. Se van a encontrar muchos allí, y van a pelear hasta entenderse. ¿No cree usted?

—*Estoy seguro que sí. Ahora, dígame, Juana, algo sobre la juventud, aunque no sea ésta que acabamos de nombrar: ¿le gustan los Beatles?*

—Sí, me hacen mucha gracia; son muy llenos de gracia y alegría. Hay cosas más profundas que esa gracia y esa alegría, todo lo churrigueresco o carnavalesco que tienen ellos, pero expresan muchas cosas. Ultimamente se han separado y ya no son los mismos: no son los *Beatles*, habrá que buscarle otro nombre a cada uno.

—*¿Qué ha estado leyendo últimamente?*

—Como no soy rica y cuestan muy caros los libros, me prestan. Me gusta la lectura y no puedo, en verdad, pasar sin leer. Realmente, cuando no tengo nada nuevo, tomo esas colecciones de arte —que a veces me aburren un poco— pero me pongo a releerlas y a requeteleerlas. Entre los autores más recientes que he leído le mencionaré a Simone de Beauvoir y a Francoise Sagan.

—*¿Y entre los latinoamericanos, a quiénes prefiere?*

—Vargas Llosa entre los primeros. Y García Márquez con *Cien años de soledad.* Lo mismo los cuentos de Cortázar. Son los tres que forman un triángulo perfecto: ni isósceles ni escaleno, un triángulo perfecto.

—*Aunque estén más cerca y sea más comprometido hablar de ellos, le preguntaría concretamente por algunos escritores nacionales ¿Lee con interés a Juan Carlos Onetti?*

—Sí, me parece muy grande Onetti. . . Y él como persona es antipático que da gusto. . . Pero también me interesa Benedetti, aunque no lo conozco personalmente. Las cosas que escribe, y en particular los cuentos, me parecen de los más valioso que se está haciendo en el Uruguay. Y claro, también Martínez Moreno; Armonía Somers tiene un cuento —"Muerte por alacrán"— que si no lo conoce, trate de conocerlo; qué cosa grandiosa, esa escritora. . . Ahora, últimamente no se ha oído nada sobre ella, no sé si sigue escribiendo. ¿Sabe algo usted?. . .Lo mismo Idea Vilariño, que tenía aquellos poemas de amor tan divinos. Lo que no es perdonable en Idea Vilariño es el título de aquel libro suyo: *Por aire sucio.* . . ¡Es una cosa tan fea, tan poco elegante! No sé por qué ella, que tiene tan buen gusto, lo eligió.

—Con usted puede decirse aquello de "Si Mahoma no va a la montaña, la montaña irá a Mahoma", porque si bien no ha viajado, muchas personalidades han pasado por su casa. ¿A quiénes recuerda ahora?

—A tantos... Por ejemplo a Federico García Lorca. Mire que jugaba a la pelota con mi hijo y el perro que teníamos entonces, en la azotea de la casa donde vivíamos, en la Calle de Comercio. Hay una anécdota con Federico. Nosotros no faltábamos a la misa los domingos, y un día... Bueno, él acostumbraba comer con nosotros casi día por medio, y aquel domingo nos tocaba su visita. Fuimos a misa, y al llegar a la Iglesia, mi madre, que ya iba preparada, sacó de la cartera un rosario y se lo dio a Federico. Mi marido, que era católico, se quedó de pie, atrás, a acompañarlo mientras nosotras nos arrodillábamos en el último banco. Y yo de vez en cuando lo miraba: Federico estaba tieso, inmóvil con aquél rosario en la mano... Pobrecito... Ojalá le sirva esa misa que oyó en mi país...

—Del mismo modo, usted conoció al Che Guevara.

—Ah, fue en la casa de Haedo, en *La Azotea*. El Che debía sufrir una afección bronquial, porque a cada momento sacaba un aparatito y se hacía unas inhalaciones. ¡Pero era muy simpático, sumamente simpático! Gracioso, que todo lo que decía nos hacía reír... Comimos en la misma mesa: estaba Juancito Fischer —el doctor Fischer— y su señora, estaba Haedo y no recuerdo quiénes más, aunque desde luego el personaje allí de quien me recuerdo profundamente, era el Che... Es uno de los seres que más admiro.

Y estuvo en mi casa Fidel, en la época en que recién comenzaba a ser Fidel. Sucede que yo tengo una gran amiga, que es como hermana y me mandó un regalo con Fidel. Dice que le dijo a Fidel: "Se lo llevas tú mismo". Y bueno, me lo trajo. Estuvo parado, nomás, pero yo no sé cómo fue que se llenó inmediatamente ese patiecito de gente; se metía por todos lados y al fin obligó a que la visita fuera así de corta.

—¿Qué impresión guarda de Neruda?

—Neruda, a quien también conocí, es un encanto. Y un ladrón. Yo coleccionaba caracoles, y parece que coleccionar caracoles es también una afición para él. Bueno, la señora de Robaina, la primera suegra de mi hijo, había traído de Grecia unos caracoles que eran una preciosidad, de un nácar entre rosada y verdosa, hermosísima. Y en mi casa de la rambla había un ventanal enorme, en cuya parte inferior tenía yo toda una decoración divina con los caracoles. Pablo en seguida que vio aquello, ya no se desprendió de los caracoles y dijo: "Este me lo llevo yo..." "¡No, no te llevas nada! ... Ven para acá que te voy a dar whisky..." Y así fue como lo saqué de allá. Tengo unos retratos de aquella época. Algún día los voy a buscar. Son tan lindos... y son históricos. Bueno y ahora Neruda está en París, después de haber vociferado tanto contra los cargos diplomáticos en Europa...

—¿Gabriela Mistral? ¿Alfonsina Storni?

—Sí, Gabriela... Gabriela pasó un día por mi casa. Y a la hora del almuerzo, queriendo yo hacerle un obsequio, tomé un collar muy lindo, de cuentas de marfil, auténtico, me levanté y se lo puse así. . . Ella entonces se lo miró y exclamó: "¿Y para qué quiero yo este mamarracho?" Zácate, le pegó un tirón y. . . bueno, y todos estuvimos inmediatamente de rodillas juntando las cuentas. La secretaria de Gabriela, que estaba con nosotros, me dijo después "Démelo, que ella lo va a usar. . ." " ¡Qué esperanza!" le contesté. "Ahora me lo quedo yo. . . Yo ya cumplí".

¿Alfonsina? Sí, recuerdo aquel acto en la universidad, a las Tres, Gabriela, Alfonsina y yo. Pobre Alfonsina. Ella siempre decía que era "chatilla y fea". Y era ¿eh? Pero con una gracia... Y era temible, porque tenía la contestación tan rápida y tan cáustica que lo dejaba a uno sin saber qué decir.

—*¿Cómo recuerda a Delmira? Sé además que tiene usted una anécdota relativa a Borges.*

—Delmira es inmensa. Daría todos mis sonetos por aquel suyo, grandioso, titulado "Lo inefable". La poesía de María Eugenia también me gusta, sobre todo aquel poema "El ataúd flotante". Con María Eugenia nunca hicimos migas. Era una mujer muy extraña. Cuando publiqué *Las lenguas* se lo envié y al poco tiempo me lo devolvió con una leyenda que decía "Yo no leo indecencias". Lamento haberla molestado con el sano erotismo de mis versos. Siempre que me encontraba trataba de no verme. Pero eso ya es tiempo pasado y los muertos deben descansar. Y lo más importante de ella es su poesía.

En cuanto a Borges, siempre hemos tenido una relación muy cordial. Lo respeto enormemente, aunque no me llega del todo. Recuerdo que una vez que vino a Montevideo, yo debía decirle unas palabras en nombre de los escritores uruguayos. Estábamos sentados juntos y llegaba la hora de hablar, y yo no me animaba pues temo siempre hablar en público. Como no me decidía, le dije: "Borges, tengo que leer algo para usted pero no tengo ganas de hacerlo". El me respondió: "Yo tengo que contestarle pero tampoco me animo. ¿Qué le parece si nos intercambiamos los papeles y ya está?" Y así lo hicimos: ninguno habló y quedamos tranquilos.

1971

No hay parangón posible: la poesía de Sara Iglesias de Ibáñez surge en 1940, con *Canto*, dotada de una seguridad en el decir, de una destreza en el dominio de las formas, de una inventiva en la creación de imágenes, como rara vez se da en un primer libro poético. Sara de Ibáñez surgía a la literatura con la madurez y gravedad del poeta nato, nunca después desmentido en sus libros posteriores y fue a ese poeta al que Neruda saludó en un prólogo lúcido de sus principales rasgos: la índole de una poesía cuya fuerza estaba contenida en metros y estructuras clásicas, redoblando así su energía como por concentración —"el arrebato sometido al rigor", diría Neruda, como después Anderson Imbert, sin citarlo: "Somete el frenesí de su lirismo al rigor de versos de perfectas formas". El otro rasgo era consustancial a éste; aludía a la estirpe misma de esa creación, a una poesía que es "agua americana", al decir de Neruda, pero que viene de los "ventisqueros de España". De este modo, Sara de Ibáñez se sumaba, aceptando el legado, a ese rico venero de las letras españolas del siglo de Oro que la generación del 27 había recuperado para sí misma en la propia España. Garcilaso y Góngora, entre otros grandes, proyectaron nueva luz a través de una joven avidez por recapturar las fuerzas bruñidas de la poesía en el ejercicio tenaz de las formas clásicas. Es por eso difícil insertar la poesía de Sara de Ibáñez en una "tradición" nacional si no es ésta un eco de la española, o no se retrotrae a esa zona del modernismo que define Herrera y Reissig con el cultivo de la metáfora y con la audacia expresiva e innovadora dentro de una variedad métrica dada. Además, la poesía de Sara de Ibáñez tiende, en razón de su canto, a una inefabilidad poética, y si toca a la naturaleza, por ejemplo, será ésta una cristalización estética antes que un concreto elemento terrenal, sin empaparse de autonomía por lo menos hasta que la mirada se pose en tierra para ofrecer inequívocamente su *Canto a Montevideo* (1941) y a *Artigas* (1952). Acaso los más cercanos son poetas como Roberto Ibáñez —con cuya obra guarda el compañerismo de las formas perfectas, en particular a partir de *Mitología de la sangre*— o Fernando Pereda, quien nunca publicó libro, o Esther de Cáceres, ya édita once años antes. Pero nada tiene que ver con la obra de un Liber Falco —de 1940 es *Cometas sobre los muros*— y Clara Silva, que surge en 1945 con *La cabellera oscura*, mantiene una relación casi de antítesis, por su efusividad lírica, tanto en la forma como en la concepción de la poesía.

Mucho se ha escrito sobre la riqueza metafórica y también sobre el hermetismo, la cualidad inefable, de misterio, como una de las líneas principales en el quehacer de Sara de Ibáñez. A esa índole imaginativa del lenguaje, a esa "fusilería metafórica" —como señaló Anderson Imbert en una feliz metáfora—, responde el difícil acceso intelectivo, que no obedece sin embargo a un *trovar clus* ni a un deliberado escamoteo de la luz en los laberintos del barroco. No puede negarse que la empeñosa búsqueda de un lenguaje propio al fenómeno poético es típica de la lírica moderna. Fiedrich señalaba en forma esquemática y resumida los rasgos característicos de este poema que "prescinde de la humanidad en el sentido tradicional de la palabra, de la 'vivencia', del sentimiento, y a menudo incluso del yo personal del poeta, el cual no participa de su poema como individuo privado sino como inteligencia que crea poesía, como artista que ensaya las distintas fases de transformación de su fantasía soberana". Los simples dirán: "poesía deshumanizada, fría, formalista". Pero no es así. Sucede que el lirismo necesita un lenguaje complejo para expresar las más hondas y complejas experiencias, y su poesía así es una verdadera alquimia que transforma vida y arte. De ese modo se acerca mejor a la precisa temperatura de las cosas y los hechos, al exacto significado que tuvieron en su momento, y para ello no duda en expresar con la riqueza de las metáforas e incluso de las "correspondencias" (esa corta pero valiosa tradición que va de Poe a Valéry pasando por Baudelaire, Nerval y Mallarmé) la complidad de la percepción humana, de la vivencia profunda.

Creo, por eso, que la poesía de Sara de Ibáñez no tiene paralelo como maravilla de imaginación metafórica, y que por ese rasgo solo, si fuese necesario, su obra se situaría en lo mejor de la poesía de esta lengua. Sus primeros libros gozan de esa felicidad poética conquistada desde el inicio pero que fue construyendo paulatinamente su mundo de imágenes y valores, edificando sus líneas más definidas. *Canto* en 1940, *Hora ciega* en 1943, *Pastoral* en el 48, y *Las estaciones* en 1957, fueron libros de alianza entre una perfección de estructuras y una cada vez más necesaria urgencia de vivir como individuo en un mundo comunitario aunque la poesía sea, en definitiva, un ejercicio de soledad, como la muerte. En los sonetos y las liras de *Canto* se encontrará ya la presencia de motivos, símbolos y vivencias que cruzan las tres décadas de creación. (Habrá que profundizar, por ejemplo, en la imagen de la "batalla" que va desde *Canto* hasta *La batalla*, 1967, propiamente dicha, y se desperdiga además en muchos poemas de libros intermedios.) Pero en particular *Canto* manifiesta una actitud dirigida a los paisajes interiores, valorativa de ese íntimo momento en que lo real se transforma en imagen, en poesía, y vuelve a ser real, potencializado; de ese modo, el poeta atiende a "mi retiro" defendido por "finísima frontera" que constituye, en sus propias palabras, "mi isla seca en mitad de la batalla". En *Hora ciega* la batalla es atronadora y la poesía de Sara de Ibáñez presta su oído para captar el sonido y la furia (es la Segunda Guerra mundial, cuyo reflejo ya se abre en 1941, dos años antes de publicado el libro en el poema del mismo título, "Hora ciega") que implican ante todo dolor y muerte. A propósito del volumen más reciente, *Apocalipsis XX* (1970), Sara de Ibáñez declaró: "Es un libro diferente, empeñado en nueva búsqueda. En cuanto a estructuras, principalmente, creo que he logrado innovar mi obra. Desde el punto de vista de la idea, en cambio, responde a mi constante actitud ante el mundo de ser eco de él, circunstancia temática siempre presente en mi poesía". Y, en efecto, hay toda una zona de gran sensibilidad —sin perder la estructura del lenguaje— por la realidad histórica, por el contexto en que se vive. En *Hora ciega*, por ejemplo, los "Soliloquios del soldado" ya están aludiendo de por sí a un oído, a una atención que capte el sufrimiento. Por eso la poesía dirá en otro lugar del mismo libro; "veo sufro/atestiguo"; por eso querrá "enmendar a la muerte" y propondrá sus estribillos luctuosos: "Luto para la rosa", "Luto para la abeja", "Luto para la rama", por detrás de cuyas imágenes corre cristalina una visión casi eglógica —*Pastoral* será su culminación— de la existencia. Esta última visión ha de atrapársela en una terminología alusiva de los reinos naturales —hierba, trigo, cereal, nardo, ciervo, pájaros dormidos, la vid, abejas, grillo, paloma, avena, azucenas, acacia, mar, garza, miel, manzano, cigarra— porque ésa es una de las maravillas que ha de cantar, junto con el sufrimiento y la intuición del misterio. Sobre ese fondo que muchas veces es presente realidad y poesía a la vez, contrasta la guerra de *Hora ciega*, sus imágenes aceradas y restallantes y el logro de versos como éstos: "Voy asido a las crines de un caballo espinoso/ que vuela con ciudades quemadas en el vientre". En *Las estaciones* esa definida comulgación con la vida se hace explícita:

> "No puedo cerrar mis puertas
> ni clausurar mis ventanas:
> he de salir al camino
> donde el mundo gira y clama,
> he de salir al camino
> a ver la muerte que pasa.
> He de salir a mirar
> cómo crece y se derrama
> sobre el planeta encogido
> la desatinada raza
> que quiebra su fuente y luego
> llora la ausencia del agua".

Canto a Montevideo y *Artigas* componen juntos, aunque distanciados una década entre sí, una zona muy particular en la obra de Sara de Ibáñez, porque el canto imaginativo y metafórico se vuelve hacia la envoltura fenoménica de esta historia nuestra, familiar, comunitaria, de la cual habría a la vez que extraer sus esencias, su significado. En amplios periodos —alejandrinos dispuestos en tercetos— el *Canto a Montevideo* se desliza con una placidez narrativa, sin alzarse en tonos épicos, con una fina adecuación de tema y estructura. Allí Montevideo se yergue como una ciudad viviente, con historia, con origen, desde su fundación lenta y segura en una zona geográficamente privilegiada, con su hondón portuario, sus playas bañadas por el río y el mar, y el factor humano que es finalmente el protagonista de toda historia, a través del "amargo charrúa", "la blanca espada", "la carabela", Solís, Zavala, o en el enfrentamiento dialéctico de dos civilizaciones. "El español traía envainado en un ruego/ el filo de su espada, su hambre conquistadora/ y el rostro de su dios sobre su pecho ciego./ Y el indio defendía su nube voladora/ sus peces, sus ñandúes, sus sauzales dormidos,/ las difíciles mieles de su sierra sonora". En cambio *Artigas* es el pleno canto al héroe y a su gesta, a la grandeza épica de la lucha, al carisma de un hombre providencial, a la fuerza de un pueblo que alcanza en esa gesta su nacionalidad y su tierra. En el poema hay grandeza épica (la primera y segunda partes adoptan un endecasílabo sonoro elegante y perfecto y la Cauda un *staccato* de formas métricas menores, para pasar a la gracia popular de un cielito o una vidalita), en particular cuando se alude a los momentos de mayor dramatismo histórico —el Exodo— o cuando emerge, límpida la figura del héroe (nunca llamado Artigas sino en el título del libro) desde los oscuros comienzos recogidos en su intimidad —"Un hijo ausculta tu soleado pecho/palpa tu resplandor, toca tus venas. . ."— hasta el recio relato lírico del conductor de pueblos —"El Varón de la Patria da el acento. El oro grave que ensombrece mayo/ le sube por la voz y el pensamiento. . ."— y la digna vejez del héroe en el destierro paraguayo —"El que condujo a un pueblo enamorado/ y le soñó sus sueños y su escudo, / aquí crea su pan, gasta su arado, / y aquí le tomará su dios desnudo"— para al fin realizar la "Memoria de la hazaña", que es su legado y su lección vigentes:

> "El era el grave, el elegido, el fuerte,
> le honraron el amor y la obediencia.
> Y le siguió su ejército a la muerte
> vestido de laurel y de inocencia.
> *Vestido sólo del laurel* que vierte
> su amargo sol de herida y penitencia,
> y con el hambre que en su reino huero
> tuvo arpado aguijón por compañero".

Toda esta obra que ha encontrado su entero esplendor al pasar por la metáfora, por el lirismo contenido y como quintaesenciado, que ha cantado la fascinación natural y sufrido el ácido olor de la pólvora, que ha seguido caminos de la intuición hasta las regiones donde el lenguaje no da más y toca lo inefable, en *Apocalipsis XX* alcanza una nueva dimensión —la visionaria— adelantándose a los dos libros inéditos que deja al morir: *Baladas y otras canciones* y el *Diario de la muerte*. Tres años antes, en 1967, había publicado *La batalla:* el sistema poético del libro gira sobre ese símbolo y sobre la fidelidad a una acendrada inventiva metafórica, dando quizá su obra más cromática, sensorial y brillante, merced a esa conquista de un tema tan personal como de tan vastas resonancias, que conduce libre y airosamente con el dominio del ejercicio poético, alcanzada ya la madurez definitiva de poeta. Como si hubiese presentido siempre ese motivo mayor de su visión del mundo, la espera ha sido fructífera, pues ha logrado la insólita destreza que revela *La batalla*. Pero es en *Apocalipsis XX*, donde están las mayores novedades: su innovación de estructura nos trae un verso blanco pero con un ritmo dominado y probado ya por su extensa frecuentación de las formas clásicas. La gran fuerza de su poesía aquí se duplica por los sones precisamente proféticos con que el poeta se refiere al caos del mundo, a la destrucción sistemática de todo lo creado. La naturaleza misma de los poemas —XXI Visiones, Letanías, Apóstrofes, Castigos— reasumen los tonos bíblicos, le ofrecen la mayor libertad de imaginación y la conducen a referirse a nuestra condición, a nuestro siglo, como un aviso redentor del fin que nuestros actos llevan en sí como gérmenes. Ya no es el "enmendar a la muerte" de 1943, sino a la aniquilación del hombre. Desde *Canto* hasta *Apocalipsis* hay pues una fidelidad típica de una gran literatura, pero simultáneamente un enriquecimiento de la perspectiva humana logrado al transitar, como lo ha hecho, por la historia y las esencias, las zonas de la luz y del misterio, cargándose en cada una de las etapas de una creciente visión sombría de la existencia que adelgaza por la inteligencia y el rigor con que la ha hecho poesía.

1971

INDICE

FRANÇOIS AUBRAL Y XAVIER DELCOURT, Contra la nueva filosofía

QUENTIN BELL, El crítico y el historiador de arte

MILTON FRIEDMAN Y OTROS, El marco monetario de Milton Friedman

VARIOS AUTORES, América Latina: Cincuenta años de industrialización

FERNANDO RITTER, El pseudocapital

CARL BOGGS, El marxismo de Gramsci

ANTONIO GRAMSCI, La política y el Estado Moderno (Escritos I)

ALEX CALLINICOS, El marxismo de Althusser

STANLEY ROSS (ed.), ¿Ha muerto la revolución mexicana?

YURI PLEJANOV, Cuestiones Fundamentales del marxismo

GILLES DELEUZE Y FELIX GUATTARI, Rizoma (Introducción)

ALAN SWINGEWOOD, El mito de la cultura de masas

MAX WEBER, La ética protestante (y el espíritu del capitalismo)

GEORGES COIGNOT, ¿Qué es el comunismo?

JACQUES KAHN, Para comprender las crisis monetarias

ESTEBAN INCIARTE, Erótica y mística

ALAN McGLASHAN, Gravedad y ligereza

MARIE JAHODA, Freud y los dilemas de la psicología

THOMAS SZASZ, Esquizofrenia (El símbolo sagrado de la psiquiatría)

WESTON LA BARRE, El culto del peyote

JOHN D. NAGLE, Sistema y sucesión (Las bases sociales del reclutamiento de la élite política)

PETER L. BERGER, Las pirámides del sacrificio

J.-T. DESANTI, El filósofo y los poderes

ANTONIO GRAMSCI, Introducción a la filosofía de la praxis (Escritos II)

JACQUES LACARRIERE, Los gnósticos (Prólogo de Lawrence Durrell)

T.W. HUTCHISON, Conocimiento e ignorancia en economía

IGOR A. CARUSO, Aspectos sociales del psicoanálisis

JAN BAZANT, Breve historia de México (De Hidalgo a Cárdenas) 1805-1940

BENJAMIN GIBBS, Libertad y liberación

FRANÇOIS ROUSTANG, Un funesto destino

LA NAVE DE LOS LOCOS

Esta edición se terminó de imprimir en los talleres gráficos de PREMIA editora de libros, s.a., en Tlahuapan, Puebla, en el primer semestre de 1982. Los señores Angel Hernández, Serafín Ascencio, Julián Hernández y Donato Arce tuvieron a su cargo el montaje gráfico y la impresión de la edición en offset. El tiraje fue de 1,000 ejemplares más sobrantes para reposición.